AFGESCHREVEN

Murat Kurnaz
in samenwerking met Helmut Kuhn

In de hel van Guantánamo

2009 – Forum – Amsterdam

Oorspronkelijke titel: *Fünf Jahre meines Lebens : Ein Bericht aus Guantanamo*
Oorspronkelijke uitgever: Rowohlt
Vertaling: Carolien Metaal
Omslag voorplat: @ picture-alliance/dpa
Omslag: DPS
Kaart: Peter Palm, Berlijn

Zie pag. 156-157 voor een kaart van Guantánamo.

Eerste druk januari 2009
Tweede druk februari 2009
Derde druk februari 2009
Vierde druk maart 2009

ISBN 978-90-492-0002-2
NUR 320 Literaire non-fictie

Inhoud

I

Frankfurt am Main, luchthaven

Als ik tegen moeder had gezegd dat ik naar Pakistan wilde, had zij me niet laten gaan. Ze zou het me verboden hebben, hoewel ik al negentien jaar was.

Hoe kon ik afscheid van haar nemen zonder dat het er als een afscheid uitzag? Ik zou tegen haar zeggen dat ik pijn in mijn rug had en haar vragen mij te masseren. Dan kon ik haar omhelzen om haar te bedanken. Dat zou dan mijn afscheid zijn.

Toen ik de trap op liep riep ik al: *Ana*, ik heb pijn in mijn rug, kun je me masseren? Het is laat, zei moeder, ik doe het morgen wel. Ik stond nog op de trap; moeder was al in de slaapkamer. In het donker kon ik haar niet eens meer zien.

'*Salam alaikum*,' zei ik.

'*Alaikum salam*,' zei zij.

Dat was de laatste keer dat ik moeder zag. Tot ik vierentwintig was.

Mijn tas was gepakt, paspoort, visum, ticket. Selcuk zou in de auto op me wachten. 's Middags zou het vliegtuig uit Frankfurt vertrekken.

Ik wilde afscheid nemen van mijn broers, maar ik kon ook hen niet zomaar omhelzen. Vroeger wilde Ali altijd dat ik naast hem kwam liggen als hij ging slapen. Dan stelde hij me vragen tot zijn ogen dichtvielen. Daarom zei ik die avond tegen hem: Ali, ik kom bij je, laten we even praten. Hij vond het leuk. Na een tijdje zei ik, voordat hij in slaap viel: ik ga even naar mijn kamer. Ik kuste hem en ook mijn kleine broertje Alper.

Toen deed ik het licht uit.

Op de luchthaven werd ik onrustig. Ik wilde tegen moeder zeggen dat ik terug zou komen, dat ze zich om mij geen zorgen hoefde te maken. Ik belde haar vanuit een telefooncel; het was tien uur 's ochtends.

'Waar ben je?' vroeg ze.

Ze wist al dat ik weg was.

'Ik ben in een andere stad… niet meer in Bremen. Ik ben een tijdje weg, maar kom snel weer terug! Maak je geen zorgen…'

Ze begon te huilen.

'Waar ga je heen? Kom onmiddellijk terug!' zei ze.

'Ik ben maar een paar weken weg. Niet huilen.'

Maar ze hield niet op en ik moest ophangen, omdat ik anders mijn vliegtuig zou missen. Ik kon haar niet vertellen dat ik op het punt stond naar Pakistan te vliegen.

Ze had me niet laten gaan.

Dat zou goed zijn geweest.

II

Peshawar, Pakistan

Ik zal die dag nooit vergeten. Het was 1 december 2001. Op die dag wilde ik van Peshawar terug naar Duitsland vliegen. Mijn vriend Mohammad had mij geholpen de cadeaus in de reistas te pakken en ik nam afscheid van de *tablighs* in de moskee. Vervolgens reden we naar de luchthaven van Peshawar. Ben je blij? Morgen ben je weer bij je moeder, zei Mohammad onderweg in de bus nog tegen me.

Ik heb nog een tweede stuk bagage, een rugzak met mijn spullen, en bovendien nog een heuptasje met geld en papieren. Mohammad draagt de reistas. Hij vergezelt me, omdat mijn terugvlucht eigenlijk vanuit Karachi vertrekt en hij wil regelen dat ik vanuit Peshawar kan vliegen. Ik wil graag terug zijn als mijn vrouw uit Turkije naar Bremen komt.

Ik draag nu mijn glimmende, zwarte Hugo Boss-overjas weer. Die heb ik al die tijd in de rugzak laten zitten, omdat het veel te warm was. Ik had gedacht dat het hier net als in Duitsland herfst zou zijn. Ik had ook een nette broek en een trui uit Bremen meegenomen. Ik wilde er netjes uitzien als ik naar de koranschool ging of een ommetje maakte.

Dus had ik op 3 oktober, bij de aankomst op de luchthaven van Karachi een wollen trui en de jas aan. Maar het was net zo warm als bij ons in de zomer. Daarom droeg ik daarna meestal een T-shirt en mijn KangaROOS-laarzen. Later hebben de Duitsers in Guantánamo mij verweten dat ik in Pakistan soldatenkistjes had gedragen. Voor mijn ouders heb ik zoetigheid gekocht. Mooi verpakt; echte kunstwerkjes. Ze zijn eigenlijk te kostbaar om op te eten. Voor mijn kleine broertje Alper heb ik een handgemaakt behendigheidsspel van hout met ringen en een knoestige boom. Voor mezelf heb ik een paar motorhandschoenen van mooi leer gekocht. In Bremen zou ik daarvoor een paar honderd mark moeten betalen. Voor mijn moeder neem ik een handgemaakte ketting mee. Van hout en leer en blauwe stenen: lapis lazuli.

De bus is in allerlei kleuren geschilderd en behangen met belletjes en rode en gele lichtsnoeren. Hij glimt als een discotheek. Alle bussen in Pakistan zien er zo uit. Het is een bestelbusje met een schuifdeur. Er rijden ongeveer tien mensen mee; meer kunnen er ook niet in. Mohammad zit recht voor me. Twee andere mannen gingen meteen naast hem zitten, dus heb ik maar achter hem plaatsgenomen.

We komen bij een controlepost. Ik ben al vier of vijf keer zo'n controlepost gepasseerd toen ik met Mohammad en de andere tablighs van moskee naar moskee reed. Deze checkpoints vind je overal in het land. Dat is heel normaal in Pakistan.

Daar staan een of twee politiemannen voor hun post en die hebben een lijn; een touw dat over de weg ligt. Dat touw is aan de andere kant aan een huis of een paal vastgemaakt. De politieman zit op een stoel, hij drinkt zijn thee, en als hij iemand wil laten stoppen, trekt hij aan het touw. Dat gaat strak staan en dan moet je stoppen. Als hij geen zin heeft, laat hij het op straat liggen en rijdt iedereen eroverheen. Vaak trekken ze het touw omhoog, kijken even door het raam de bus in en laten die dan verder rijden. Ik ben nog nooit gecontroleerd.

De agent pakt het touw op en trekt het strak. De belletjes op de bus rinkelen, de chauffeur stopt. Achter ons vormt zich een rij auto's. De politieman staat op van zijn stoel en tuurt door de ruit. Hij ziet mij. Ik ben anders dan de anderen in deze bus; mijn lichte huidskleur valt hem meteen op. Hij klopt op het raam en zegt wat tegen me. Mohammad duwt het raam open en antwoordt hem. Ik weet niet wat hij tegen de agent gezegd heeft.

Dan zegt de politieman weer iets tegen me. Ik zeg in het Duits: ik spreek uw taal niet.

Hij heeft me natuurlijk niet verstaan. Hij wil mijn papieren zien, tenminste, dat denk ik. Ik haal ze uit mijn heuptasje tevoorschijn en geef ze aan hem. Dan zegt hij iets en gebaart dat ik uit moet stappen. Ik pak mijn rugzak, pers me door de volle bus en stap uit. In de rij auto's achter ons wordt getoeterd.

Mohammad wil ook uitstappen. Hij kan echter niet zo snel bij de deur komen; iedereen in de bus heeft zijn bagage op schoot. De politieman gebaart naar de chauffeur dat hij verder moet rijden, naar de kant van de weg. Hij gooit de deur dicht en Mohammad blijft in de bus.

Ik heb hem nooit meer gezien.

Ik had hem ontmoet toen ik me een paar weken geleden in Islamabad bij een groep tablighs aan wilde sluiten. Dat zijn leerlingen van een koranschool die van moskee naar moskee reizen en daar bidden en leren. Ik sprak slechts een paar woorden Engels. Mohammad was een paar jaar ouder dan ik en sprak zeer goed Engels. Hij is Pakistaan en Pakistan is vroeger bezet geweest door de Engelsen. Hij sprak ook een beetje Turks. Daarom kon hij dingen voor mij vertalen en veel dingen verduidelijken. We

11

bleven bij elkaar tot mijn arrestatie in Peshawar.

De naam Peshawar heeft een Indiase oorsprong en betekent 'stad van de bloemen', zoals Mohammad mij vertelde. Dat fascineerde me: het is een zeer oude stad en er zijn hier veel belangrijke mannen geweest, ook Alexander de Grote, zei Mohammad. Arabische moslims en Turken kwamen duizend jaar geleden naar Peshawar en brachten Allahs openbaringen met zich mee.

Mohammad was ook trots toen hij mij voorstelde aan de imam van de moskee: Murat is Duitser. En hij is ook Turk, net als onze voorvaders, zei hij. De Pasjtoenen werden moslim, hebben tuinen en parken aangelegd en palmbomen en bloemen geplant.

De moskee waar we op het laatst met de andere tablighs overnachtten, was een van de grootste in Peshawar. Alle moskeeën van Bremen hadden daarin gepast. De kamers voor de koranstudenten lagen om een binnenhof waar ook overal bloemen bloeiden. De minaretten staken hoog de lucht in. Als ik op het tapijt in de gebedsruimte knielde, was het alsof ik bedwelmd werd door de versieringen aan de muren en onder de koepel. Mohammad vertelde dat er honderd jaar geleden in de bazaar voor de moskee een grote brand was uitgebroken. De moskee was toen echter gespaard gebleven, omdat alle gelovigen zich daar hadden verzameld en gebeden hadden. Allah had hen beschermd.

In de weken daarvoor hadden we verschillende moskeeën in Islamabad bezocht. Daar deden we alles samen. We kregen elke dag koranlessen. Daar werd ons bijgebracht hoe je de Koran moet lezen en interpreteren en hoe je dient te bidden. We kregen ook les in de hadith: we leerden wat onze profeet Mohammed mondeling heeft overgeleverd. We kwamen te weten hoe je je als tabligh dient te gedragen en hoe je andere mensen moet helpen. Tussen de lessen door aten we gezamenlijk; tweemaal per dag. Als we boodschappen deden kibbelden we altijd over wie er mocht betalen.

Het is volkomen normaal dat je in een bepaalde moskee slaapt en dan de volgende dag in een andere moskee les krijgt, daar de tablighs bezoekt en met hen theedrinkt. In de straten en bazaars van Peshawar was het druk, benauwd en heet. Het stonk er naar uitlaatgassen en rottend afval. Bestuurders van taxi's en knalblauwe motorriksja's, die eruitzagen als driewielige vrachtwagens met slechts één koplamp, toeterden voortdurend. Het was één grote chaos. Auto's en paarden en ezels, overbeladen vrachtwagens, voetgangers en fietsen waarop complete koelkasten en banken werden vervoerd. De mensen kwamen overal vandaan. Uit India, uit Afghanistan, uit China en Kashmir.

De meeste straten hadden gemarkeerde rijstroken, net als in Bremen. Alleen hield niemand zich daaraan. Iedereen liep en reed kriskras door elkaar; taxi's, brommers en riksja's wrongen zich gewoon de massa in, zodat je vaak bliksemsnel opzij moest springen.

Op de laatste dag voor mijn vertrek liep ik door de bazaars om cadeaus voor thuis te kopen. Die bazaars deden me denken aan de vrijmarkt of het oktoberfeest; ze waren alleen veel kleurrijker en gekker. Je had er goud- en zilversmeden, worst- en vleesverkopers, tapijthandelaren, pottenbakkers, winkeltjes met elektronica en mobiele telefoons, fotoshops en imitatie Nike-schoenen, Rolex-horloges en Fila-jacks. De marktlui verkochten alles wat een mens gebruiken kan.

Er was zelfs een markt voor verhalenvertellers en er waren shows met exotische dieren en slangen. Dat had ik nog nooit op de televisie gezien: de slangenbezweerder vormde met een touw een cirkel waarbinnen hij ging zitten. Er stonden veel manden om hem heen; hij tilde de deksels op. Uit de manden kwamen verschillende slangen omhoog: cobra's, adders, felgekleurde, zeer giftige slangen. De man deed zijn ogen dicht en raakte de slangen aan, gaf tikjes op hun kop; hij plaagde ze niet, maar speelde met ze. En dat gebeurde allemaal midden op straat. Wie zin had, gaf hem geld.

Vooral de vele ninjashows van de kungfuscholen intrigeerden me. Pakistan grenst aan China en er zijn zeer goede trainers. Kungfu- en ninjascholen zie je overal. Mohammad en ik keken vaak naar de ninjastrijders. Hoe ze sterren en messen wierpen, hoe ze vochten. In Pakistan bestaat geen wet die dat verbiedt. Je kunt er leven zoals je wilt. Dat beviel mij wel, die vrijheid.

Tot de dag waarop ik met de bus naar het vliegveld reed.

Ik moet meekomen, naar de politiepost, gebaart de politieman twee keer met zijn hoofd. Hij wijst met zijn vinger naar een ingang zonder deur.

Oké, ze willen mijn visum en paspoort controleren, denk ik. Mohammad zal buiten ongetwijfeld op me wachten. Straks kan ik weer verder rijden.

Het is een laag gebouw. Ik betreed een ruimte met kleden op de grond, zoals in een moskee. De kamer is kaal, aan het plafond hangt een peertje. Geen bureaus, alleen een kleine houten tafel in de hoek om thee aan te drinken. De agent probeert met mij te praten, maar dat lukt niet. We verstaan elkaar niet. Hij komt zo terug, gebaart hij.

Kort daarna verschijnt er een andere agent, vermoedelijk zijn baas. De man is van gemiddelde lengte en aan de dikke kant. Hij heeft een imposante snor en een baard van drie dagen. Hij draagt een tulband en Pakistaanse kleding: een lang hemd tot op de knie en een witte katoenen broek. Hij zegt iets in het Engels. Hij vraagt waar ik vandaan kom. Ik zeg dat ik uit Duitsland kom. Of ik journalist ben, wil hij weten.

Nee.

Of ik Amerikaan ben.

Nee.

Of ik voor de Amerikanen werk.

Ik vertel hem dat ik Turk ben en uit Duitsland kom.

Of ik voor Duitsland werk. Of voor de Duitsers, ik heb het niet helemaal precies verstaan.

De man met de tulband heeft mijn Turkse paspoort in zijn handen. Hij schijnt niet helemaal te begrijpen dat ik uit Duitsland kom, dat ik tegelijkertijd Duitser en Turk ben, omdat ik ook een Duits paspoort heb. Hij denkt vermoedelijk dat ik net mijn mond voorbij heb gepraat. Misschien denkt hij wel dat ik een spion ben of zoiets.

'*Do you have cameras?*'

Ik zeg tegen hem dat daar mijn tas ligt, dat hij erin mag kijken. Ik houd hem mijn rugzak voor. '*Look. Look!*'

Ze doorzoeken mijn rugzak. De man met de tulband zegt iets tegen de politieman, die weggaat en even later met een telefoon uit een andere kamer terugkomt. Het is een telefoon met een snoer. Dan belt het hoofd van de politiepost. Ik veronderstel dat hij met een superieur over mij praat. Hij hangt op en zegt weer iets tegen de politieman. Die brengt de telefoon weg en komt terug met een teiltje, een spiegeltje, een scheermes en scheerschuim.

De politiechef scheert zich.

Er zijn geen deuren in deze ruimte, net zomin als bij de ingang. Terwijl de baas zich in alle rust scheert, dringt van buiten een hevige woordenwisseling door. Dat moet Mohammad zijn, dat weet ik bijna zeker. Hij wil naar me toe. Ik herken echter alleen de stem van de politieagent.

Ik sta in het midden van de kamer, mijn rugzak ligt voor me op de grond. Telkens komt de agent binnen, telkens geeft de chef hem een kort bevel en vervolgens brengt de agent hem iets. Dit keer is dat een machinepistool.

Er komen andere agenten binnen; ook zij dragen machinepistolen. Ze pakken me vast en brengen me naar buiten; echter niet terug naar de straat, waar Mohammad moet zijn, maar naar een binnenplaats. Daar staat een pick-up. Voorin zit een bestuurder; naast hem gaat een agent zitten. Ik moet achter hem instappen; het is een vierdeurs. Rechts en links van mij zit een agent met een machinepistool, twee anderen klimmen op de laadbak.

We rijden door de stad, een half uur misschien. We komen in een chique buurt. Grote villa's met grote tuinen en hoge inrijpoorten. We passeren zo'n poort, komen in een soort park en rijden ten slotte door een tweede, open poort waarachter veel fruitbomen staan. Het ziet eruit als een privélandgoed, maar bij elke poort staan bewakers. We stoppen. Er komt iemand naar ons toe lopen, een man met blond haar en een bril. Ik weet niet of hij Amerikaan is of Duitser. Het zou ook een Rus kunnen zijn. Hij draagt Europese kleding, wat niet zo gebruikelijk is in Pakistan. Een wit overhemd en een donkere broek.

Het is een villa met twee verdiepingen. Ervoor staan sinaasappel- en mandarijnbomen: een echte Turkse tuin. De blonde man moet tussen de vijfendertig en veertig jaar zijn, hoewel hij al half kaal is. Hij wrijft zich in de handen, alsof hij zich verkneukelt, en spreekt vloeiend Pakistaans met de politieagent. In het Engels zegt hij tegen mij dat ik mee naar binnen moet komen. De agenten volgen ons. Hij brengt me naar een ruimte die eruitziet als een kamer in een viersterrenhotel. Met een tweepersoonsbed, een omlijste spiegel, vloerbedekking en grote planten.

Dan gaat hij even weg en komt met een andere man terug; kennelijk een Pakistaan, maar ook in burgerkleding. Beiden stellen me vragen.

Of ik Amerikaan ben.

Of ik Duitser ben.

Of ik journalist ben.

Ik probeer hun zo goed als ik kan uit te leggen dat ik vandaag nog met het vliegtuig naar Duitsland wil. Dat ik, als ik vandaag niet vertrek, niet veel tijd meer heb. Dat de datum van mijn terugvlucht op 4 november verstreken is, dat retourtickets slechts negentig dagen geldig zijn en dat ik wil omboeken.

Ze zeggen dat ze zo terugkomen om meer vragen te stellen, dat ik moet wachten.

Ik wacht ongeveer een uur.

De mannen komen niet terug. In plaats van hen komen de politieagenten.

Had ik moeten vluchten toen ik alleen in die kamer was? De deuren van de villa zaten niet op slot. Maar waar had ik dan heen moeten gaan? Overal waren bewakers en agenten met machinepistolen. Ik dacht dat het alleen om mijn visum ging. Ik had niets uitgehaald in Pakistan, niets gestolen, niemand iets aangedaan. Ik was ervan overtuigd dat ze me niet langer dan een paar uur vast zouden houden. Het ging slechts om een paar vragen, meer niet. Ik maakte me niet ongerust, ik vond het alleen vervelend dat het me zo veel tijd kostte.

Ik dacht niet aan de oorlog in Afghanistan. Wat had Afghanistan met mij te maken? Misschien dachten ze dat ik een drugsdealer was. Afghanistan is een van de grootste opiumleveranciers van de wereld. Maar ik had geen drugs bij me en nog nooit contact met drugsdealers gehad. Zodra ze erachter kwamen dat ik geen dealer was, geen journalist en geen Amerikaan, zouden ze me laten gaan.

Ik wist niet dat het vijf jaar zou gaan duren.

De politieagenten brachten me in de pick-up naar een politiepost in de buurt van de villa. Ze vertelden me dat ik daar moest overnachten. De volgende dag zouden ze me naar het vliegveld brengen, zodat ik naar Turkije kon vliegen. Hoezo Turkije? vroeg ik. Ik kom uit Duitsland! Opeens schoot me te binnen dat mijn andere tas bij Mohammad was gebleven. De tas met de cadeaus. Ik hoopte dat hij de volgende morgen op de luchthaven zou zijn om me te helpen op de een of andere manier naar Duitsland te komen.

We arriveerden op de politiepost. Die zag er net zo uit als de eerste: geen deur bij de ingang en daarna een kamer met kleedjes op de grond. Ook was ik niet geboeid. Het wekte allemaal niet de indruk van een gevangenis.

'*You sleep here. Tomorrow we come, bring you to airport. You Turkish, you fly to Turkey,*' zei een van de agenten.

Ik dacht dat ik op een kleedje moest slapen. Maar ze waren me te slim af geweest. Ze deden een deur open; daarachter zag ik tralies. Het was dus toch een gevangenis.

De agenten brachten me naar de cel. Ze haalden de deur van het slot en duwden me naar binnen. Het was één enkele, grote cel, vijf bij tien meter misschien. Hij puilde uit. Er waren alleen maar mensen met een donkere huidskleur, vermoedelijk Pakistanen of Afghanen. Ongeveer vijftig mensen verdrongen elkaar in deze ruimte. Ze bekeken me. Vervolgens begroetten ze me vriendelijk. Plotseling weken ze uiteen en ontstond er een pad. Er kwam een man naar me toe, een jonge man, begin dertig schatte ik. Hij scheen een soort baas te zijn in deze cel. Hij begroette me.

'*Salam alaikum.*'

'*Alaikum salam!*'

Hij heette Raheg, zei de baas in het Engels. Vervolgens gaf hij mij een hand. '*Do you want to be my guest? You want to come with me, please?*'

Raheg leidde me naar een deur achter in de cel. Daarachter was een andere ruimte: zijn privégevangenis. Het zag er gezellig uit: een bed, kussens en een lage tafel met daarop iets te eten, een theepot, theeglazen, een zilveren bord met kaas.

Raheg had een stevig postuur en was veel groter dan ik. Hij was zeker één meter negentig en hij kon best 120 kilo wegen. In vergelijking met de andere gevangenen was hij een rijk man. Hij zat net als wij allemaal opgesloten, maar iedereen gehoorzaamde hem, zelfs de politieagenten. Als hij zei: 'Ga iets voor me halen', dan deden ze dat. Een Amerikaanse pizza, een hotdog, wat hij ook maar wilde. Hij vroeg mij wat ik wilde.

Ik zei: Niets.

De hele middag kwamen er mensen bij hem op bezoek. Elke keer maakten de agenten de deur open; het was net alsof ze het bezoek aankondigden, alsof ze bang voor hem waren. Hij was blijkbaar niet alleen de baas van deze cel, maar van de hele gevangenis. Hij had gasflessen en een gasstel in zijn cel. Het was toen net ramadan en overdag vastte ik. Hij vastte ook. 's Avonds rolde hij zijn gebedskleedje uit en nodigde mij uit om samen met hem te bidden. Hij gaf me een nieuw overhemd. Het mijne zat helemaal onder het stof. Vanwege de hitte moet je hier elke dag een schoon hemd aantrekken. Raheg zei dat hij mijn oude hemd zou laten wassen. Voordat ik me omkleedde mocht ik me in de gemeenschappelijke cel douchen en in de tussentijd zou het eten klaar zijn dat de andere gevangenen voor ons gemaakt hadden: vlees, aardappels en rijst, zelfs een salade. We bleven bijna de hele nacht praten.

Hij vertelde dat hij een grote dealer was geweest. Uit traditie. Zijn voorouders hadden al in opium gehandeld; zijn hele familie hield zich bezig met de handel. Hij had met vrachtauto's aanzienlijke hoeveelheden opium uit Afghanistan over de pas vervoerd en zou hier niet meer uitkomen. Hij liet ze me verse vruchten brengen en muntthee zetten. Hij zei dat ik geen woord tegen de politieagent moest zeggen. Wie ik ook was, wat ik ook gedaan had, ik zou in geen geval mijn mond open moeten doen. Ik antwoordde dat ik hun alles al verteld had.

'From now on: no more. You don't say anything. That's better for you.'

Ik dacht: oké, hij zit al een paar jaar in de gevangenis, hij zal wel weten wat hier goed en verkeerd is.

Raheg vertelde mij over zijn familie, Pasjtoenen, die in Pakistan en Afghanistan woonde. Bij de Pasjtoenen geldt de regel: als er iemand in je huis komt die voor iets op de vlucht is, geef je diegene bescherming, onderdak en hulp. Dat wist ik van Mohammad, het is een soort wet. Raheg zei dat hij met de politieagent zou praten en dat ze me dus zouden vrijlaten. Hij gaf me een paar telefoonnummers. Van broeders en familieleden. Die moest ik bellen als ik buiten was, dan zouden zij voor me zorgen. Hij zei: 'Geld is geen probleem, ze zullen je geld geven.'

'No problem. You can fly to Germany.'

De Pasjtoenen hebben hun eigen regels. Raheg was goed voor mij.

De volgende dag baden we met alle gevangenen. Vervolgens kwamen de bewakers. Ze hadden ketens bij zich en wilden mij boeien. Toen werd Raheg woedend; hij ging tegen hen tekeer en alle andere gevangenen stonden achter hem. De situatie leek steeds dreigender te worden en de bewakers verdwenen weer. Na een tijdje kwamen ze zonder boeien terug. Ik nam afscheid van Raheg, hij omhelsde me. De bewakers voerden me weg. Buiten wachtte een auto: een limousine met getint glas. Er zaten twee agenten in met machinepistolen.

Toen we de hoek om waren, stopten ze. Een van de agenten stapte uit en haalde de boeien uit de kofferbak. Ze maakten me vast en vervolgens reden we weer verder. Opeens verontschuldigde de agent naast me zich. Ik herkende het woord uit het Turks.

'*Mecburi,*' zei de agent. Mecburi betekent: ik ben het verplicht, ik moet het doen.

We reden een paar uur. Toen stopten we voor een gebouw; ik kon niet zien of het een gevangenis was. Een agent stapte uit en sprak met iemand die zich opwond en tekeerging. Ik zag kinderen op fietsjes. Ze kwamen naar de auto toe en gluurden naar binnen. Ze staken hun middelvinger naar me op en lachten me uit.

'*Osama, Osama!*' riepen ze.

Toen de agent weer instapte, had hij een zak bij zich. Een soort aardappelzak. Die trok hij over mijn hoofd. Het werd donker.

Weer reden we urenlang, die indruk had ik tenminste. Het was zo heet in de limousine dat ik dacht dat ik zou stikken. Ik probeerde dat duidelijk te maken aan de agent naast me. Hij tilde de zak een beetje omhoog, zodat ik wat beter kon ademhalen, maar de anderen snauwden iets naar hem. Desondanks bleef hij het van tijd tot tijd doen.

We stopten.

De politieagenten leidden me over traptreden, ik hoorde veel deuren of poorten achter me dichtgaan. We liepen door een lange gang waarin onze voetstappen galmden, en toen hoorde ik weer een deur; die moet van metaal geweest zijn.

'*Stop!*'

Ze trokken de aardappelzak van mijn hoofd. Ik stond in een lege kamer. Geen wastafel, geen wc, niets. Alleen bakstenen muren. Meteen achter de metalen deur die ik gehoord had, bevond zich nog een zware houten deur. De vloer was van beton. In een van de muren zat hoog boven de grond een diep, cirkelvormig gat waardoor licht in de kamer viel. Kunstlicht. Ze maakten mijn boeien los. Toen deden ze de deur dicht. Ik dacht nog steeds: ze komen zo terug, stellen me een paar vragen en brengen me dan naar het vliegveld.

Een paar uur later hoorde ik voetstappen en kwam er iemand in burgerkleding binnen. Een lang hemd, een vest en een tulband. Hij vroeg mij in het Engels:

Wie ben je?

Hoe heet je?

Hoe oud ben je?

Waar kom je vandaan?

Ben je journalist?

Ben je Duitser?

Turk?

Waarom ben je hier naartoe gekomen?

Wat heb je in Pakistan gedaan?

Ben je getrouwd?

Met een Pakistaanse vrouw?

En zo ging het maar door, urenlang. Zijn Engels was nauwelijks beter dan het mijne. Ik vertelde hem over de tablighs en ook over Mohammad. Steeds weer vroeg ik hem naar een telefoon.

Ten slotte zei hij: ik breng je een telefoon. *'No problem.'* Toen ging hij naar buiten en deed de deur op slot.

Ik heb die man nooit meer gezien.

Ik heb geprobeerd de dagen te tellen. Ik kan het alleen schatten. Ik weet niet of het dag of nacht is. Het licht brandt altijd. Als ik het gevoel heb dat het nacht is, dus als ik moe word, probeer ik te slapen. Als ik denk dat het dag is, sta ik op en doe het ochtendgebed. Ze hebben mijn horloge afgepakt. En ook mijn riem en mijn schoenen; ik loop op blote voeten. Ik bezit alleen nog de nette broek, die ik al die tijd gedragen heb, en het Pakistaanse overhemd dat Raheg me gegeven heeft.

Twee mannen zijn belast met mijn bewaking. Ik denk dat ze diensten van twaalf uur draaien. Ze laten zich echter onregelmatig zien; de ene keer komt een van hen een paar keer achter elkaar, dan de ander, en dan blijven ze plotseling helemaal weg. Met een van hen kan ik een beetje praten. De ander zegt nooit iets.

Ze komen om me wat te eten te brengen. Rode linzen. Het zijn altijd rode linzen, gekookt, maar niet meer warm. Eén keer per dag. Met een glas water, twee keer per dag; ik denk tenminste dat het twee keer per dag is, maar vermoedelijk niet op dezelfde tijd. Ik heb ook het gevoel dat ze soms een maaltijd overslaan. Ik moet het elke keer weer vragen, dan krijg ik eindelijk water. Ik moet ook steeds tegen de houten deur schoppen.

Ook als ik naar de wc moet, schop ik met een blote voet tegen de deur. Daarachter is een lege ruimte, net als deze, met een Arabisch toilet: een gat in de grond met een spoeling. Daarachter is nog een metalen deur en daarachter zitten de bewakers. Soms moet ik urenlang tegen de houten deur schoppen tot een van de bewakers de deur opent en mij naar de wc laat gaan. Ik weiger het op de grond van mijn cel te doen. Ik moet het ophouden, er zit niets anders op.

Ik ben bang. Wat als mijn ticket straks niet meer geldig is? Ik heb geen geld meer om een nieuwe te kopen. Zouden zij het voor me betalen? En als ik naar Turkije ga? Als ik maar ergens heen ga, gewoon weg, denk ik.

Ik schop tegen de houten deur. Ik loop heen en weer.

De cel is ongeveer twee bij drie meter. Heen en weer. Nu weet ik: zo kan het niet meer. Ik moet iets doen, anders word ik gek!

Heen, terug. Ik heb ooit gelezen dat je gek kunt worden als je te lang in een isoleercel zit. Heen, terug. Ik moet mezelf bezighouden. Heen. Ik schop met mijn blote voet tegen de houten deur. Terug. Ik moet wat doen. Op deze manier blijf ik niet gezond.

Ik hoor voetstappen.

Sleutels.

Een van de bewakers verschijnt; degene die praat.

Mag ik een koran hebben? vraag ik hem. *'Koran, Koran. Can I have?'*

'Yes, yes.'

Hij knikt, hij grijnst, hij doet de deur op slot. Zijn voetstappen verwijderen zich, ik hoor hoe de tweede metalen deur dichtslaat. Ik wacht. Ik loop heen en weer. Uur na uur.

Twee dagen later brengt de bewaker mij een koran. Ik denk dat het twee dagen waren.

'Koran,' zegt hij en hij geeft mij het boek.

'Elhamdulillah,' zeg ik.

Alle lof komt Allah toe.

De bewaker vertrekt. Ik houd het boek vast. Dat is een mooi moment. Ik doe het boek open en lees: 'In naam van God, de erbarmer, de barmhartige. Lof zij God die de hemelen en aarde geschapen en de duisternis en het licht gemaakt heeft. Toch zeggen zij die ongelovig zijn dat hun Heer gelijken heeft. Hij is het die jullie uit klei geschapen en dan een termijn bepaald heeft. Een vastgestelde termijn is er bij Hem…'

· De zesde soera. Ik kan het bijna niet bevatten dat ik de woorden van de Koran hoor. Ik luister naar mezelf, hoe ik de verzen lees. Ik ben opgesloten, maar ik heb iets te doen, iets goeds zelfs: ik bestudeer de Koran. Ik weet: het zal mij als een daad van gerechtigheid worden toegerekend.

'En Hij is God in de hemelen en op de aarde. Hij weet wat jullie geheim houden en wat jullie openbaar maken en Hij weet wat jullie ten uitvoer brengen...'

Opeens voetstappen, sleutels, de deur gaat open.

Het zijn Pakistaanse politieagenten met tulbanden en in uniform. Ze pakken me de koran weer af. Ze hebben kettingen. Het zijn zware, roestige kettingen van ijzer. De handboeien die ze om mijn polsen doen, zijn zo breed als een chocoladetablet. Met een soort inbussleutel draaien ze de ketting aan de binnenkant van de handboeien vast tot die strak zit en pijn doet. Hetzelfde gebeurt met mijn voeten. Aan de handboeien zit nog een ketting waaraan ze me mee kunnen trekken. Ik weet wat er nu gaat gebeuren.

Een van hen schuift de aardappelzak weer over mijn hoofd.

Het wordt donker.

De ijzeren kettingen rammelen als ze mij uit de cel leiden. Ik hoor de houten deur en vervolgens de metalen deur daarachter. Ze voeren me door de lege kamer met de wc, door de tweede metalen deur, de ruimte waar de bewakers zitten, weer een ijzeren deur en ten slotte door een lange gang waar onze voetstappen galmen. Ik hoor deur na deur achter me dichtvallen en dan voel ik het licht. Het is dag. Ik zit op de achterbank van een auto met aan weerszijden van mij een agent.

De zon doet me goed, ook al kan ik die niet zien. Het zonlicht verwarmt me. De lucht ruikt lekker, zelfs onder de zak. Waar zouden ze me naartoe brengen? En hoe lang heb ik in die cel gezeten?

Ik tel: ik heb tien keer het ochtendgebed uitgesproken.

We rijden een paar uur. Tussendoor stoppen we; ik kan horen dat de agenten uitstappen en theedrinken. Ik hoor hun lepeltjes in de glazen, hun gelach en hun geklets. Ze hebben mij in mijn eentje in de auto achtergelaten en ik moet de hele tijd de muziek op de radio aanhoren: Pakistaanse pop. Een straf.

Vervolgens de aankomst, een halve dag later misschien. Ik word over trappen geleid, ik hoor veel deuren en daartussen zitten telkens weer trappen, naar boven en naar beneden; weer een deur. Dan steekt een agent zijn arm voor mijn bovenlichaam om aan te geven dat ik moet blijven staan.

Iemand trekt de zak van mijn hoofd. Ik ben in een kamer die nauwelijks groter is dan de cel waar ze me uitgehaald hebben. Deze kamer is echter aan een van de smalle kanten open: daar zitten ijzeren tralies en daarachter ligt een gang van ongeveer een meter breed. Ergens komt licht naar binnen, kunstlicht.

In een hoek van de kamer zit een man in kleermakerszit op de grond. De agenten maken de kettingen los en laten me alleen met de man.

Ongeveer een meter vóór hem staat een doos met het formaat van een schoenendoos. Daarin zie ik zoete dingen. Het zijn groene, gele en rode zoetigheden: koekjes.

Ik heb nog nooit zo'n honger gehad. Ik heb dagenlang alleen maar rode linzen gegeten en ik zou me het liefst meteen op die doos storten...

'*Salam alaikum.*'

'*Alaikum salam!*' zegt de man op de grond.

Daardoor weet ik: hij is Arabier.

Ik vraag hem wie hij is. Hij antwoordt in het Arabisch en daardoor kan ik hem niet verstaan. Ik ga in een andere hoek op de grond zitten. De man kijkt naar de doos. Ook ik kijk naar de doos.

Na een tijdje vraagt de Arabier aan mij: wil je iets eten? Althans, dat denk ik, want hij zegt het met handgebaren.

Nee, maak ik hem duidelijk. Nee, bedankt.

De Arabier brengt zijn hand naar zijn mond en knikt erbij.

Eet, eet, maakt hij me duidelijk.

Ik eet de hele doos leeg. Ik zou al het geld dat ik ooit bezeten heb voor deze doos gegeven hebben.

Ik wist nog niet dat we weldra met zijn vieren zouden zijn. Die beide andere Arabieren werden verhoord – dat merkte ik toen men ze weer terugbracht naar de cel. De man die mij de koekjes gegeven had, kwam uit Bahrein. Hij heette Kemal. Een van de twee andere mannen was afkomstig uit Oman. Laten we hem Salah noemen. Hij woont nu weer thuis, maar ik wil niet dat hij in de problemen komt. Met Salah heb ik vier jaar van mijn leven doorgebracht. Ik kwam hem in de verschillende blokken in Guantánamo steeds weer tegen. Salah sprak heel goed Engels. Hij vertelde me dat hij in de VS gestudeerd had. Kemal zit nu nog in Guantánamo.

Mijn omstandigheden waren aan de ene kant verbeterd: ik kon in ieder geval met Salah praten. Maar aan de andere kant waren ze beslist verslechterd: de cel was vochtig en heet, overal kropen kakkerlakken, kevers en rare, exotische spinnen met dikke lichamen en harige poten. Ook was er geen wc, alleen een benzineblik. Ik werd al snel ziek en ik moest vaak overgeven. Ik braakte alleen water of een zuur, gelig schuim, hoewel de rode linzen nu af en toe afgewisseld werden met rijst en Pakistaans brood.

Eén stuk brood, zo groot als een pitabroodje, voor vier mannen, en een bord linzen of rijst voor vier mannen, twee keer per dag. Dat deelden we samen, maar op een bepaald moment hield ik niets meer binnen. Dat was raar: ik had voortdurend honger, maar ik kon niets meer eten. Dat was een nieuw gevoel voor me. Natuurlijk aten we tijdens de vastenmaand ramadan ook in Bremen overdag niets. Maar 's morgens en 's avonds propten we ons vol. Daartussen knorde mijn maag soms wel, maar het deed nooit echt pijn.

Nu deed het me echter wel pijn. Ik had voortdurend een zuur gevoel in mijn keel. Alles deed pijn: mijn maag, mijn keel en zelfs mijn tong, die zwaar en dik en ruw geworden was. Een paar dagen later verzwakte ik en kreeg ik hoofdpijn. Ik kon niet meer slapen. En ik kon me steeds minder bewegen. Maar ik kon tenminste met Salah praten. Hij bracht me zelfs meer Engels bij dan ik tijdens die hele week in Pakistan geleerd had.

De Pakistanen verhoorden me in deze periode slechts twee keer. Ze stelden altijd dezelfde vragen. Ze maakten foto's van me en namen vingerafdrukken.

Wat zoek je hier?

Waar kom je vandaan?

Wat heb je gedaan?

Toen brachten ze me naar mijn eerste verhoor door Amerikanen.

We reden een tijdje met de auto door de stad; ik hoorde telkens weer stadsgeluiden, motorriksja's, schreeuwende marktkooplui. Ik was geketend en had de aardappelzak over mijn hoofd. Het was ontzettend warm en toen we stopten trok een politieagent de zak van mijn hoofd, zodat ik het gebouw zag voordat ze me naar binnen vergezelden. Een grote, licht gekalkte villa. In de villa werd het ineens koel, er was vermoedelijk airconditioning. Ze voerden me door het huis; er was een mooie kamer met planten, stoelen, boeken, een gang, zware houten deuren met glas, hoge plafonds met draaiende ventilatoren. Vervolgens een ruimte waar ik moest wachten. De agenten gingen naast mij op een bank zitten.

Al snel ging de deur open en keek een Amerikaan me aan. Hij leek bijna geschrokken. Wat had hij verwacht? Hij was vermoedelijk verbaasd een Europeaan te zien. Een vervuilde, haveloos geklede en ongeschoren, maar niettemin een blanke man.

'*The German guy!*' riep hij.

Toen kwam er een tweede Amerikaan binnen die me vorsend aankeek. Ze droegen beiden burgerkleding, nette broeken en overhemden; de tweede een trui met V-hals over zijn hemd. Hij had haar met grijze strepen en een snor. Hij had ook een Duitser kunnen zijn.

Ik zei: 'Ik kom uit Duitsland. Ik ben Duitser.'

Ze glimlachten naar elkaar.

'*Yeah. The German guy,*' zei die met de trui.

De agenten gebaarden me op te staan en mee te komen. De Amerikanen liepen voor ons uit en wij volgden hen. Ik werd naar een verhoorkamer gebracht. Drie stoelen, een tafel. Ik was nog geketend, de bewakers stonden met hun machinepistolen om me heen. Misschien waren de Amerikanen bang dat ik hen aan zou vallen, dacht ik later. Maar ik wilde hun alleen maar vragen wanneer ik eindelijk naar huis zou kunnen. Wat mij betreft ook naar Turkije. Ik dacht nog steeds dat ze mij gingen verhoren en dan zouden laten gaan.

De man met de trui stroopte zijn mouwen op en begon het verhoor. Het waren net zulke vragen als de Pakistaanse politie mij steeds weer gesteld had, alleen begreep ik ze deze keer beter.

Naam?

Leeftijd?

Beroep?

Wanneer bent u in Pakistan aangekomen?

Maar dat stond toch in mijn paspoort en op mijn ticket die allebei voor hen lagen!

Vervolgens wilde de Amerikaan weten waarom ik in Pakistan was. Ik probeerde hem uit te leggen dat ik koranstudent was. Dat ik aan het Mansura-Center in Lahore de Koran had willen bestuderen, maar dat ze me daar afgewezen hadden omdat het momenteel te gevaarlijk was om een buitenlander aan te nemen. Omdat de Amerikanen net Afghanistan binnen waren gevallen, maar dat vertelde ik hem niet.

Ik vond het aanvankelijk vervelend dat ik afgewezen was. Maar omdat ik er nu toch eenmaal was, wilde ik niet meteen terugvliegen. Ik had van de tablighs in Bremen gehoord dat koranstudenten in Pakistan ook in kleine groepjes van moskee naar moskee trekken. Bij die groepjes wilde ik me aansluiten, legde ik de Amerikaan uit.

Hij wilde weten wat ik sinds de dag van mijn aankomst, inmiddels meer dan twee maanden geleden, in Pakistan gedaan had. Ik vertelde hem dat ik met de koranstudenten rondgereisd had en dat we in moskeeën sliepen, nadat we daar overdag gebeden en gestudeerd hadden.

Mijn Engels was nog steeds erg slecht. Hij scheen veel niet te verstaan. Maar toch wel zoveel dat hij weten wilde wie die koranstudenten waren, hoe ze heetten en waar ze nu verbleven. Ik antwoordde hem dat ik dat niet wist. Er waren steeds nieuwe studenten gearriveerd en anderen waren weer verder getrokken, maar dat kon ik hem niet aan zijn verstand brengen. Ik vertelde hem over Mohammad, die ik niet meer gezien had sinds ik in Peshawar bij de controlepost van de politieman de bus had moeten verlaten, en die ongetwijfeld naar me gevraagd zou hebben.

Toen wilde hij weten waar in Pakistan ik precies geweest was.

Ik zei: '*Karachi. Airplane: I landing. No speak language. Nobody speak English. I meet Hassan in the plane, Hassan is from Islamabad. So I go to Islamabad. But not with Hassan, Hassan take the airplane to Islamabad.*'

'*So you went by bus or by train to Islamabad?*' vroeg de Amerikaan.

'*Airplane. I buy new ticket and take the airplane, later. But in Islamabad I don't find Hassan. Telephone number he gave me, no good. I go to Lahore, to Mansura-Center for Islam. They say: no German, too dangerous. I go to Islamabad, I meet Mohammad. We sleep in the mosques. We study Koran. We study Hadith. Hadith!*'

Een van de Pakistaanse agenten knikte.

'*Then we take train to Peshawar.*'

Wat ik in Duitsland gedaan had?

Ik snapte niet waarom hij dat wilde weten. '*I live in Bremen. I live in the house of my parents. I study ships, and then I study Koran. I marry muslim woman from Turkey, so I want to study Koran.*' Trots liet ik hem de trouwring aan mijn vinger zien.

'*Are you a terrorist?*' vroeg de Amerikaan plotseling.

'*Terrorist? No! I'm German. I'm Turkish, but I live in Germany. I'm born in Germany, in Bremen.*'

'*Do you know Osama?*'

'*No.*'

'*Where is Osama? Tell me!*'

'*I don't know.*'

'*Tell me and I'll let you go…*'

'*No! No! I don't know…*'

De Pakistaanse politiemannen brachten me terug naar de cel en naar de anderen. Daar bleven we nog een paar dagen. Toen verschenen er Pakistaanse soldaten. De commandant was klein en gedrongen, een generaal misschien. Hij bracht ons blauwe overalls, een soort gevangeniskleding. Die moesten we aantrekken en we mochten er niets onder dragen. Onze kleren werden weggehaald. Vervolgens boeiden ze ons aan handen en voeten.

Salah en de anderen wisten vermoedelijk al dat ze ons aan de Amerikanen gingen overdragen. Ze hadden dat alleen nog niet tegen mij gezegd.

De generaal zei: '*Mecburi. Mecburi.*' Hij keek me aan. Toen zei hij in het Engels: '*Forgive me!*' En trok de aardappelzak over mijn hoofd.

Ik zal het hem nooit vergeven. Zelfs niet in het hiernamaals.

Toen we de trap af kwamen en op een vrachtauto moesten klimmen, schoof de aardappelzak een stukje naar boven. Ik kon hem nog een stukje verder omhoogduwen, zonder dat de soldaten iets merkten. Het was een militair vrachtvoertuig met een camouflagedekzeil. Plotseling trok een hand de zak weer omlaag.

We reden maar een klein stukje. Tien minuten misschien. Toen hoorde ik vliegtuigen. Propellers. Ik dacht meteen: zij brengen me naar Turkije. De motoren liepen al, ze moesten startklaar zijn. Ik hoorde andere vrachtwagens die net zo klonken als deze, en toen hoorde ik stemmen. Het waren Amerikanen.

Bij het uitstappen schoof ik de zak op mijn hoofd weer een stukje omhoog. Ik zag veel Amerikanen in uniform. Lichte camouflagekleding. Ik dacht nog: ze vliegen me naar een Amerikaanse militaire basis in Turkije. Eindelijk weg hier.

Ze fouilleren me. Hoewel ik onder de overall niks draag, helemaal niets meer bezit, niet eens schoenen. Ik voel hun handen overal, ze zijn groot. Iemand pakt mijn rechterhand. Hij trekt aan mijn ringvinger: hij wil de ring er afhalen, mijn trouwring, de ring met haar naam erin! Hij of de soldaten trekken eraan, ik krom mijn hand, probeer een vuist te maken, maar ik ben te zwak. Ze spreiden gewoon mijn vingers, de ring valt eraf. Ik ben te zwak om me te verzetten, en mijn vingers zijn dun geworden.

Dan hoor ik dat de soldaat de ring weggooit.

Hij rinkelt op het asfalt.

Ik ben woedend, maar ik kan niets zeggen. Ik ben half verhongerd, geketend, ik kan amper nog op mijn benen staan en een oorverdovend lawaai doet me bijna achteroverslaan.

Een hydraulisch systeem. Een vliegtuigklep die mechanisch geopend wordt.

We worden naar binnen gedreven. Ik voel koud, ruw metaal aan mijn blote voeten.

'*Sit! Sit! Sit down, motherfucker!*' brult een GI in mijn oor. Ik val op mijn achterwerk en hurk op de grond. Hij duwt mijn hoofd naar voren. Ik hoor geschreeuw, geroep, het zijn de kreten van veel andere gevangenen in dit vliegtuig.

Plotseling voel ik een klap op mijn hoofd. Ik val om. Ik lig op mijn zij. Dan krijg ik een schop in mijn buik.

Het is de eerste keer dat ik geslagen word.

Ze schoppen met hun laarzen tegen mijn armen en benen, in mijn rug. Ik kan me niet verzetten, alleen in elkaar krimpen.

Ik heb geen kracht om te huilen. Ik heb slechts één gedachte: ze vliegen me naar Turkije. Ze brengen me naar een van hun bases waar ze me aan de Turken overdragen!

Ze ketenen me aan de vloer vast. Het is snel voorbij.

Ik krijg een schop in mijn rug.

Ik hoor het hydraulisch systeem. Commando's. De laadklep gaat dicht.

Voorbij.

Ik wist nog niet waar ze me echt naartoe zouden brengen.

Citaten zijn afkomstig uit: *De Koran : een weergave van de betekenis van de Arabische tekst in het Nederlands* door Fred Leemhuis, Houten : Fibula, cop. 1989, tweede druk 2001

III

Kandahar, Afghanistan

Ik ben verkocht. Voor een bedrag van drieduizend dollar, aan de Amerikanen. Dat hebben ze mij tijdens een van de eindeloze verhoren in Guantánamo zelf bevestigd. 'Ik weet,' zei ik tijdens dit verhoor, 'dat jullie je meer hadden voorgesteld voor die vijfduizend dollar die jullie voor mij betaald hebben.'

'Drieduizend,' zei de ondervrager. 'Wij hebben maar drieduizend dollar voor jou betaald.'

Toen wist ik dat het klopte.

Iedereen in Pakistan wist in die tijd dat er een premie stond op buitenlanders. Er zijn ook veel Pakistanen verkocht. Artsen, taxichauffeurs, groenteboeren die ik later in Guantánamo heb leren kennen. Het maakt mij niet uit wie die beloning voor mij opgestreken heeft. Het kan de politieagent bij de controlepost in Peshawar geweest zijn, maar net zo goed de Europeaan of Amerikaan met die blonde haren in de villa. Misschien heeft het hele politiebureau in Peshawar de buit wel verdeeld. In Pakistan is drieduizend dollar heel veel geld. Daarmee kan een man trouwen, een auto en een huis kopen.

Ze wisten het allemaal. Alleen ik niet. Ik ontdekte pas veel later dat de Amerikanen geld voor ons betaald hebben, alsof we slaven waren.

Voor de vlucht werden we niet alleen geboeid en vastgeketend, maar ook als pakketjes vastgesnoerd. Ik hoorde de propellers en het geschreeuw van de soldaten en de gevangenen. Door de aardappelzak kon ik een stukje van de aluminiumwand van het vliegtuig herkennen. Onze bovenlichamen waren met lange riemen strak aan de wanden vastgegespt. Mijn benen waren gestrekt op de bodem vastgesnoerd. De voetboeien bonden mijn voeten boven mijn enkels af. Ik kon alleen nog mijn hoofd bewegen.

Behalve ik waren de drie uit mijn cel en ongeveer twaalf andere gevangenen aan boord. Ik kon niet ontdekken hoeveel soldaten er om ons heen zaten. Afgaand op het geroezemoes moeten het er heel veel geweest zijn. Ze bewogen zich voortdurend van de ene gevangene naar de andere en sloegen ons met hun vuisten, geweerkolven en knuppels. Het was zo koud als in een ijskast. Ik zat op het kale metaal en een ventilator blies ijskoude lucht naar binnen. Ik probeerde te slapen. Maar ze bleven me maar slaan en maakten me wakker.

'*Keep your head up!*' schreeuwden ze.

Ze schopten ons en scholden ons aan een stuk door uit. Soms vergaten ze mij een paar minuten, maar dan gingen ze daarna des te heviger tekeer.

'*You are terrorists!*' brulden ze.

'*We are Americans! You are terrorists. We've got you! We are strong! And we'll give it to you!*' Dat schreeuwden ze steeds weer. '*You fuckers!*'

Ik bedacht me dat in Turkije gevangenen ook vaak geslagen werden. Dat is bekend en het leek me bijna normaal dat de Amerikanen hetzelfde deden. Als ik straks in Turkije in de gevangenis terechtkwam, zouden ze me daar ook slaan. Maar nu dacht ik: ooit moet het afgelopen zijn. De soldaten werden echter niet moe. Ze lachten er vaak bij. Ze maakten vermoedelijk grapjes over ons.

Het was nacht toen we opgestegen waren. In het vliegtuig was het licht, ik zag alleen mijn blote voeten en het schelle licht. De kou drong door de dunne overall heen. Mijn handen en voeten waren door de knellende boeien opgezwollen. Ik was bang dat ik mijn handen niet meer zou kunnen bewegen. Ik wist dat een hand afstierf als hij afgekneld werd. Ik zag dat mijn voeten al donkerblauw waren geworden en ik voelde ze niet meer. Mijn hele lichaam deed pijn, ik kon nauwelijks nog ademhalen.

Ik praatte expres niet tegen de anderen. Als je iets zei, werd je alleen nog maar meer geslagen. Niemand van ons deed zijn mond open. Ik was veel te zwak en ziek. Ik was niet bang, maar ik besefte dat ik dood zou kunnen gaan. Ik dacht aan mijn familie. Als ik nu zou sterven, zou iemand hun dan vertellen hoe ik gestorven was en wat mij was aangedaan?

Ik huilde niet. Ik zou het echt wel vertellen, maar ik kon niet huilen. Ook onze Profeet huilde toen Zijn zoon stierf, maar ik huilde niet in dit vliegtuig. Wij hebben een spreekwoord: 'De tranen van het hart zijn erger dan de tranen van de ogen.' Misschien bestaat dat spreekwoord wel helemaal niet en heb ik het tijdens die vlucht bedacht. Ik herhaalde de woorden steeds weer: *kalbin aglamasi gözlerin aglamasin dan cok daha siddetlidir.*

Vervolgens bad ik in stilte: mijn Allah, geef me geduld en kracht en bescherm mij. Ik weet dat U de beste beschermer bent, ik verwacht alleen bescherming van U, want U bent de Almachtige.

Vijf jaar lang heb ik dat gebeden.

Ik weet niet hoe lang de vlucht duurde. Op een bepaald moment daalden we. Ik hoorde de motoren remmen, het vliegtuig zou al snel landen. Ik dacht nog dat mij helemaal niets kon overkomen, omdat ik zo vastgebonden zat.

Ik hoorde de hydraulische laadklep weer. Ik voelde een klap op mijn hoofd en toen ik het ophief zag ik door mijn aardappelzak felle flitsen. Fotoflitsen. Ik wierp mijn hoofd in mijn nek en kon soldaten onderscheiden die ons fotografeerden en filmden. Ze stonden op de landingsbaan.

Ineens snapte ik het: ze hadden ons tijdens de vlucht steeds opnieuw terroristen genoemd en ze zouden ons met deze foto's als terroristen afbeelden. Of ze geloofden echt dat ik een terrorist was, of ze wisten al dat ik onschuldig was, maar hadden prooi nodig om trots te kunnen presenteren. Daar wond ik me over op. In de VS, overal ter wereld, zouden ze zeggen: dit zijn de terroristen naar wie we gezocht hebben. Dat zijn de misdadigers die verantwoordelijk zijn voor de aanslagen van 11 september. En zo behandelen we die!

Later kwam ik er pas achter dat aan de hand van deze 'bewijsfoto's', in de media daadwerkelijk werd beweerd dat de Amerikanen ons in het Afghaanse oorlogsgebied gevangen hadden genomen, hoewel we allemaal in Pakistan en door de Pakistaanse politie gearresteerd waren.

In het vliegtuig kon ik echter maar aan één ding denken: ik wil hun bewijzen dat ik onschuldig ben. De soldaten moesten er wel van uitgaan dat ik een terrorist was, omdat men hun dat verteld had, en daardoor hadden ze in ieder geval een reden gehad om mij te slaan. Ook als dat niet terecht was, kon ik het nog wel begrijpen. Maar op de een of andere manier zou ik over een paar dagen mijn onschuld bewijzen en weer vrijkomen. Ik wilde dat in mijn volgende verhoor duidelijk maken; ik kreeg nieuwe hoop.

De soldaten maakten de riemen los. Toen ze me omhooghesen, had ik het gevoel dat ik niet meer op mijn voeten kon staan. Ze maakten ons met sterk, dun plastictape met onze armen aan elkaar vast. Ik wankelde en toen sneed de tape, waarmee ik vastzat aan de gevangene voor en achter me, in mijn arm. Mijn voetstappen voelden als doffe steken, alsof ik op iets vreemds liep, op stelten die zich in mijn lichaam boorden. Maar ik had geluk. Andere gevangenen hadden gebroken benen, blijkbaar van de klappen. Sommigen probeerden op één been vooruit te komen. Een van hen werd door twee soldaten over de grond gesleept. Ik zag dat zijn voet onder de enkel geknakt was.

Ik hoorde honden blaffen. We strompelden de laadklep af. Zodra een van ons bleef staan of op de grond viel, trok de tape me mee. De honden waren overal om ons heen en ik hoorde ze toebijten. Je kunt het horen als een hond bijt. Het waren Duitse en Mechelse herdershonden. Ik had in Bremen zelf honden gehad en ik kon ze door de zak heen herkennen. Mechelse herdershonden zijn groter en sterker, en hebben korter haar dan de Duitse. Meestal hebben ze ook maar één kleur.

We liepen een paar minuten tot de soldaten ons op de grond duwden. We moesten op onze buik liggen. Een soldaat ging op mijn rug zitten. Mijn adem condenseerde onder de zak, ik voelde de kou en de stenen grond. Voor zover ik het kon verstaan, zouden ze ons een voor een ophalen en wegbrengen. Ik hoorde helikopters en motoren van jeeps of vrachtwagens. De eerste, de tweede, de derde. Het duurde erg lang.

Ik kan daar uren of slechts een paar minuten op de grond hebben gelegen. Ik heb niet gemerkt dat ik buiten bewustzijn ben geraakt. Misschien door de kou.

Ik kwam bij toen iemand me in mijn gezicht sloeg.

'*I feel his heart beating again*,' zei de soldaat die op mijn rug had gezeten.

Ze trokken me omhoog en ik probeerde te lopen. De soldaat ramde met zijn vuist in mijn rug, ik liep, totdat iemand me tegenhield en de zak van mijn hoofd haalde. Ik was in een tent.

Vóór me zat een man aan een tafel waarop papier en een pen

lagen. Twee soldaten knipten met een schaar mijn overall open, zodat ze die uit konden trekken zonder mijn boeien af te doen. Ik was naakt. Ik zag andere kleren op een stoel, daaronder een blauwe overall.

'*Name?*'

'*Age?*'

'*Born in?*'

Iemand trok een paar haren uit mijn hoofd. Ik werd gewogen en ze namen een speekselmonster. Ze gebaarden me mijn overall op te rapen. Ik hoorde buiten schoten. Ik meende ook een bom te horen inslaan. De man op de stoel schoot een stukje overeind, want het dreunde. Toen kreeg ik mijn nummer: 53. Ik was de drieënvijftigste gevangene. Weer een doffe klap. Het nummer stond op een groen stuk plastic dat ze om mijn handboei bonden. De soldaten leken nerveus.

'*Hurry!*'

Wat ik hoorde waren duidelijk vliegtuigen en gevechtshandelingen. Raketten. Gesis, gefluit, doffe inslagen.

Daarom wist ik dat ik niet in Turkije, maar in een oorlogsgebied was.

'*Hurry up!*'

De Amerikanen werden aangevallen en ze schoten terug. Vliegtuigen en helikopters startten en landden. De raketbeschietingen klonken erg dichtbij; de man aan de tafel zag bleek.

'*Look down!*' schreeuwde hij.

Ik voelde dat de soldaten angstig werden terwijl ze mijn armen vasthielden. Ze drukten mijn hoofd hard naar beneden. Het leek alsof ze minder bang waren voor de bommen dan voor mij, hoewel ik toch naakt, geketend en onbewapend was.

De officier stelde me nog een paar vragen, maar ik kon amper meer op mijn benen staan en alleen nog ja en nee zeggen. Toen namen ze me mee de tent uit.

Het was nacht. Ik zag een afgeschermde ruimte van op elkaar gestapelde rollen natodraad. Die lag midden in het militaire kamp en was ongeveer tien bij vijf meter. Er patrouilleerden soldaten in groepjes van twee omheen. Daar brachten ze me heen. De ruimte had geen ingang, alleen stangen die aan het draad bevestigd waren en die ze met behulp van kettingen open en dicht konden trekken. Daarbinnen zaten zo'n twintig tot dertig gehurkte gevangenen. Een soldaat sloeg me van achteren met zijn geweerkolf op mijn hoofd. Ik viel op de grond.

'See that?!'

Hij wees naar zijn geweer.

'Can you see that?!' schreeuwde hij.

'Don't move!'

Dat begreep ik. Als ik me bewoog, zou hij me neerschieten. Andere soldaten deden mijn boeien af. Toen ze mijn handboeien losmaakten, kon ik mijn vingers niet meer bewegen. Ze waren donkerblauw en gevoelloos. Mijn voeten ook. Ze gooiden de overall op de grond. Ik wilde die oprapen en aantrekken. Ze richtten hun wapen op me.

'Don't move!'

'Sit down!' schreeuwden ze.

Ik ging zitten. De soldaten liepen achterwaarts de ruimte uit.

'Sit down! Don't move!' schreeuwden ze nog toen ze al buiten waren.

Naakt en met de overall naast me moest ik tot de volgende dag zo blijven zitten. Ik had het verschrikkelijk koud. Na een tijdje ging ik liggen. Ik was moe en viel in slaap. Ik sliep erg diep.

Toen het licht werd, keek ik om me heen. Ik zag tenten en natodraad, een hoge toren, misschien een verkeerstoren. Niet ver hiervandaan moest een landingsbaan zijn waar hun vliegtuigen en helikopters opstegen en landden. Daar stond een lange hangar van hout en golfplaten en het geraamte van een tweede hangar. De platen van de eerste zaten vol gaten. Kogels, dacht ik.

Naast de gesloten tenten zag ik olijfgroene tentzeilen op houten stokken. Overal waren soldaten iets aan het timmeren of boren. Ik zag bulldozers. Dit kamp was blijkbaar nog in aanbouw. Aan de kant van de toren herkende ik een soort muur van metaal of blik die misschien om het kamp heen liep, maar dat kon ik niet zien. Ver achter de hangars stonden witte pilaren die eruitzagen als grafkruisen. Het konden echter geen graven zijn: de pilaren waren minstens drie meter hoog. Aan de andere kant, een beetje afgelegen, zag ik een tweede draadversperring met gevangenen.

Het militaire kamp werd omringd door bergen, zo ver als het oog reikte. Ze waren reusachtig. Ik had nog nooit zo veel en zulke hoge bergen gezien. Op de toppen lag sneeuw. De grond in het kamp was bevroren en zag eruit als een drooggevallen, rotsige rivierbodem. Ik hoorde nog steeds helikopters opstijgen en landen.

Enkele gevangenen zaten net zo naakt op de grond als ik. Anderen hadden al een overall aangetrokken. Sommigen droegen nog de roestige voetketens uit Pakistan met grote boeien om de enkels en een stang ertussen. Ik merkte dat de bewakers nu een stukje verder bij mij vandaan bezig waren met een gevangene en trok snel de overall aan. Ze zeiden niets. Ik stopte mijn kin onder de stof en blies op mijn borst. Zo werd ik een beetje warmer. Ik bewoog mijn handen, maar pas na dagen kwam het gevoel in mijn vingers weer terug.

We mochten niet met elkaar praten, maar daar hielden we ons niet aan. Elke keer als de soldaten een stuk van de afrastering weg liepen, probeerden we het. Maar ik sprak geen Arabisch of Farsi, de taal van de Afghanen, en mijn Engels was nog steeds slecht. Helaas kon ik Salah en de anderen uit de gevangenis in Pakistan niet vinden; die waren waarschijnlijk achter een andere omheining neergezet. Ik kwam er echter achter dat de Amerikanen van hieruit tegen de taliban in de bergen vochten. We moesten dus ergens in Afghanistan zijn. Was dit misschien een oud vliegveld van de Russen?

Achter de versperring zaten Arabieren die in Afghanistan woonden en Arabieren uit Pakistan, taxichauffeurs of winkeliers of kleine ondernemers. Een van hen was arts. We noemden hem 'de dokter'. Ook hij was als buitenlander aan de Amerikanen verkocht. Hij was orthopeed – dat liet hij me zien door zijn elleboog en knie aan te raken – en was twaalf uur voor mij met de eerste groep aangekomen. Ik behoorde tot de tweede groep die uit Pakistan arriveerde. Afgaand op zijn gebaren moet de eerste groep nog meer klappen te incasseren hebben gekregen dan wij.

Jaren later kwam ik de dokter in Guantánamo weer tegen. We hebben vaak gepraat en ik stelde hem veel vragen. Als arts was hij goed op de hoogte van voedingszaken. Dat interesseerde mij. Ik vroeg hem wat je wel en niet moest eten als je een bot brak. Hoe je breuken zelf kunt behandelen en dat soort dingen. Dat kon me in Guantánamo namelijk elk moment overkomen.

Hij woonde al twintig jaar in Pakistan. Zijn kinderen waren daar opgegroeid en naar school gegaan. Bijna iedereen in zijn stad kende hem. Op een nacht sleurde de Pakistaanse politie hem uit zijn bed. Ze hadden de deur ingetrapt en de ramen stukgeslagen en waren zijn slaapkamer binnengedrongen. Daar werd hij op de grond geboeid. Zijn kinderen en zijn vrouw waren vreselijk bang. Ze hielden hem een tijd vast in Pakistaanse gevangenissen en droegen hem toen over aan de Amerikanen; ze beweerden dat hij een terrorist was. Het ging hen alleen om de beloning.

Maar dat kon me die ochtend helemaal niets schelen. Ik had alleen honger en moest naar de wc. Er was echter geen wc.

Ik vroeg het aan een patrouillerende soldaat. '*Toilet, toilet,*' zei ik.

'*Shut up! Sit down!*' Hij richtte zijn wapen op me.

Ik kon niet meer zitten, ik moest nodig naar de wc. Wapen of geen wapen, ik liep naar de omheining. De soldaat brulde alsof hij me neer ging schieten. Ik negeerde hem en liet het lopen.

De soldaat verdween en kwam even later in gezelschap van een officier terug. Die droeg een blauwe plastic emmer. Hij gooide hem over de omheining en zei dat we die konden gebruiken. Toen stonden bijna alle gevangenen op en maakten er gebruik van. Het was beschamend. Zowel jonge als oude gevangenen moesten zich uitkleden om het in deze emmer te doen, of ze nu gelovig waren of niet. Wij mannen mogen, als we ons aan de islamitische regels houden, ons lichaam van de navel tot de knie niet laten zien; ook niet in de hamam, het Turkse badhuis. Zelfs op de sportschool in Bremen douchte ik in mijn korte broek. En dan patrouilleerden er ook nog vrouwelijke soldaten rond de afrastering. Dat was niet makkelijk.

We zaten de hele dag achter de afrastering. Er werden nieuwe groepen gevangenen bij ons en bij de andere gevangenen opgesloten. Ook zij waren naakt en moesten hun overall naast zich laten liggen. Ik schatte dat we nu zo'n zestig gevangenen binnen onze afrastering hadden.

Toen het schemerde kwamen soldaten ons in kleine groepjes van ongeveer tien man ophalen. Misschien een tiental van hen betrad de omheinde plek met het machinepistool in de aanslag. Ze lieten ons een voor een opstaan en naar het natodraad lopen. We werden opnieuw aan handen en voeten geboeid. Ze brachten ons naar de hangar. Die was leeg. Ik zag slechts een lange gang en veel blikken muren en ruimtes die waren afgeschermd met natodraad. We werden een van de golfplaten ruimtes ingedreven en moesten op de grond gaan zitten. Zand, stenen en bevroren aarde, net als binnen onze omheining. De ruimte werd aan de buitenkant afgegrendeld. We kregen ieder een MRE. Ze gooiden de plastic dozen gewoon over het natodraad heen.

Een MRE is een maaltijd verstrekkende eenheid van het Amerikaanse leger. De afkorting staat voor 'Meal Ready to Eat'. Maar op de manier waarop de Arabieren, die hier al eerder waren geweest, het uitspraken, klonk het als 'emarie', en zo noemden we het ook. Normaal gesproken zit in de doos een maaltijd van ongeveer 2000 calorieën. Bijvoorbeeld in aluminium verpakte aardappels of rijst en vlees of kip, een beetje groente en pudding, moes, crackers of zoete dingen, samen met een lepel, vork en mes van plastic. Er hoort een klein kookstelletje bij waarop het geheel verwarmd kan worden. Elke emarie had een eigen nummer, afhankelijk van de inhoud. In sommige zat ook varkensvlees. De emaries die ze over de afrastering naar ons gooiden, bevatten echter alleen een beetje rijst, moes en crackers of een paar stukjes vlees. Dat hadden ze bij elkaar geflikkerd. Alle andere dingen hadden ze uit de doos gehaald. Het was bij elkaar nog geen 600 calorieën. Om gezond te blijven heeft een mens echter meer dan 1500 calorieën per dag nodig. Dat wist ik uit mijn tijd als fitnesstrainer bij een sportschool in Bremen.

In mijn emarie zat toevallig varkensvlees, het stond erop: 'Pork'. Een paar droge stukjes, koud, met rijst. Dat kon ik niet eten. Ik probeerde iets anders te krijgen. Ik liep naar de draaddeur en sprak een soldaat aan.

'Shut up!' schreeuwde hij tegen me.

Ik voelde woede opstijgen.

Ik had in Bremen aan een paar toernooien meegedaan. Ik had gebokst en karatetrainingen gevolgd, als uitsmijter gewerkt. En toen ik deze bewaker zag, wist ik dat ik hem binnen een paar tellen zou kunnen vloeren. Dat maakte me nog woedender. Daar stond deze soldaat achter het natodraad, die ondanks zijn machinepistool bang van mij leek te zijn en me toeschreeuwde. Hij had het recht mij in het rond te commanderen. Misschien klinkt het onnozel, maar ik vond het moeilijk te slikken.

Ik ging weer op de grond zitten en at mijn cracker op.

Een zeer jonge gevangene had het allemaal gezien. Hij kwam naast me zitten en bood aan zijn emarie met mij te delen; er zat kip in. Ik wilde het niet aannemen, maar hij stond erop. In deze omstandigheden is eten alles wat je hebt. En deze jongen was, hoewel hij honger had, nog steeds in staat mij wat van zijn eten te geven. Hij was waarschijnlijk zestien, zeventien jaar oud, hij had nog niet eens baardgroei. Ik was aangedaan.

Plotseling sprong de draaddeur open. Soldaten stormden naar binnen en de jongen werd geslagen, omdat hij zijn eten met mij gedeeld had. Het was moeilijk om aan te zien.

Ik ben de jongen nooit meer tegengekomen. Misschien is hij gestorven. Misschien heb ik hem op Cuba niet herkend. Mensen gaan er anders uitzien door martelingen.

Die avond werden we verplaatst. In groepen van twintig man kwamen we in een nieuwe, door natodraad afgerasterde ruimte tot we ongeveer met zestig personen waren. Ik probeerde te slapen. Maar nog diezelfde avond werd ik voor het eerst verhoord. Er kwamen twee soldaten de afrastering binnen. De Amerikanen noemden dat het 'escortteam'.

Ik had het begrip 'escort' al eens in Bremen gehoord toen ik uitsmijter was bij disco's. Het betekende zoveel als 'begeleiding'. Toen werd gedoeld op vrouwen die bepaalde heren op professionele wijze een avond lang begeleidden. Ik zou nog vaak door deze begeleiders opgehaald worden.

Ze roepen mijn nummer: '*Zero-five-three, get ready!*'

Ik moet op de plek waar ze het natodraad openen op de grond gaan liggen. Op mijn buik, met mijn handen op mijn rug. Alle anderen staan op en gaan aan de tegenoverliggende kant met hun gezicht naar het natodraad staan. Het escortteam stormt naar binnen en doet me handboeien en voetkettingen om. Een van hen slaat met zijn vuist in mijn rug, een ander trekt me aan mijn handen omhoog en een derde grijpt mijn haar van achteren vast en drukt mijn hoofd naar beneden. Ik moet heel snel lopen.

Ik word naar een tent gebracht. Daar zitten een paar officieren. Ze praten Engels tegen me, hoewel ik nauwelijks iets versta. Ze vragen:

'*Where is Osama?*'

'*Are you from Al Qaida?*'

'*Are you taliban?*'

Dat is wat ik versta. Ze stellen me deze vragen steeds opnieuw.

'*Are you from Al Qaida?*'

'*No.*'

Een van de soldaten slaat in mijn gezicht.

'*Are you taliban?*'

'*No.*'

De soldaat slaat weer.

'*Where is Osama?*'

'*Don't know.*'

De andere soldaat slaat op mijn kin.

'*Are you from Al Qaida?*'

'*No…*'

Weer een klap in mijn gezicht. Mijn lippen zijn opengebarsten en er druppelt bloed uit mijn neus.

'*Are you taliban?*'

'*No!!!*'

Elke keer als in nee zeg, word ik geslagen.

'*Do you know Mohammed Atta?*' vraagt de officier opeens.

Die naam komt me bekend voor. Ik denk na. Ik heb hoofdpijn.

'*One moment*,' zeg ik, '*yes, I know. I hear. That name. I don't know where…?*'

Dan schiet het me te binnen: uit het nieuws. Zo heet de man die deelgenomen zou hebben aan de aanslagen van 11 september. Ik probeer dit in het Engels uit te leggen.

'*Yes,*' hoor ik de officier zeggen, '*he was your friend.*'

'*No, I know from tv…*'

Ik voel de volgende klap.

'*Tv! tv! News! You understand?*'

'*You are his friend!*'

'*No…*'

De officier staat op. Ik zit geknield op de grond, mijn handen zijn op mijn rug gebonden. De officier loopt naar me toe en slaat me in het gezicht. Hij is nog jong, begin dertig misschien. Hij vraagt wat ik in Pakistan heb gedaan. Ik vertel hem over de tablighs en over Mohammad. Hij zegt: je liegt. Je visum is vals! Ik zeg: jullie kunnen het toch controleren, jullie hebben het toch! Hij loopt terug naar zijn tafel, tilt een map op en schudt die leeg op de tafel. Daar liggen mijn portefeuille, mijn vliegticket, mijn paspoort en mijn identiteitskaart.

'*Look. My passport. There is my visum,*' zeg ik.

Hij bekijkt mijn paspoort. '*It's fake,*' zegt hij en hij laat me het stempel van het consulaat zien. '*You made it yourself.*'

'*Call them. I have it from Pakistani Consulate. I was there.*'

'*You wanted to go to Afghanistan!*'

'*No.*' De volgende klap.

'*You know Osama!*'

'*No, no. Call in Germany, call my mother, my school…*'

'*Where is Osama?*'

'*No, no…*'

Hij haalt uit.

Plotseling noemt de officier een naam die ik ken. Het is de naam van een vriend. Een schoolvriend. Hij noemt een nummer dat ik niet versta. Is dat een telefoonnummer?

'*Zero-zero-four-nine-four-two-one…*'

'*I know… friend! He's a friend from school!*'

Hij noemt een tweede naam die ik ken. Dat is een vriend uit de moskee in Hemelingen. Opnieuw leest hij de naam en het nummer van een vel papier op.

'*Yes, I know, friend…*'

Hij herhaalt het nummer. Ik herken het netnummer van Bremen en een paar cijfers. Waar heeft hij dat telefoonnummer vandaan?

'*Fatima. Zero-zero-nine-zero…*' zegt de officier.

'*My wife! My wife! In Turkey…*'

Opeens vraagt hij: '*You sold your cell phone before you left Germany. Why did you sell your cell phone?*'

Dat versta ik: '*cell phone*' is het Engelse woord voor een mobiele telefoon. Ja, het klopt: ik heb mijn mobiel verkocht voordat ik vertrok.

'*Yes! I sell cell phone. How you know?*'

Hij geeft een klap in mijn gezicht.

'*Who did you sell it to?*'

Ik herinner me niet aan wie ik mijn mobiel heb verkocht. Ik heb zo vaak een nieuw mobiel gekocht en het oude weer verkocht. Was het een inruilwinkel? Of een van mijn maten? Ik weet het niet.

Ik krijg van achteren een klap op mijn hoofd.

'*I don't know… I always sell cell phones…*' Ik vraag me af: hoe weet hij dat? Ik heb geen tijd om erover na te denken, want er deelt weer iemand een klap uit. Ik zie sterretjes.

'*You took money from your bank. From Bremer Bank. I know that. What did you use it for?*' vraagt de officier.

Ik heb alleen 'Bremer Bank' verstaan. Dat is mijn bank. Hoe weet hij dat? Ik heb geen bankpasje meegenomen!

'*Quick! Answer! What did you use the money for?*'

'*Ticket! I buy ticket to Pakistan and back!*'

'*Who is Selcuk Bilgin?*'

Selcuk? Hoe weet hij van Selcuk? Ik heb tot nu toe toch nog niemand over Selcuk verteld. Waarom ook? Ze zouden me toch niet verstaan hebben…

'*Quick!*'

Ik voel een schop in mijn maag. Ik val om, het gaat slecht met me.

'*Friend! My friend! Together to Pakistan… but not come…*'

Hij wil zelfs weten voor wie het speelgoed in mijn bagage was en de ketting. Ik denk nog: dan heeft Mohammad dus mijn tas afgegeven.

Uur na uur steeds dezelfde vragen, gevolgd door klappen. Hij wil niet begrijpen wie ik ben en wat ik met Selcuk in Pakistan wilde, dat we samen naar de koranschool wilden, dat ik op de luchthaven van Karachi op Selcuk wachtte, maar dat hij niet kwam opdagen, terwijl we dat wel in Frankfurt afgesproken hadden. Hij luistert niet naar me. Hij stelt alleen steeds dezelfde vragen en noemt namen en nummers, en dan slaan ze me. Ik heb nu nog de zin in mijn hoofd die hij onophoudelijk herhaalt:

'Je bent een terrorist! Dat weten we. We zullen je voor altijd hier houden. Je komt nooit meer thuis!'

Als ik bijkom, lig ik achter de afrastering. Mijn gezicht is gezwollen, elk bot in mijn lichaam doet pijn. Ik hoor dat het nummer van een andere gevangene wordt geroepen.

Voortdurend verschijnt het escortteam; het brengt iemand terug van het verhoor of haalt hem op. Ook ik word meteen weer verhoord, nog op dezelfde dag. Of is het al nacht? Het is in ieder geval allang donker. Steeds hetzelfde spelletje, alleen een andere officier die me ondervraagt, en andere soldaten die me slaan. Namen, nummers, beschuldigingen, klappen. Als ik weer achter de afrastering beland, kan ik me niet eens meer iets herinneren.

Maar ik probeer me te concentreren: hoe kennen ze de telefoonnummers en namen van mijn vrienden? Waar hebben ze Selcuks naam vandaan? Waarschijnlijk hebben ze inlichtingen ingewonnen. Ze hebben vermoedelijk met Duitse instanties gebeld.

De nummers en namen kunnen de Duitsers ook uit mijn mobiel hebben, misschien waren ze daar nog in opgeslagen. Sommige nummers zijn wellicht ook afkomstig van visitekaartjes uit mijn portemonnee. In Bremen hebben we allemaal visitekaartjes, en ik had er een paar bij me van collega's en vrienden van school.

Maar als ze al zoveel wisten, moeten de Duitse instanties toch ook mijn familie gebeld hebben. En Selcuk. En dan moeten ze er toch achter gekomen zijn dat ik geen terrorist ben!

De volgende dag word ik drie keer verhoord, maar elke keer maar één à twee uur. Tussendoor zit ik achter de afrastering. Het is ijskoud. Ik kan mijn tenen bijna niet voelen; ze zijn nog steeds blauw. Soms denk ik aan mijn moeder: hoe ze in de winter altijd warme sokken meebracht als ze naar het winkelcentrum Hansa-Carré in Weserwehr was geweest. Ik vond het verschrikkelijk om in mijn sneakers dikke wollen sokken te dragen. Ze prikten. Als ik daaraan denk, word ik bijna wanhopig: hoe heerlijk zou het zijn om nu een paar wollen sokken te hebben!

Als het tijd is bidden we. Daarbij richten we ons op de stand van de zon. Dus één keer 's morgens, als het licht wordt, maar nog voor de zon opkomt. 's Middags, als de zon op het hoogste punt staat. In de namiddag, als je schaduw twee keer zo groot is als jezelf. 's Avonds als de zon ondergaat, maar het nog niet donker is, en 's nachts. Ieder bidt voor zich, zachtjes of zwijgend, en we blijven erbij zitten.

Als we 's morgens vroeg voor het eerst samen bidden en daarvoor gaan staan, dreigen ze ons neer te schieten. Maar we bidden gewoon door. Als ze willen schieten, dan schieten ze maar. Ze doen het niet. Ze schreeuwen en dreigen alleen. Dan komt er een commandant of hogere officier en praat met ons. Hij zegt dat we op de gebedstijden mogen bidden. Niet omdat hij aardig tegen ons wil zijn, maar omdat hij inziet dat wij liever sterven dan stoppen met bidden. En we mogen vermoedelijk niet sterven, omdat zij ons nog willen verhoren. Nu beginnen we staand aan het gebed, dan knielen we en buigen ons naar het oosten. We kunnen ons voor het gebed niet wassen, maar ons geloof staat ons ook toe zand te gebruiken als er geen water is.

Als het regent prikken de druppels als naalden in ons gezicht. Het wordt één grote modderbrij. Je krijgt het gevoel met de modder en het water weggespoeld te worden. Vaak gaan we heel dicht bij elkaar zitten om ons aan elkaar te warmen. Dan houdt het op met regenen, keert de wind weer terug en kruipt de kou mijn gedachten binnen. De grond bevriest en wordt hard. De overall blijft nat en klam. Je kunt de kou zelfs zien: ik zie het aan de soldaten die dikke handschoenen, jacks en mantels dragen, ze hebben van die mutsen op hun hoofd die je onder een helm draagt. Die bedekken hun hele gezicht; alleen voor de ogen zitten gaten.

Wij mogen – buiten de gebedstijden – niet opstaan en ons bewegen, ook al bevriezen we. Maar we kunnen ons toch al niet bewegen, zo uitgehongerd zijn we. Er zitten ook oude mannen achter de afrastering. En mannen van wie de voeten, benen of armen gebroken of door de etter geel aangelopen zijn; gevangenen met gebroken kaken, met gebroken vingers en neuzen en met gezwollen gezichten, zoals het mijne.

's Avonds worden we naar de hangar gedreven en krijgen we elk een emarie. 's Morgens krijgen we Afghaans brood. Het is rond, wit brood; we moeten er telkens één met zijn vijven delen. Ze gooien die broden gewoon over de afrastering heen; soms belanden ze in de modder. Water krijgen we in plastic flessen: een halve liter elk, één keer per dag. Soms geven ze ons helemaal geen water en ook geen brood. Op een morgen kreeg ieder van ons een deken. We mochten die alleen maar een paar uur gebruiken. Vervolgens moesten we ze weer afgeven of naast ons laten liggen.

Zelfs 's nachts mochten we de deken niet gebruiken. Maar aan slaap valt toch al niet te denken, want dan laten de soldaten ons met hun wapen in de aanslag verschillende uren staan. Elke gevangene wordt minstens één keer per dag weggehaald voor verhoor. Ook 's nachts. Opstaan, zitten. Verhoren, klappen. Zitten, opstaan. Als we de deken mogen gebruiken, doe ik die over mijn hoofd. Na een tijdje verwarmt mijn adem me dan, maar daarna wordt de deken klam en bevriest het vocht.

Er verstrijkt nauwelijks één rustige minuut. Als ik geluk heb, kan ik een half uur liggen. Mijn adem bevriest nu ook op mijn kleding. Soms vraag ik mezelf af wat beter is: het verhoor en de klappen in de tent of het gehurkt buiten zitten achter de afrastering. In de tent is het tenminste nog warm. Maar dan slaat de onzekerheid weer toe: sommigen komen niet meer terug van het verhoor. Zijn ze ergens anders naartoe gebracht? Maar waarheen?

Het escortteam komt. De soldaten dragen een lange kist die eruitziet als een doodskist. Maar er zitten gaten in. Ze roepen een nummer; de rest van ons gaat bij de omheining staan. Ik laat mijn hoofd zakken en gluur over mijn schouder. De gevangene ligt op zijn buik. Ze boeien hem, tillen hem op en leggen hem in de kist. Ik hoor ze met elkaar praten. Ik versta maar een paar woorden: '*dangerous*', '*caution*'. Gevaarlijk. Voorzichtig. Ze zeggen dat de man gevaarlijk is. Er liggen riemen in de kist waarmee ze de man als een pakketje vastsnoeren. Ze leggen het deksel op de kist en lopen weg.

Zo ging het, dag na dag.

Desondanks hoopte ik nog steeds dat ik binnen niet al te lange tijd een ondervrager zou treffen die ik van mijn onschuld zou kunnen overtuigen. Ze zouden ontdekken dat ik kort voor mijn vertrek getrouwd was, dat mijn visum in orde was en ik nooit in Afghanistan was geweest. Dat konden ze immers met een paar telefoontjes naar Duitsland binnen een etmaal vaststellen. Dan zouden ze me naar huis sturen.

Maar elke keer dat ik ondervraagd werd, luisterden ze niet naar me. Veel van de dingen die ze zeiden, verstond ik niet. Ze deden vaak net alsof ik perfect Engels sprak; soms zeiden ze dat ook. Soms kende ik de officier die mij ondervroeg al, andere keren was er een nieuw gezicht. Maar ze waren allemaal hetzelfde: ze noemden weer namen en nummers van mijn vrienden en wilden dat ik toegaf bij de taliban te horen. Ze sloegen me en wilden dat ik eindelijk bekende: ja, ik ben lid van Al Qaida en weet waar Osama is! Iets anders wilden ze niet horen. Het was uitzichtloos. Mijn enige hoop bleef dat hier iemand van de Duitse instanties of van het Duitse leger zou opduiken.

We werden bijna elke dag verplaatst. Van het ene omheinde terrein naar het andere en ten slotte naar een plek die de soldaten onder tentdaken op grafplaten hadden gebouwd. Ongeveer twee weken nadat ik aangekomen was, leerde ik daar twee Turken kennen. Eindelijk kon ik praten en werd ik verstaan. Het voelde als een bevrijding. Ze spraken niet alleen mijn taal, maar kenden ook een beetje Arabisch en daardoor kwamen ze van alles te weten van de Arabieren: waar we precies waren, wat er met ons zou gebeuren, wat de Amerikanen van ons dachten.

Ze zeiden dat we in Kandahar waren. Maar hoe wisten ze dat? Het kamp zou toch ook op een heel andere plek kunnen liggen? We zagen immers alleen bergen. Ze antwoordden dat de Afghanen het heel zeker wisten. En ik twijfelde er niet meer aan.

Ik wist dat de twee Turken in Pakistan gevangen waren genomen, net als ik. Ze hadden het mij verteld. Maar ik vroeg hun niet waar en hoe dat gebeurd was of wat ze daar gedaan hadden. Zoiets vraag je niet in een gevangenenkamp. Elke dag wilden de Amerikanen van ons weten waar en hoe we gearresteerd waren en wat we daar te zoeken hadden. Als je dan terugkomt bij de andere gevangenen en dezelfde dingen vraagt, ga je er snel onderdoor. Ik heb me al die jaren zo gedragen: als iemand me iets wilde vertellen, luisterde ik bereidwillig, maar ik heb nooit gekke vragen gesteld.

De twee Turken zijn inmiddels vrij. Ik zal hen, om hen niet in de problemen te brengen, Erhan en Serkan noemen. Ze zouden mij nog vaker tegenkomen.

Op een dag kwamen mensen van het Internationale Rode Kruis in het kamp, ook binnen onze afrastering. Enkele gevangenen liepen naar hen toe en praatten met hen. Er was ook een Duitser bij. Hij sprak mij in het Engels aan en toen ik hem vertelde dat ik uit Duitsland kwam, spraken we Duits. Hij vroeg me of ik een brief aan mijn familie wilde schrijven, zodat ze zouden weten waar ik was. Natuurlijk wilde ik dat. De Duitser had lange haren, een snor en droeg een bril; hij was ongeveer halverwege de veertig.

Hij zei dat ik de brief niet zelf mocht schrijven; dat was tegen de regels. Ik moest heel hard tegen de man van het Rode Kruis praten. Dat kwam door de gevechtsvliegtuigen die landden en opstegen. Hij stond voor het prikkeldraad met papier en pen in de aanslag en ik dicteerde hem de volgende regels die ik nu nog uit mijn hoofd ken:

Mijn lieve familie,

Ik weet zeker dat jullie je veel zorgen hebben gemaakt. Dat spijt me. Ik kan zelf niet schrijven; zoals jullie zien is dit niet mijn handschrift. Ik zit gevangen op een Amerikaanse militaire basis in Kandahar, Afghanistan. Ze proberen mij als terrorist te bestempelen. Ik weet niet hoe het verder zal gaan. We worden elke dag geslagen, maar ik zal het wel redden. Ik hoop dat we elkaar snel weerzien. Vergeef me dat ik zo veel ellende en bezorgdheid heb veroorzaakt.

Jullie zoon Murat

Ik gaf de man mijn adres en het telefoonnummer van mijn ouders in Bremen. Ik zei tegen hem dat de Duitse instanties eigenlijk al zouden moeten weten dat ik hier was. Als de brief werkelijk aankwam, zou ook mijn familie erachter komen waar ik was, als de instanties hen daar al niet van op de hoogte gebracht hadden. Dan zouden ze vanuit Duitsland iets kunnen ondernemen. En als het dan al te laat was, zou mijn moeder in ieder geval weten hoe ik gestorven was.

Nog diezelfde avond kwam het escortteam mij halen voor verhoor. De officier had de brief in zijn hand en liet me die zien. Toen sloegen ze me. De officier zei:

'*That kind of stupid letter will never get to your home...*'

Dat verstond ik goed.

'Wij zijn echt niet dom,' verklaarde de officier. 'Als je een brief naar huis wilt sturen, moet je heel wat anders schrijven: "Met mij gaat het goed! Ik voel me prima, maak jullie geen zorgen." Zoiets, begrijp je?'

Natuurlijk waren ze niet dom. Ik had niet over het slaan of iets dergelijks mogen schrijven. Ik hoopte echter dat de man van het Rode Kruis uit humane overwegingen mijn ouders zou bellen.

De officier wilde met het verhoor beginnen. Ik zweeg. Ik zei die avond helemaal niets meer, hoe vaak ze me ook sloegen.

Nu weet ik dat de man van het Rode Kruis mijn ouders niet gebeld heeft. Ik weet echter ook dat hij papieren heeft moeten ondertekenen die hem officieel verboden informatie naar buiten te brengen en dat hij zich moest onderwerpen aan de voorwaarden van de Amerikanen, de regels van het kamp. Er kwam alleen naar buiten wat zij vrijgaven en ook mondeling mocht men niets doorgeven; dat legden andere vertegenwoordigers van het Internationale Rode Kruis mij later in Guantánamo uit. Ook de Duitser die mijn moeder niet gebeld heeft, heb ik daar weer gezien. Misschien nam hij zijn vak heel serieus. Misschien wilde hij zijn baan niet verliezen. Maar is een mens in zo'n situatie niet verplicht om te helpen?

Weer worden we verplaatst en bijeengeraapt, weer word ik verhoord. Het escortteam brengt me naar een van de tenten. Daar vertellen ze me dat ik met gestrekte benen op de grond moet gaan zitten. Ik begrijp dat niet meteen; ik wil knielen, net als anders. Maar ze zeggen: '*Sit! Sit down.*' En dan drukken ze mijn benen op de grond; ik moet ze strekken. Twee soldaten houden mijn voeten vast. Andere soldaten houden mijn handen vast en drukken mijn schouders naar beneden, zodat ik me niet meer kan bewegen.

'Zo, dus jij bent geen terrorist?' zegt een van de ondervragers. 'Jij bent dus niet van Al Qaida?'

Aan zijn toon hoor ik dat ze iets nieuws van plan zijn.

'Vandaag zullen we daarachter komen,' zegt een ander.

Hebben ze nu een leugendetector? De man heeft een soort beugels in zijn handen die hij even tegen elkaar aan wrijft. Ze lijken op die apparaten voor hartmassage. Voordat ik in de gaten heb wat er gebeurt, voel ik de eerste klap.

Het is stroom. Elektrische schokken.

Ze houden de elektroden tegen mijn voetzolen. Ik kan niet blijven zitten; het is alsof mijn lichaam uit zichzelf van de grond opvliegt. Ik voel de stroom in mijn hele lichaam. Het brandt, het doet erg veel pijn, ik voel warmte, klappen, krampen, mijn spieren verkrampen, ze trillen, het doet pijn.

'*Did you change your mind…?*'

'*What?*'

Ik weet niet hoe lang ze de elektroden tegen mijn voetzolen houden; tien, twintig seconden misschien, misschien langer, een eeuwigheid.

'*So how is that?*'

De man wrijft de elektroden tegen elkaar en houdt ze weer tegen mijn voeten. Ik voel weer de krampen, de stuiptrekkingen, de brandende pijn.

'*Funny, huh?*'

Ik hoor de stroom als een hard geknetter, het snelle geluid van klappertjes, als kleine bliksemstralen in mijn oor. Als ik nu in mijn oor kon kijken, dan zou daar stroom zijn, dan zou je stroom zien. Tegelijkertijd hoor ik geschreeuw.

Het is mijn geschreeuw. Maar het is net of het helemaal niet uit mij komt. Het gaat vanzelf. Mijn hele lichaam trilt.

'*Did you change your mind?*'

'*No, no…*'

'*Okay, try this!*'

Ik hoor nog meer gegil.

'*Do you remember now who you are?*'

'*No, yes, no…*'

'*Okay, how about that…*'

Ik hoor mijn hart. Het klopt luid en heel raar. Eerst snel en dan weer langzaam.

'*Do you know Osama?*'

'*You… Taliban…?*'

'*… Atta…*'

Ik hoor hen nauwelijks nog. Ik weet alleen: ik raak óf buiten bewustzijn óf ik ga dood. Maar steeds opnieuw haalt hij de elektroden van mijn voeten af. Dat is het ergste: zo komt de pijn steeds terug, tot je denkt dat je het niet meer uithoudt.

Ik denk dat ik bewusteloos ben geraakt. Toen zijn ze er vermoedelijk mee gestopt.

Het was nacht. Ik had even kunnen slapen en werd ineens gewekt door geschreeuw. Het kwam van enige afstand, uit de tweede, open hangar die slechts een metalen geraamte was. Ik zag twee soldaten een man in elkaar slaan die binnen een natodraadomheining op de grond lag. Ik kon zien dat er om het hoofd van de man een deken gewikkeld was. Ze sloegen met hun geweerkolven op zijn hoofd en schopten hem met hun laarzen in zijn lichaam. Er kwamen andere bewakers en soldaten bij staan. Ook zij schopten en sloegen hem. Er waren nu zeven soldaten.

Onze 'gevangenis' en de open hangar lagen ongeveer dertig meter van elkaar af. Ik zag dat de man zich al snel niet meer bewoog. De soldaten bleven hem maar schoppen. Toen lieten ze hem daar liggen en liepen weg. Waarom hadden ze hem niet geboeid en teruggebracht naar zijn afgerasterde plek?

's Morgens lag de gevangene er nog op dezelfde manier bij. Nu zag ik dat de deken helemaal om zijn hoofd gewikkeld was. Hoe kon hij zo ademen? Hij lag in een plas bloed.

's Middags zag ik vier officieren naar hem toe lopen en hem bekijken. Ze maakten aantekeningen. Kort daarop verscheen een escortteam. Ze haalden de deken van zijn hoofd, tilden hem op en legden hem op een draagbaar. Zonder hem vast te binden. Zijn armen en benen bungelden levenloos naar beneden.

Hij was dood.

We wisten allemaal dat hij dood was.

Ik vroeg me af of hij kinderen had. Of zijn moeder en zijn vader ooit zouden horen hoe ze hem geslagen hadden. Het was mij op dit moment om het even: of ze hem of mij doodknuppelden. Mijn leven was niet waardevoller dan het zijne. Ik had allang begrepen waar het in dit gevangenenkamp om ging: ze konden met ons doen wat ze wilden. Ik kon de volgende zijn.

Wat zouden ze nu met me gaan doen? Tijdens mijn laatste verhoren heb ik geen elektrische schokken meer gekregen. Ik werd, zoals altijd, geslagen, maar daarbij hadden ze het gelaten en ik kon in ieder geval een beetje warmte tanken.

Ik kwam in de tent. Op een tafel stond een blauwe, met water gevulde plastic teil van ongeveer vijftig centimeter doorsnee. Ik kende de ondervrager nog niet. Drie officieren zouden mij vragen stellen en twee soldaten stonden als bewakers en hulpjes klaar.

'So, you still don't want to tell the truth?' zei een van de officieren.

'We will make you talk.'

Ik wist wat er ging gebeuren.

In de teil paste mijn hoofd.

Dat is net zoiets als appeltje-eten, dacht ik. Dat was een spelletje op de basisschool in Hemelingen dat de onderwijzers met schoolfeesten deden. Een appel lag in een emmer met water. Je moest je handen op je rug doen en proberen met je mond in de appel te bijten. Wie daar als eerste in slaagde, had gewonnen. Alleen lag er nu geen appel in de teil.

Ik was niet bang, maar wel gespannen. Ik wist niet of ik dit zou overleven. Er schoot me iets te binnen dat ik bij de tablighs in de moskeeën in Pakistan had geleerd. Ik dacht aan wat de profeet Abraham had gezegd toen hij in het vuur gegooid zou worden: *'Hasbe Allahu we ne emel wekil.'*

God is mijn beschermer, en Hij is een goede beschermer.

Iemand pakte me bij mijn haar. De soldaten grepen mijn armen vast en toen duwden ze mijn hoofd in het water.

Er is in de islam een denkbeeld: als je zo moet sterven, als je verdrinkt, dan krijg je in het hiernamaals een grote beloning. Omdat het een moeilijke dood is. Daar moest ik aan denken toen ze me onder water duwden. De verdrinkingsdood is afschuwelijk.

Ze trokken me weer omhoog.

'Do you like it?'

'You want more?'

'You'll get more, no problem.'

Toen ik weer onder water zat, voelde ik een klap in mijn buik. Ik moest uitademen en hoesten, ik wilde meteen weer inademen; ik onderdrukte het, en ik onderdrukte het hoesten. Maar ik slikte water door en kon de lucht nauwelijks vasthouden.

'Where is Osama?'

'Who are you?'

Ik probeerde iets te zeggen, maar het ging niet.

'More!'

Weer voelde ik klappen in mijn maag en in mijn rug. Ik slikte water door. Het was een raar gevoel, ik weet niet of er water in mijn longen kwam. Ik kreeg steeds minder lucht, hoe meer ze me in mijn buik sloegen en hoe vaker ze me onder water duwden, en ik voelde mijn hart tekeergaan. Ze stopten niet. Ik probeerde te antwoorden als ik er lucht voor had, maar ik kon niet meer uitbrengen dan 'yes' of 'no'. Ik kokhalsde en dacht dat ik moest overgeven, en toen hoestte ik en spuugde. Ik was duizelig en misselijk.

Toen ze me opnieuw onderduwden en in mijn buik sloegen, heb ik volgens mij onder water gehuild.

Hasbe Allahu we ne emel wekil!

Ik had hun alles verteld. Maar wát moest ik hun vertellen?

'*I… don't know…*'

De profeet Abraham heeft de vlammen niet gevoeld.

Toen ik weer achter de afrastering was, sprak ik met een gevangene die ze ook met zijn hoofd in de teil geduwd hadden. Hij had heel veel water binnengekregen, zei hij. Hij maakte een handgebaar alsof hij iets in zijn mond schepte, vervolgens aaide hij over zijn ingevallen buik en liet me zien hoe dik die geweest was.

We moesten lachen.

De volgende morgen arriveert het escortteam.

'*053, get ready!*'

Ik moet naar het verhoor.

Ze brengen me naar de hangar waar we de emaries krijgen. Waarom ben ik hier? Ze voeren me door de lange gang, openen een golfplaten deur en duwen me erdoor. Daarachter is geen kamer, maar alleen een met blikken wanden en natodraad afgezette ruimte. Aan een balk is een haak vastgemaakt, zoals in een slagerij. Daaraan hangt een ketting.

De soldaten pakken de ketting en halen die onder mijn handboeien door. De ketting loopt over de haak zoals bij een takel. Aan de haak is een katrol bevestigd. Daar word ik aan omhooggetrokken tot mijn voeten de grond niet meer raken. Ze zetten de ketting aan de balk vast. Dan vertrekken ze en sluiten de golfplaten deur achter zich, zonder een woord te zeggen.

De handboeien knellen het bloed in mijn handen af. Ik probeer me te bewegen. Ik kan mijn schouders optrekken, mijn hoofd in mijn nek leggen en met mijn benen zwaaien. Ik trek me op, en nog een keer. Ik trek mijn benen omhoog, gestrekt, en hou ze even zo. Dan beweeg ik ze weer naar beneden en wacht af. Ik geef het op. Je kunt daar niet lang tegen vechten. Daar heeft niemand de kracht voor.

Ik weet dat ze me hier laten hangen tot ik het niet meer uithoud. Na een tijdje lijken de handboeien regelrecht in mijn polsen te snijden. Mijn schouders voelen aan alsof iemand onophoudelijk aan mijn armen staat te rukken. Ik probeer gelijkmatig te ademen om zo weinig mogelijk energie te verbruiken. Op een bepaald moment begin ik te schommelen; misschien stroomt mijn bloed dan beter. Maar elke beweging doet pijn, al is die nog zo klein. Vooral in mijn polsen en ellebogen. Ik kan me beter helemaal niet bewegen en me overgeven aan de pijn. Ik moet loslaten. Maar loslaten is met deze spanning onmogelijk. Ik weet nu: je kunt hiervan snel sterven. Het lichaam houdt het niet vol.

Op een bepaald moment, na uren, komt er iemand die me naar beneden haalt. Een arts bekijkt me en neemt mijn pols op. Hij draagt net zo'n uniform als de andere soldaten, maar heeft andere emblemen op zijn schouder. Op zijn borst staat: *Doctor*.

'*Okay*,' zegt hij.

De soldaten trekken me weer omhoog.

Drie keer per dag komen de soldaten met de arts en laten me zakken. 's Morgens, 's middags en 's avonds. Ik maak mezelf in ieder geval wijs dat het 's morgens, 's middags en 's avonds is.

Ik vraag me af wat erger is: appeltje-eten of ophangen.

Op een bepaald moment komt er iemand die me vragen stelt. Ik kan hem nauwelijks verstaan, maar ik ken de vragen toch al. Mijn antwoord is nee.

Mijn handen zijn gezwollen. Alleen in het begin voel ik pijn in mijn handen. Later voel ik mijn handen en armen helemaal niet meer. Ik heb nog steeds pijn, maar op andere plekken op mijn lichaam. In de buurt van mijn hart bijvoorbeeld.

Als de ondervrager komt, laten ze me even zakken. Hij wil weten of ik iets te zeggen heb, of ik van mening ben veranderd en een nieuw verhaal wil verzinnen. Ik kan toch al niet meer praten.

Als ze me opnieuw laten zakken, kan ik niet meer staan. Mijn benen knappen als luciferhoutjes en ik val op de grond. De arts onderzoekt mijn vingernagels. Mijn vingers zijn blauw en steken nu. Er hangt een stethoscoop om zijn nek, hij doet een manchet om mijn arm en meet mijn bloeddruk. Ik voel niets meer in mijn handen, het steken is opgehouden. Hij haalt een zaklampje uit zijn borstzak en schijnt in mijn ogen.

Ik ben niet in staat om met hem te praten. Zelfs niet als hij me iets vraagt. Ik versta hem niet. Ik weet niet of de arts überhaupt iets tegen me zegt. Als hij weggaat, trekken ze me weer omhoog. Hij wil alleen weten hoe lang ik dit kan volhouden. Ik ben me niet bewust van elk bezoek van de arts. Ik weet alleen dat hij geweest moet zijn als ze me weer omhoogtrekken. Dat voel ik en dan doe ik mijn ogen open. Hoe lang ik daartussen op de grond lig, weet ik niet.

Soms denk ik dat ik in slaap val.

Als ze me vervolgens van achteren ophangen, voelt dat alsof mijn schouders zullen breken. Ze binden mijn handen achter mijn rug en trekken me omhoog. Ik herinner me een film waarin ik zoiets gezien heb. Daar werden Amerikanen op dezelfde manier door Vietnamezen opgehangen. Met de handen op de rug, tot ze gestorven waren. En dan denk ik: ik ben toch een sportman. Misschien lukt het me mijn benen tussen mijn handen door naar achteren te krijgen, zodat ik weer van voren opgehangen ben. Maar ik ben te zwak.

Ze trekken me weer omhoog, ik word er wakker van. Ik kijk om me heen. Ik geloof dat het een andere dag is. Vandaag trekken ze me wat hoger op dan anders. Dan laten ze me hangen en vertrekken. Hiervoor hing ik met mijn voeten ongeveer dertig centimeter boven de grond, nu zeker een meter. Tot nu toe kon ik het alleen maar steeds horen als er achter de blikken wand een andere gevangene opgehangen werd. En ik zag de ketting aan de balk achter de wand. Nu kan ik over de wand heen kijken.

Ik ken de man niet. Hij hangt net zoals ik: met zijn handen naar boven aan het plafond. Ik kan niet zien of hij dood is. Zijn lichaam is opgezwollen en blauw. Alleen op sommige plekken is hij bleek en wit. Ik zie dat er veel bloed aan zijn gezicht kleeft; het is geronnen en helemaal zwart. Zijn hoofd hangt opzij. Ik kan zijn ogen niet zien.

Ik beweeg me nauwelijks, maar soms schommel ik toch een beetje, ook als het pijn doet. Gewoon. Mij halen ze wel een paar keer per dag naar beneden en bekijken me dan voor ze me weer omhoogtrekken. Maar hij wordt door niemand meer naar beneden gehaald. Hem zijn ze vergeten. Hij hangt daar maar, steeds in dezelfde houding. Ik denk aan de gevangene met de deken op zijn hoofd. Het schijnt hun niets uit te maken of wij creperen. Ik geloof dat de man dood is. Hij ziet eruit als iemand die in de sneeuw bevroren is.

Ik staar een tijdje naar zijn borstkas. Er beweegt niets. Je houdt het niet vol als je niet af en toe naar beneden wordt gehaald. Ik houd rekening met het ergste. Dat heb ik al die jaren nog vaak moeten leren: je moet altijd van het ergste uitgaan. Zo is het nu eenmaal.

En zo was het ook.

Vijf dagen hebben ze me opgehangen. Volgens mijn eigen berekening waren het minstens vier en hoogstens vijf dagen. Andere gevangenen vertelden me dat het vijf dagen waren. Ik had niet gedacht dat ik het zou redden. Ik dacht dat ik het langer niet uitgehouden zou hebben. Ieder heeft zijn grenzen en ik dacht dat ik de mijne bereikt had.

Nu weet ik dat velen zo gestorven zijn. Ook andere gevangenen hebben gezien hoe mensen stierven terwijl ze opgehangen waren. In Guantánamo deed het verhaal de ronde dat in Bagram, een andere militaire basis van de Amerikanen in Afghanistan, veel mensen zo aan hun einde zijn gekomen. Bijna alle gevangenen in Guantánamo waren daarvoor in Bagram of Kandahar geweest. En ook in Kandahar waren er altijd mensen die niet terugkeerden van een verhoor.

Later vertelden de advocaten me dat enkele gevangenen wel vrij zijn gekomen; maar van andere heeft men nooit meer iets gehoord. Maar soms kwam je ook iemand tegen die je al lang dood gewaand had. Zoals Yassir, een Amerikaanse Arabier die ik in Kandahar had leren kennen. Ik wist helemaal niet dat hij in Guantánamo was, hoewel ik daar een tijdje in hetzelfde blok als hij in de isoleercel had gezeten. Aan het eind van mijn gevangenschap heb ik van mijn Amerikaanse advocaat gehoord dat hij op een bepaald moment is vrijgelaten. Ook werd niet iedereen in dezelfde mate gemarteld. Ze zochten de gevangenen die ze harder wilden aanpakken zorgvuldig uit.

Dilawar bijvoorbeeld. Hij was een taxichauffeur uit Afghanistan. Er werd gezegd dat hij een generator in zijn auto vervoerde, dat ze hem toen aanhielden en zeiden: je hebt daar raketten mee afgeschoten. Ze hingen hem op en sloegen hem, tot hij stierf. Waarschijnlijk is hij omgekomen van de dorst. Er werd steeds gezegd dat er iemand aan de ketting van de dorst was gestorven; ik denk dat dat Dilawar was.

Als ik nu over de tijd in Kandahar nadenk, kan ik niet huilen. Als ik met iemand praat die ook daar of in Guantánamo geweest is, dan lachen we. We lachen zelfs erg veel. Bijvoorbeeld over hoe we geslagen werden, hoe we elkaar hoorden als we schreeuwden. Wat moeten we anders? Moeten we bij de pakken neer gaan zitten en huilen? Het is gebeurd, het is voorbij. Ik blijf serieus als ik erover praat of ik moet lachen. Dan lach ik even. Maar ik verdring niets.

Het is gek: ik zit nu hier in mijn kamer en alles is nog precies hetzelfde als hoe ik het als dertienjarige heb ingericht. Er staan cd's op de plank waar ik toen naar luisterde. 2pac-shakur, Snoop-DoggyDog. De gordijnen, het zeilschip op de vensterbank, mijn halters. Het is alsof ik sindsdien helemaal niet ouder ben geworden. Toen ik na bijna vijf jaar weer in deze kamer kwam, heb ik als eerste weer mandarijnen gegeten. Mandarijnen zijn goed. En nu zit ik hier en denk na over Kandahar, over de martelingen, en ik voel me goed, ik voel me voldaan, ik ben in een warm huis, eten, drinken: alles is er.

Ik heb geleerd dat pijn bij het leven hoort. Zo is het leven.

Nadat ze me van de haak hadden gehaald, lag ik daar twee dagen op de grond. Ik heb de eerste tijd alleen geslapen, voor zover dat mogelijk was. Ik had dan ook niets gegeten en nauwelijks wat gedronken. Soms boden ze me een fles water aan. Alleen kieperden ze die fles dan boven mijn hoofd leeg en hadden de grootste lol. Eén keer stopten ze een appel in mijn mond en zeiden dat ik moest eten. Maar ik kon niet meer eten en de soldaten lachten.

Toen kwam het escortteam om me terug te brengen naar het omheinde terrein. Het regende. Ik ging in de blubber liggen – ik kon me nog steeds nauwelijks bewegen – en viel in slaap. Op een bepaald moment stond ik op omdat ik naar de wc moest. Op de emmer dus.

Weer kwam er een vrouw bij staan. Dat gebeurde vaak: als er iemand naar de wc moest, verschenen vrouwelijke soldaten die gingen staan kijken. We moesten de overall immers bijna helemaal uittrekken om onze behoefte in de emmer te doen. Het was vernederend. De vrouwen leverden domme commentaren over onze geslachtsdelen.

Elke ploegendienst liepen er ongeveer vijftien soldaten rondjes om de gevangenen, van wie een derde vrouwen waren. De mannen zeiden niets als we op de emmer zaten, alleen de vrouwen. Ik probeerde alleen naar de wc te gaan als er geen soldaat in de buurt was; de andere gevangenen waren zo fatsoenlijk om niet toe te kijken.

Later kwamen er weer soldaten die mijn nummer riepen. Ze begeleidden me naar buiten en bevalen me te blijven staan en me helemaal uit te kleden. Het was winter, zij hadden een emmer met koud water bij zich en gooiden dat over mijn hoofd. Dat vonden ze leuk. De vrouwen stonden met hun wapen in een cirkel om me heen en lachten.

Ik schaamde me, maar ik was immers niet vrijwillig naakt. Ik zal niet vertellen wat ze zeiden, hoewel ik een groot deel daarvan niet vergeten ben. Ook anderen behandelden ze zo, alleen ik moest het regelmatig ondergaan, en dan vooral door vrouwen. Misschien omdat ik zo'n getraind lichaam had, hoewel ik al veel was afgevallen. Ze noemden het *'shower'*, douche.

'053, get ready for your shower!'

Hahaha.

Het was alsof ik iets warms op mijn huid voelde, hoewel het natuurlijk ijskoud was. Zelfs het water in de plastic flessen die ze over de afrastering naar ons gooiden was soms bevroren. We konden het pas drinken als we het onder onze kleren ontdooid hadden.

Haha.

Voordat de profeet Abraham in het vuur geworpen werd, hadden ze hem eerst helemaal uitgekleed. In het paradijs is hij daardoor de eerste die iets krijgt om aan te trekken, zo staat er. 'Ik heb je hulp niet nodig. God is mijn beschermer, ik verwacht alleen hulp van Hem,' zei Abraham toen de aartsengel Gabriël verschenen was en hem zijn hulp aanbood. Ze gooiden Abraham in het vuur. Maar hij voelde de vlammen niet en hij verbrandde niet. Allah had het vuur bevolen hem niet te verbranden en Abraham voelde zich behaaglijk in de vlammen.

Ik zat na te denken over hoe het verder zou gaan. Naast me zaten nu eens Erhan en Serkan, dan weer Arabieren of Afghanen. We werden steeds opnieuw verplaatst; om de paar dagen werd ergens weer een nieuwe omheining van draad gemaakt, kwamen er nieuwe gevangenen binnen. Ik leerde een paar Oezbeken uit Afghanistan kennen die een taal spraken die op het oude Turks leek. In Afghanistan wonen ongeveer acht miljoen mensen met Turkse voorouders. Ze komen, zoals ik te weten kwam, uit de buurlanden Oezbekistan en Turkmenistan, die allebei aan het noorden van het land grenzen. In Kandahar begon ik deze taal te leren. De Oezbeken spraken ook Farsi en dat was erg handig, want met hun hulp kon ik ook met de Afghanen praten.

'*053, get ready!*'

Ik keek om. Het was donker.

Ik liep naar de omheining. Niet ver daarvandaan stonden, naast de Amerikanen, twee soldaten in het duister die andere uniformen droegen. Dat viel me meteen op. Ik had zulke uniformen nog niet in het kamp gezien. Toen ik naar die twee soldaten keek, herkende ik de Duitse kleuren aan de zijkant van hun armen. Duitse soldaten? Waren dat de Duitsers op wie ik gehoopt had? Maar ergens had ik niet het gevoel dat deze twee soldaten mij hieruit zouden halen en naar huis zouden brengen. Maar misschien bestond er een kans dat ik een bericht naar Duitsland zou kunnen sturen.

'*That's him. That's the German guy,*' zei een van de Amerikanen.

The German guy. Waren ze hier voor mij gekomen?

Nu kon ik de twee soldaten met de Duitse vlag op hun epauletten beter onderscheiden. De ene had donker haar, de andere was blond en iets gespierder.

Ik kon hun gezichten zien. Ze knikten en bekeken me.

'Verkeerde kant gekozen. Kijk naar de grond!' zei de donkerharige.

Verder zei hij niets. Ze vroegen niets, ze wilden verder niets van me. Ik ging weer zitten.

Na een half uur werd mijn nummer opnieuw geroepen. Ik ging met mijn handen op mijn rug op mijn buik liggen en werd geketend. Het escortteam bracht me nu naar een legerwagen. Achter deze vrachtwagen stonden de twee Duitse soldaten.

Wachtten die op mij? Wat wilden ze? Wilden ze me misschien toch helpen?

Het escortteam gooide me voor hen op de grond. Ik hoorde de Amerikanen weglopen. De donkerharige kwam naar me toe. Hij boog zich over me heen en trok aan mijn haren. Hij tilde mijn hoofd op en draaide dat, zodat we elkaar in de ogen keken.

'Weet je wie wij zijn?' schreeuwde hij tegen me.

Soldaten uit Duitsland, dacht ik.

'Wij zijn de Deutsche Kraft, het KSK!' brulde hij.

Ik zei niets. Het was niet het goede moment voor een gesprek. Ik lag met mijn handen op mijn rug in de bevroren modder voor hem en hij hield mijn hoofd vast.

Toen sloeg hij dat, met de neus naar beneden, op de grond.

De Duitser ging rechtop staan. Ik voelde een schop. Een van de twee had me in mijn zij geschopt, ik had niet gezien wie het was.

Ze waren niet gekomen om mij te helpen.

De Duitse soldaten lachten. Ik hoorde dat ook het escortteam, een stukje verderop, in lachen uitbarstte.

Toen verwijderden de Duitsers zich. Ze lieten me gewoon liggen. Het escortteam kwam, tilde me op en bracht me terug binnen de omheining. Ik zat weer op mijn plek, mijn hoofd dreunde, ik was er slecht aan toe en mijn neus bloedde. Ik vroeg me af waarom ze me zo behandeld hadden. De Amerikanen martelden me omdat ik moest toegeven dat ik een terrorist was. Maar de Duitsers? Waarom deden ze dat? Haatten ze me omdat ik een Turk was?

Maar misschien was het toch ergens goed voor. Vermoedelijk zouden ze het voorval melden. Niet dat ze me geslagen hadden, maar dat ze mij in het kamp hadden gezien. Ze zouden de Duitse instanties over mij vertellen. Dan wist niet alleen mijn familie dat ik op een Amerikaanse militaire basis in Kandahar gevangenzat.

Diezelfde avond zag ik hen nog een keer. De KSK-mensen patrouilleerden met de Amerikaanse soldaten in het kamp. Toen ze onze omheining naderden, zag ik dat de blonde KSK-soldaat zijn machinepistool aan de Amerikanen liet zien. Het was een heel ander wapen dan de M16 van de Amerikanen. De Duitser demonstreerde het wapen. Hij legde aan en richtte op ons. Nu zag ik dat het een lasergestuurd wapen was. Een rood puntje dwaalde door de duisternis en bleef toen op de hoofden van gevangenen rusten. De ksk-soldaat was slechts een paar meter van ons verwijderd en richtte op onze hoofden.

De Amerikanen leken gefascineerd. Het laserpuntje zwierf van voorhoofd naar voorhoofd.

Andere soldaten kwamen erbij staan; ze waren dolenthousiast.

Op een dag werden de eerste gevangenen in groepen weggevoerd. Er werd gezegd dat ze verplaatst werden. Maar wij kwamen er al snel achter dat ze uit het kamp werden gehaald. Maar waar gingen ze naartoe? Dat wisten we niet. Tot iemand zei dat ze ons allemaal met het vliegtuig weg zouden brengen.

Het waren steeds tien tot twintig mensen die ze kwamen halen. Van elke groep riepen ze een paar namen op van mensen die ze meenamen. Dat ging een paar weken zo. De procedure, die zich ongeveer één keer per week afspeelde, was steeds dezelfde: iedereen moest bij de omheining gaan staan en degenen wier nummer werd afgeroepen, maakten zich klaar voor het escortteam. Daarna zagen we hen niet meer.

In het kamp deden verschillende geruchten de ronde. Sommigen dachten dat ze ons naar een gevangenis in de VS zouden brengen. Anderen geloofden dat we zouden worden vrijgelaten. Ze hadden toch geen bewijsmateriaal tegen ons! Maar er waren ook mensen die ervan overtuigd waren dat we de elektrische stoel kregen. Daarover werd dagenlang heftig gediscussieerd.

'Nee, in de VS gebruiken ze tegenwoordig een dodelijke injectie. Je krijgt een slaapmiddel toegediend en dan, als je al buiten bewustzijn bent, krijg je een spuit,' zei een van de Oezbeken.

'Hoe weet je dat?' wilde iemand weten.

'Ik heb het in een Amerikaanse film gezien. Die heette *Dead Man Walking*. Maar ze hebben hem weggedragen.'

We moesten lachen.

'Wat een onzin. We gaan op de barbecue,' zei een Pakistaan die al eens in de VS was geweest en beweerde het land te kennen. 'Dan worden we nog eerder opgehangen. Ze hebben daar nog steeds de doodstraf door ophanging!' zei de Oezbeek.

'Dat ophangen hebben we toch al achter de rug,' zei ik en stak mijn handen omhoog.

We speculeerden over de manier waarop ze ons zouden ombrengen.

'Maar waarom zouden ze ons doodmartelen als we onschuldig zijn?' zei Serkan. Ik zat weer achter dezelfde afrastering als de twee Turken. Met hen kon ik nu uitvoerig van gedachten wisselen. We praatten over wat er nu zou gebeuren. Zouden de Turken ons ophalen en in de gevangenis zetten?

Ik kende Erhan en Serkan al een tijdje, maar pas op deze laatste avond, voordat wij aan de beurt waren, ontdekte ik waar Serkan vandaan kwam. Hij vertelde dat hij in zijn geboortestad een meubelmakerij had. Ik vroeg hem welke stad dat was. Sakarya, aan de Zwarte Zee, antwoordde hij.

Dat was de stad waar mijn moeder vandaan kwam.

Ik heb daar veel familie wonen, vertelde ik hem. Wij reden elk jaar naar Sakarya en brachten de zomer door in een dorp in de buurt van de stad.

Hij vertelde over een bepaalde plaats aan zee waar ook ik vaak was gaan zwemmen. Bij de kruising waar een oude eucalyptusboom staat, ligt zijn meubelmakerij. Ik kon mij deze straat en de boom herinneren; misschien waren we elkaar daar aan zee al een keer tegengekomen.

Ik deed die nacht geen oog dicht. Ik dacht voor het eerst weer aan Turkije, aan Sakarya, aan de stad waar ik pas een paar maanden geleden met Fatima getrouwd was. Ik dacht aan het dorp van mijn opa. Kusca. Grootvader kweekte hazelnootbomen en verdiende daar zijn brood mee, net als het halve dorp al generaties lang van de hazelnootplantages leefde.

Ik zag het kleine bos voor zijn huis.

IV

Kusca, Turkije

Het dorp Kusca in de provincie Sakarya wordt omringd door bergen. Die bergen zijn echter dicht bebost en diepgroen. De lucht is warm en ruikt naar zout en hoestbonbons. De zee is niet ver van het huis van mijn opa; je kunt in zijn tuin het zachte ruisen van de branding horen. Achter het hazelnotenbosje ligt de rivier.

Als kind speelde ik elke zomer onder de bomen. Als ik trek had, plukte ik noten en kraakte die. De doppen waren zo zacht dat ik ze met mijn tanden kon openbreken. Ik klom op de takken en sprong naar beneden. Ik joeg op muizen met een roe die ik van de buigzame twijgen sneed. Maar het leukst was het glijden. Ibrahim en ik haalden vaak stiekem bakplaten uit de oven van *Anane* of uit de kachel van Ibrahims moeder, mijn tante, die naast ons woonde. *Anane* is Turks voor oma. Opa noemde ik *Dédé*. Ons veldje met notenbomen liep bij de rivier steil naar beneden af. We gingen dan op de bakplaten, die naar baklava en brood roken, zitten en gleden de heuvel af. Die platen waren zo groot dat we er zelfs op onze buik op pasten en dan behoorlijk veel snelheid konden maken. Soms gingen we over de kop of belandden we in het water. We aten noten tot we ploften, tot we buikpijn kregen. In de tuin van Dédé stonden echter ook fruitbomen: kersen en appels.

In het dorp woonden ook een zus en twee broers van mijn moeder; we waren één grote familie. Ik ging vaak met mijn oom naar de Zwarte Zee en dan zwommen we daar. Of ik sprong op een tractor en dan liet mijn oom me sturen. Het was een mooi leven. We gingen vissen in de rivier. We gebruikten geen hengels, maar netten, maar alleen voor de lol, want Anane kocht vis in het dorp, die was erg goedkoop.

Alles mocht in Sakarya, dacht ik die nacht in het gevangenenkamp. Als we wilden vissen, visten we. Als we wilden zwemmen, gingen we zwemmen, en zelfs de koeien gingen zwemmen, dacht ik: de boeren brachten ze naar het meer en dreven ze het water in; en als we wilden rijden, dan reden we: we hadden een paard.

Er waren wilde dieren tussen de notenbomen, vooral slangen, ook giftige. Als ik de slangen niet liet schrikken, beten die me niet. Soms kroop er een over mijn been, dat voelde ruw en koud aan, en dan verdween hij weer. Maar soms vertrouwde ik het niet; als we door het struikgewas liepen en ik mijn eigen voeten niet meer zag. Ik heb wel slangen gedood, uit nieuwsgierigheid. Maar normaal gesproken liet ik ze met rust.

Toen Ibrahim en ik wat ouder waren, zag ik een keer een erg lange, gele slang. We waren net als vroeger door het struikgewas naar de rand van het notenbosje gelopen en opeens dook hij vlak voor me op. Hij had een gele glans en zijn buik was sneeuwwit. Hij was prachtig, maar zag er gevaarlijk uit. Ik pakte een dikke tak en sloeg daarmee op zijn kop. Hij sprong op. Bliksemsnel week ik uit. Ik sloeg een paar keer op zijn kop, maar die leek wel van rubber. Ibrahim stond erbij en keer ernaar. Hij lachte.

'Wat doe jij nou?'

'Ik probeer die slang dood te maken, hij is gevaarlijk. Help me dan!'

Ibrahim lachte. Hij brak een dunne tak van een van de hazelnootbomen en trok de groene schors snel en behendig van het harde binnenste af, dat wit en erg nat was.

'Wat doe je? Wat ga je met dat stokje doen?'

Ibrahim grijnsde. Hij ging voor de slang staan en raakte die zachtjes met het twijgje aan. Hij streek een paar keer over de kop en de buik, en toen werd de slang rustig. Tot hij helemaal niet meer bewoog. Hij was dood.

'Hoe heb je dat gedaan?'

Hij zei: 'Dat is giftig voor slangen.' Als ik het niet met mijn eigen ogen gezien had, zou ik het niet geloofd hebben.

Dat was een totaal nieuwe ervaring voor mij. Het is niet altijd een kwestie van kracht en geweld. Ik had als klein kind al met die twijgjes gespeeld en er zelfs op gekauwd, maar het sap deed mij niets. Terwijl het voor de slang dodelijk was.

Ook de laatste zomer bracht ik in Kusca door. Dat was een maand of vijf, zes geleden, dacht ik. Het leek me al erg lang geleden.

Ik zei tegen mijn ouders dat ik wilde trouwen en een gezin wilde stichten. Dat ik oud genoeg was en nu een fatsoenlijke vrouw zocht. Een moslima die zich aan de regels van de islam hield. Ik leerde haar via de telefoon kennen.

Ik had genoeg van de meisjes in Duitsland. Ik had genoeg van de disco's en de Turken die drugs gebruikten en dealden en in de gevangenis terechtkwamen. En van mijn baan als uitsmijter.

Ik wilde iets verstandigs doen. Ik had Turkse, maar ook Duitse vriendinnen gehad. Het duurde altijd maar een paar weken, en soms had ik er zelfs twee tegelijkertijd. Dat was meer voor de lol, ik was zeventien of achttien jaar oud en ik deed wat mijn vrienden ook deden. Dat zou ik nu allemaal achter me laten.

Een overtuigde moslima hangt niet rond in disco's. Ze zal niet vreemdgaan, mij niet beschamen, en met haar kan ik kinderen krijgen. Maar met zo'n moslima moet je trouwen, en om met haar te kunnen trouwen, moest ik mijn leven veranderen. Ik moest godvruchtig worden en naar de wetten van Allah gaan leven. Dat deed ik ook. Ik dronk toen soms nog alcohol. Dat was nu afgelopen, en ik zei al mijn baantjes als uitsmijter op.

Op een dag belde mijn tante op en vertelde dat ze een meisje kende in Kusca dat ik misschien wel leuk zou vinden. Dat haar ouders gelovige mensen waren. Ze vertelde me over haar en stuurde een foto.

In Turkse dorpen is dit de gewoonte: als een meisje een bepaalde leeftijd bereikt, gaat de familie van de jongen naar het huis van haar ouders en probeert met de familie van het meisje tot overeenstemming te komen. Als het meisje en de jongen instemmen, kan het heel snel gaan. In dit dorp waren twee grote families: die van mijn moeder en Fatima's familie. Mijn tante kende Fatima al als kind; ze hielp haar toen met het huishouden.

Ik belde Fatima op. We spraken af elkaar in de zomer te ontmoeten; we wisten immers nog niet of we het met elkaar zouden kunnen vinden. Toen ging de hele familie met de auto naar Turkije. Ik had maar twee weken vakantie gekregen, want ik moest mijn opleiding als scheepsbouwer nog afmaken. We reden, net als elk jaar, in mijn vaders Mercedes. Het was een hele colonne: steeds meer families uit Bremen en omgeving gingen gezamenlijk; naar onze streek of in dezelfde richting. Onderweg stopten we vaak om te rusten en met zijn allen te eten. Dan sloten zich spontaan andere Duits-Turkse families bij ons aan. Bij tijd en wijle bestond het konvooi uit meer dan tien auto's. Wij reizen niet graag alleen.

Het was de jaarlijkse vakantie van mijn vader. Ali en Alper hadden schoolvakantie. Mijn tante en mijn oom verwachtten ons.

Het zou de mooiste tijd van mijn leven worden.

Mijn tante regelde de ontmoeting met Fatima. Bij ons geldt de regel dat een man alleen met een ongetrouwde vrouw in één ruimte mag zijn als er een derde persoon bij aanwezig is. Maar dat mogen dan niet de ouders zijn. Het komt er alleen maar op neer dat je je fatsoenlijk gedraagt. We ontmoetten elkaar bij mijn tante.

Toen ik Fatima voor de eerste keer zag, mocht ik haar meteen. Ik vertelde haar over Bremen, hoe ik opgegroeid was, ik vertelde haar over mijn leraren, over de disco's, de kungfuscholen én dat ik nu een religieus mens was geworden. Ze luisterde oplettend. Ik deelde haar mee dat ik met mijn toekomstige vrouw in Bremen wilde wonen. Het was immers nog niet zeker dat wij zouden trouwen. Vervolgens vertelde ze over zichzelf. Na afloop zei ik dat ik erover na zou denken, en zij zou hetzelfde doen. Vervolgens zouden we onze wederzijdse ouders op de hoogte brengen.

Ik wist al na de eerste ontmoeting zeker dat Fatima de ware was; ik hoefde haar niet nog een keer te zien. Dus vroeg ik mijn ouders de noodzakelijke stappen te ondernemen. Wij doen geen huwelijksaanzoek zoals in Duitsland, waar je voor de bruid op je knieën valt. Dat regelen de ouders onderling wanneer het paar een beslissing heeft genomen. Mijn ouders brachten de boodschap over. Traditioneel moesten ze dan eerst inkopen gaan doen. Overal in Turkije zijn winkels waar je alles kunt krijgen wat je nodig hebt: van het pak en de trouwjurk tot geschenken voor de familie van de bruid. Bijvoorbeeld heel specifieke zoetigheden, handgemaakte chocolade, die je eigenlijk niet opeet, maar bewaart. Dus gingen mijn ouders naar Sakarya en kochten in een van die winkels een horloge voor de vader, een pak voor Fatima's broer, een blouse voor haar moeder, een hoofddoek en dergelijke dingen. Alles werd mooi ingepakt. Vervolgens gingen mijn ouders en mijn oma bij Fatima's familie op bezoek en namen de geschenken mee.

Salam alaikum – Alaikum salam. Er was thee. Volgens de traditie mocht ik niet bij deze ontmoeting aanwezig zijn. Het is de gewoonte dat de ouders het huwelijksvoornemen met het uitdrukkelijke 'bevel en de wil van God' kenbaar maken. De bloemen en geschenken werden overhandigd, de chocolade werd op een zilveren bord aangeboden. De ouders van het meisje zeiden dan vervolgens, ook namens de bruid: 'We denken erover na.' Fatima's vader kende mij. We hadden elkaar een keer in de moskee ontmoet. Hij had daar vermoedelijk een goede herinnering aan en wilde natuurlijk weten wat ik voor de kost deed en hoe mijn financiële toekomst eruitzag. Het huwelijk van zijn dochter was voor hem ook een droevige aangelegenheid, want hij zou haar niet zo vaak meer zien als ze in Bremen woonde.

Ten slotte zei Fatima's vader: 'Als onze kinderen het zo willen, zal het hun geluk brengen.' Vervolgens vroeg hij het Fatima en zij stemde toe. Ze schudden elkaar de hand. Daarna bespraken ze de details van de bruiloft. Als het huwelijk niet tot stand zou zijn gekomen, dan hadden Fatima's ouders alle cadeaus teruggegeven.

In Turkije gelooft men dat een bruiloft altijd met geluk gepaard gaat. Daarom denken we niet te veel na over de kosten; het is een kwestie van eer. Elk detail van de ceremonie is vastgelegd en volgt de traditie. Een week voor de bruiloft werd in Kusca en de naburige dorpen met een luidspreker bekendgemaakt dat Murat Kurnaz ging trouwen met de dochter van de familie die-en-die uit Kusca. Alle dorpsbewoners werden uitgenodigd voor het feest.

Henna-avond, voorafgaand aan de bruiloft, vierden de vrouwen en mannen van onze families gescheiden. Er werden treurige liederen gezongen over Fatima's afscheid van het ouderlijk huis. Als teken van droefheid deed zij een rode doek over haar hoofd. Mijn moeder overhandigde haar gouden sieraden.

De bruiloft had plaats in de tuin van mijn tante. Er kwamen honderden mensen. Wij zaten aan een met bloemen versierde tafel, werden vorstelijk bediend en kregen heel veel geschenken. Men overhandigde ons een Koran, die staat voor het geloof, een kaars, die licht betekent, een spiegel, het zinnebeeld van de openbaring, en rijst en suiker, de symbolen van vruchtbaarheid en de geneugten van het leven.

We gaven elkaar de ringen; die waren met een rood lint aan elkaar vastgemaakt. We waren gelukkig. Mijn moeder was gelukkig. Ook mijn vader, hoewel hij alles moest betalen. Maar hij dacht niet aan het geld. Het is een gebruik, en veel Turken sparen heel lang om een bruiloft te kunnen vieren.

Mijn vakantie liep ten einde. Fatima en ik hadden afgesproken dat zij in het huis van haar ouders zou blijven tot ik in Bremen de formaliteiten had geregeld om haar naar Duitsland te halen. Dat zou ergens rond Kerstmis zijn. Mijn familie bleef nog in Kusca; ik reed alleen met de bus naar Istanbul en vloog daarvandaan terug naar Duitsland.

In het vliegtuig begon ik te twijfelen. Ik was nu getrouwd, dat had ik vurig gewenst, en Fatima was een gelovige moslima, zoals ik het me had voorgesteld. Maar wat wist ik eigenlijk over ons geloof? Ik was in een paar moskeeën geweest en had daar gebeden, maar in de moskee wordt nu eenmaal weinig geleerd. Ik wist nauwelijks iets over de Koran, hoe die ontstaan was en hoe je die moest lezen, nauwelijks iets over de Profeet en de wetten en geboden. Hoe moest een godvruchtige echtgenoot zich überhaupt gedragen? Wat waren mijn taken?

Ik had nog nooit goed leren bidden. Voor een gelovige moslima was dat allemaal niet voldoende. Mijn Duitse vrienden in Hemelingen waren dingen over het christendom te weten gekomen door godsdienstlessen tijdens de eerste communie of de belijdeniscathechisatie. Op mijn school werd geen godsdienst gegeven en tijdens de islam-uren in de moskee had ik als kind bijna altijd gespijbeld. Maar om alles op te halen kon ik toch moeilijk meer tussen zesjarigen plaatsnemen? In Duitsland zou het jaren duren voor ik alles geleerd had. Er waren in Duitsland weliswaar ook islamscholen, maar daar kon je alleen in het weekeinde heen.

En dus dacht ik aan wat mijn vrienden uit Bremen hadden verteld over de Jama'at al-Tabligh, en wat ze mij in de moskee Kuba in Hemelingen en in de moskee Abu-Bakr bij het centraal station van Bremen over het Mansura-Center in Lahore hadden verteld. Daar, zo stelde ik me tijdens de vlucht naar Duitsland voor, zou ik in minder dan twee maanden alles kunnen leren wat ik weten moest om een goede echtgenoot en moslim te zijn.

Er kwam een stewardess naar me toe die vroeg of ik wat wilde drinken. Ik keek haar niet aan. Dat wist ik al: ik mag een andere vrouw niet meer aankijken. Dat doen we echter niet uit gebrek aan respect voor vrouwen, maar juist omdat we hen hoogachten. Ik keek naar de grond en bestelde een cola.

Pakistan dus. Ik dacht er al een tijd over na om een bezoek te brengen aan het Mansura-Center en daar lessen te volgen. Nu wist ik het zeker. Ik kon ook ruim voor de kerst weer thuis zijn, dacht ik. Het was mijn laatste kans, mijn laatste avontuur, voordat Fatima naar Duitsland zou komen.

V

Guantanamo Bay, Camp X-Ray

'*053, Get ready for the escortteam!*'

Het was nog donker. Ook Erhan en Serkan en de twee Oezbeken werden opgeroepen. Nu waren wij aan de beurt.

We werden verzameld op een plek voor de geperforeerde hangar, één voor één opgehaald en een tent in gebracht. Daar schoren ze onze baard af en ons hoofd kaal. Dan konden ze in ieder geval niet meer aan mijn haren trekken, dacht ik.

We kregen nieuwe overalls, oranje gekleurd, en ze ketenden ons weer.

'*We're gonna put you now into the same cave with Osama Bin Laden, and then we're gonna shoot you,*' zei de soldaat die mij geschoren had.

Deze keer kreeg ik geen aardappelzak over mijn hoofd. Deze keer werd mijn hoofd vakkundiger ingepakt: met oorbeschermers, een masker, oogkleppen en een met zwart plastic afgeplakte duikbril, die zij '*goggles*' noemden. De soldaat maakte mijn handboeien zo strak vast dat het meteen pijn deed. Het was nauwelijks uit te houden.

'*Too strong,*' mompelde ik onder het masker. Ik wilde tegen hem zeggen: te strak, je hebt die handboeien veel te strak vastgemaakt. Ik wist nog niet dat het *'too tight'* moest zijn.

'Let me see,' hoorde ik een andere soldaat zeggen, die naast hem moet hebben gestaan. Ik stak mijn handboeien in zijn richting en hij drukte ze samen tot ze nog strakker om mijn polsen zaten. Klootzak, dacht ik. Nu trok hij iets over mijn handen: handschoenen of wanten. Die waren dik en stijf. Toen gaf hij mij een klap op mijn hoofd en schopte in mijn ballen, waardoor ik omviel. Ze sleepten me uit de tent en gooiden me op de grond. Daar moest ik op mijn zij blijven liggen.

'You guys are going to get shot,' zei de soldaat.

Maar dat had ik al begrepen. En nu, terwijl ik daar lag, waarschijnlijk voor de hangar, vier of vijf uur lang, begreep ik ook de reden van die hele verkleedpartij. Die handschoenen moesten niet mijn handen warm houden, die oorbeschermers niet mijn oren en het masker moest niet mijn gezicht beschermen: dat alles was alleen voor hun veiligheid. We konden niet bijten, niet spugen en niet krabben. We konden geen bacillen in hun gezicht hoesten, geen ziektekiemen verspreiden of ze besmetten met een ziekte. Of wij onder het masker zouden stikken of niet, kon hen niets schelen.

Ik wist wat ons nu te wachten stond: een eersteklas vlucht. Ze maakten ons aan elkaar vast en dreven ons het vliegtuig in. Opnieuw werden we zo vastgesnoerd, dat we geen vin konden verroeren; weer dacht ik dat ze ons naar Turkije zouden vliegen en daar naar een Amerikaanse militaire basis zouden brengen. Wat moest ik anders denken?

Slaap zou de enige troost in deze situatie zijn geweest. Maar dat stonden de soldaten met hun klappen niet toe. Ik dacht aan Amerikaanse films die ik in Bremen in de bioscoop had gezien. Actiefilms, oorlogsfilms. Ik had de Amerikanen toen bewonderd. Nu leerde ik hen werkelijk kennen.

Ik zeg dit zonder woede, maar het is de waarheid, omdat ik het gezien en meegemaakt heb. Ik wil niemand beledigen en ik heb het niet over alle Amerikanen. Maar over degenen die ik heb leren kennen: zij hebben een panische angst voor pijn, zijn bang voor elke schram, voor bacteriën en voor ziektes. Het zijn net kleine meisjes, vind ik. Als je Amerikanen goed bekijkt, zie je dat. Het maakt niet uit hoe groot of hoe sterk ze zijn. In de films zijn ze echter altijd helden.

De vlucht duurde zevenentwintig uur. Ergens maakten we een tussenstop. We konden ons tijdens het oponthoud niet bewegen, ze maakten ons niet los, niet eens voor heel even. We wisten niet waar we waren geland of waar ze ons heen zouden brengen. Of we überhaupt ergens levend aan zouden komen.

Ik voel meteen de hitte. Honden. Ik hoor ze blaffen, ondanks de oorbeschermers. Ik zie het felle licht, de zon, ondanks de goggles. Op de taxibaan zakken de eersten in elkaar. Ze doen onze maskers af. De zon brandt. We moeten op de grond gaan liggen. Ik houd mijn ogen dicht. Ik hoor camera's klikken. We worden gefotografeerd.

'Niet bewegen.'

Ik doe voorzichtig mijn ogen open, maar ik zie alleen laarzen op een lichte cementvloer. Ze trekken de maskers weer over ons hoofd en dat van mij verschuift een stukje. Ze drijven ons een bus in; die is wit. Binnenin is het donker. De bus heeft geen stoelen, alleen haken op de bodem waar ze ons aan vastklinken, zodat we noch echt staan noch echt zitten kunnen. Ze slaan ons voortdurend en de honden, die ook in de bus zijn, bijten ons.

'Ga niet zo zitten!'

Daar komt de klap al.

'Ga anders zitten!'

Weer een klap.

'Ga nu zitten!'

Het is ongelooflijk heet in de bus; dit moet een land zijn waar het ook in de winter echt warm is. Het zuiden van Turkije? Het is februari of maart. Adana misschien. In Adana kan het nu zo heet zijn. Zeker meer dan dertig graden.

Ik voel dat we over een brug of opklimmende weg rijden. Dan stoppen we. De bus begint te schommelen. We staan vermoedelijk op een schip. Ze schoppen ons onophoudelijk; het schip helt licht één kant op. Is er een Amerikaanse militaire basis op een eiland voor Adana? Brengen ze ons naar Cyprus? Dan rijden we het laadplatform weer af en verlaten het schip. Op een bepaald moment stopt de bus. We hebben niet erg lang gereden, een half uur misschien. *'Get out! Out!'*

We moeten knielen en de kin op de borst leggen. Het knarst. Onder het masker zie ik kiezelstenen. Ik weet niet hoe lang we geknield zitten. Een paar uur. De hitte is ondraaglijk. In Afghanistan en in het vliegtuig was het nog ijskoud geweest. De soldaten schreeuwen en slaan ons steeds weer. Eindelijk mag ik opstaan. De soldaten trappen me, ik loop blootsvoets over de kiezelstenen; het is een lange weg, we gaan vaak naar links en naar rechts. Ze schreeuwen tegen me: *'Terrorist!'* – *'We kill you!'* – *'Motherf...'*

Dan brult een soldaat: *'Stop!'* Iemand trekt het masker van mijn hoofd; ik sta in een tent. Ik zie een naamplaatje. Voor het eerst zie ik de naam op de borst van een soldaat. Ik zal hem nooit vergeten. Twee andere soldaten houden mijn armen vast. Ze doen mijn handschoenen uit.

'Ik spreek Duits,' zegt de man met het naamplaatje. 'Wij zullen hier een geweldige tijd hebben samen.'

Allerlei soldaten zijn met me bezig. Ze trekken haren uit mijn armen, stoppen een wattenstaafje in mijn mond, nemen vingerafdrukken. Voortdurend zit er wel iemand aan me; het duurt een hele poos. Ik kijk al die tijd alleen maar naar die borst, naar die naam. Ik word gewogen, ik word gemeten.

Naam?

Murat Kurnaz.

Spellen!

K-U-R-N-A-Z.

Ik vraag me af hoe ik überhaupt nog kan praten. Ik heb weken niet goed geslapen. Door de vliegtuigen, de bommen in Kandahar, door de generatoren en verhoren. In ieder geval sta ik nu op mijn benen, ik sta ontzettend graag, omdat ik tijdens die vlucht alleen maar gezeten heb. Ik weet absoluut niet waarom ik kan blijven staan. Alsof ik me aan de naam op het borstplaatje van de soldaat vasthoud: GAIL HOLFORD.

Ik krijg een armband om. Daar staat een nieuw nummer op: 061. Hij is groen en van plastic.

'*This is a nice place. Lots of trees*,' zegt een van de artsen of soldaten die mijn speeksel- en haarmonsters hebben afgenomen.

Bomen? Maken ze zich vrolijk over mij?

'*Lots of greenery*,' zegt hij. Ik kijk naar hem op.

Hij wijst naar buiten.

De tent is open. Ik zie geen bomen. Ik zie bergen. Zand en bergen en cactussen. Grote cactussen. Waar cactussen groeien, zijn geen bomen.

'Weet je waarom je hier bent?' hoor ik de man met de naam Gail Holford zeggen.

'Weet je wat de Duitsers met de joden gedaan hebben?' zegt Gail Holford. 'Dat is precies wat we met jullie gaan doen.'

Iemand pakt me bij mijn hemd en duwt me de tent uit. Buiten zie ik veel draadversperringen, op korte afstand. Als in een doolhof. Ik zie hoe een andere gevangene in zijn oranje overall daarin wordt rond getrokken. Meteen gooien de soldaten me op de grond. Ik val op de kiezelstenen. 'Blijf liggen!' De man met de naam Gail Holford drukt zijn knie in mijn nek en mijn gezicht in de stenen tot de gevangene en het escortteam niet meer te zien zijn. Pas dan lopen we verder.

Waar is de gevangenis waar ze me naartoe brengen?

We passeren een paar deuren van draadgaas en komen binnen een afrastering die eveneens van draadgaas gemaakt is. Het zijn kooien. Daarin zitten gevangenen in oranje overalls, ieder in zijn eigen kleine kooi. De een naast de ander, als een roofdierengalerij. Ik kijk naar links en naar rechts; daar zijn nog meer van die afgezette ruimtes. Ik zoek de gevangenis. Die moet wel echt groot zijn, willen we daar allemaal in passen. Deze rare kooien zijn slechts een tussenstation. Maar om me heen zie ik alleen bergen en cactussen. Ligt de gevangenis achter een heuvel? De soldaten maken een kooi open en duwen me erin. Ik moet knielen.

'Jij bent Charlie-Charlie-3. Zeg het!'

'Charlie-Charlie-3,' zeg ik. Ik probeer het te begrijpen: heet mijn kooi 'Charlie-Charlie-3'?

Dan halen de soldaten de ketens weg en doen de draaddeur op slot.

'Zit!' bevelen ze.

Ik ga zitten.

'Beweeg je niet!' brullen ze.

Ik beweeg me niet. Ze roepen nog iets wat ik niet versta. Dat ze me zullen doden, en hoe, vermoed ik. Maar hadden ze dat niet al veel eerder en eenvoudiger kunnen doen? Ze gaan weg.

Ik dacht dat ze binnen een paar minuten weer terug zouden komen om me mee te nemen. Ik ging iets makkelijker in de kleermakerszit zitten en ademde diep in en uit. Wreef mijn voeten en polsen die gezwollen en bloederig waren. Eindelijk waren de boeien weg. Dat deed me goed; ik werd wat rustiger, ook al had ik nog steeds het gevoel door duizenden naalden gestoken te worden. Ik moest afleiding zoeken, om me heen kijken.

Er stonden in deze kooi twee emmers van plastic: ze hadden de kleur van eierdoppen en waren een beetje transparant. In de ene zat water dat stonk. Misschien om te wassen, dacht ik. De andere leek de wc te zijn. Op de vloer lag een dunne matras van schuimplastic, één of twee centimeter dik. Daarop een deken. Daarnaast een stuk zeep, een handdoek en een paar slippers. De nieuwe spullen op de matras zouden we mee moeten nemen, dacht ik. We moesten wachten; ze maakten onze cellen gereed.

De andere gevangenen in de kooien begroetten me.

Salam alaikum.

Alaikum salam.

Een van de gevangenen in mijn buurt zag eruit als een Afghaan, als een Oezbeek. Ook hij groette me. Ik probeerde hem in het Turks te vragen hoe lang hij hier al was. De Oezbeek verstond me niet. Ik probeerde het met mijn handen. Jij? Hier? Ik telde met mijn vingers: een, twee, drie, vier…?

De Oezbeek-Afghaan antwoordde in het Oezbeeks en liet twee keer al zijn vingers zien: 'twintig'. Hij bedoelde waarschijnlijk twintig minuten. Hij zat ongeveer twintig minuten langer dan ik in zijn kooi.

Ik wachtte. Er zou snel iemand komen om ons op te halen. Ik mat de kooi met mijn hand. Die is van mijn duim tot mijn pink tweeëntwintig centimeter als ik hem strek. Dat wist ik uit de tijd dat ik stage liep als scheepsbouwer. Zo kon ik altijd heel precies oppervlakten berekenen, ook zonder duimstok. Ik mat ongeveer acht bij negen handen. De kooi was dus één meter tachtig breed en bijna twee meter lang. En hij was vermoedelijk ongeveer twee meter hoog. Samen minder dan vier vierkante meter. In Duitsland bestaat een wet: als je een hond in een kennel houdt, moet die minstens zes vierkante meter groot zijn. Dat wist ik omdat ik zelf honden had.

Ik wachtte en keek om me heen. Niet ver bij mij vandaan werd een gevangene door een van de gangen van draadgaas geleid. Hij had zijn masker en oorbeschermers nog op en ik hoorde de soldaten tegen hem schreeuwen. Ze liepen steeds dezelfde route met hem. Nu begreep ik hoe we hier gekomen waren. Ik had gedacht dat we een heel eind gelopen hadden, maar de plek waar we urenlang hadden moeten knielen voordat ze in de tent mijn masker afdeden, was maar een paar meter van mijn kooi verwijderd. Wij hadden dus maar een paar meter van elkaar op onze knieën gezeten, maar wisten dat niet. Ze hadden ons rondjes laten lopen tot we dachten dat we in een groot kamp of een grote gevangenis waren. Maar we waren dus al die tijd op deze plek binnen de draadversperring gebleven.

Ik dacht: als het maart is, dan ben ik al snel jarig. Wat een fijne verrassing.

Opeens hoorde ik een geluid, een soort geplons of geplas. In de wateremmer zwom een kikker. Een kleine, groene kikker. Ik had nog nooit een kikker gezien, behalve dan op de televisie. In de Weser waren geen kikkers. Hij moest in deze woestenij naar water hebben gezocht. Waar kwam hij vandaan? Ik viste hem uit het stinkende water. Hij bleef op mijn hand zitten en keek me aan. Hij ademde heel snel. Ik wilde hem voorzichtig aaien, maar hij sprong op de grond en glipte door het draad weg.

Ik wachtte urenlang. Er kwam niemand; niemand werd opgehaald en verplaatst. Uiteindelijk verschenen bewakers die eten brachten. Op papbordjes, dat zag ik al van verre, maar toch. We hadden tot nu toe alleen maar emaries gekregen. Ik was blij dat er iets goeds te eten was. Misschien werd alles nu toch beter? Erger dan in Kandahar kon het tenslotte niet zijn.

Dat was een vergissing, in elk opzicht.

Toen de bewakers bij mijn kooi kwamen, zag ik op het bordje slechts drie lepels rijst, een sneetje droge toast en een plastic lepel. Dat was het. Ze gaven het papbordje aan door een kleine, recht-hoekige opening in de kooideur, die zich op kniehoogte bevond. Ik dacht dat het een vergissing was. Misschien hadden ze iets van het bordje af laten vallen? Toen zag ik de portie van de Oezbeek. Hetzelfde armzalige hoopje rijst, of eerder nog iets minder. Dan had ik liever een emarie gehad. Daar zaten tenminste nog crac-kers bij.

Terwijl ik de rijst at, keek ik op mijn armband. De rijst was koud en niet goed gekookt, de korrels waren zo hard als kiezelste-nen. Maar wat moest ik anders eten? Op mijn armband stond: '*Kunn, Murat, male, Turkish, 5-foot-4, 165 pounds*'.

Ze hadden mijn naam verkeerd geschreven. Terwijl ik al zo lang gevangen zat en ze toch al mijn papieren hadden. Ik dronk wat water uit de emmer. Ik was volledig uitgeput. Het klimaatver-schil met Kandahar was enorm.

Later was het binnen een paar minuten donker, de zon was weg en er ging een fel licht aan. Dat kwam van neonbuizen onder het golfplaten dak en van veel schijnwerpers die op de torens en om-heiningen gemonteerd waren, zoals in het Weserstadion. Tegelij-kertijd kraakten luidsprekers – die blijkbaar ergens hingen – en er klonk een oproep tot gebed. Het was allang tijd geweest om te bidden, dacht ik, maar plotseling werd de gebedsroep overstemd door harde muziek: het Amerikaanse volkslied. Ik hoorde dat de andere gevangenen hun beklag deden, maar er gebeurde niets. Op een bepaald moment knielde ik, voerde de rituelen uit en pre-velde de gebeden, voor zover ik die kende, in het Arabisch: 'Geprezen zij Allah. Allah luistert naar ieder die Hem looft.' Ik boog drieëndertig keer. Nu dreunde rockmuziek uit de luidsprekers, het was nauwelijks uit te houden. Zo hard was het in geen enkele disco in Bremen geweest, zelfs niet in Aladin.

Ik kreeg argwaan: de Oezbeek had niet gezegd dat hij twintig minuten langer dan ik in deze kooi zat – hij had twintig uur bedoeld. Vandaag zouden ze ons dus niet meer naar de gevangenis brengen. Dat was ook goed. Ik wilde alleen nog maar slapen. Ondanks het lawaai en het licht.

Ik kon niet slapen. Om de paar minuten kwamen bewakers die met knuppels op het draadgaas sloegen. Om de paar minuten sloeg iemand in zijn kooi iets dood en gooide dat naar buiten: slangen, ratten, spinnen; soms naast me, soms voor me. De voetstappen van de bewakers op de kiezelstenen knarsten. En dan ook nog die schijnwerpers van 1000 watt.

Opnieuw kwamen de bewakers. We moesten allemaal opstaan en ons 'legitimeren'. Dat betekende dat we onze hand uit het etensluikje moesten steken, zodat ze op de plastic armband konden kijken. Later sloegen ze tegen mijn deur, omdat ik mijn handen onder mijn deken had.

'*Take your hands out!*'

Nog later sloegen ze op mijn deur omdat ik op mijn zij lag.

'*Lie on your back!*'

Op een bepaald moment ben ik van uitputting in slaap gevallen.

Camp X-Ray was speciaal voor ons gebouwd. 'X-ray' is het Engelse woord voor röntgenstraal. Een gevangenenkamp dat volledig doorzichtig was. Iets totaal nieuws. Geen cellen waarin je op jezelf kon zijn, geen privésfeer, geen seconde uit het oog van de bewakers of de camera's. De kooien waren zo krap dat je er wanhopig van kon worden. Tegelijkertijd was de natuur, de vrijheid zo dichtbij, lag voor het grijpen, dat je krankzinnig kon worden. Een roofdier heeft in zijn kooi meer ruimte en krijgt ook meer te eten. Ik kan eigenlijk niet in woorden uitdrukken hoe dat voelt.

De blokken waren overdekt met golfplaten, maar de kooien stonden allemaal voor een deel onder de blote hemel. Dus konden we als de zon brandde vaak niet in de schaduw gaan zitten, tenzij die loodrecht op de golfplaat scheen die ongeveer dertig centimeter boven het dak van draadgaas van de kooi hing. Maar dan werd de golfplaat erg snel warm. Tegen de regen waren we net zomin beschermd als tegen de zon, want die kwam altijd van de zijkant. Het maakte niet uit in welke hoek van de kooi je kroop.

Het kamp bestond uit zes blokken, A tot F. Ze heetten Alpha, Bravo, Charlie, Delta, Echo en Foxtrot, naar het internationale luchtvaartalfabet. Deze blokken waren door smalle gangen van draadgaas van elkaar gescheiden. In elk blok waren zes complexen; ook weer van Alfa tot Foxtrot. En een complex bestond uit zes kooien, die in een lange rechthoek waren gerangschikt. Op die manier had elke kooi een aanduiding: Alpha-Bravo-1, Bravo-Charlie-5, Delta-Alpha-9. Ik zat in Charlie-Charlie-3. Rond de zes blokken waren hoge draadversperringen opgetrokken die werden onderbroken door wachttorens waar scherpschutters op stonden.

Het was niet gemakkelijk, die eerste tijd in Camp X-Ray. Ik wist nog niet dat we op Cuba waren. Ik wist niet welke regels hier van kracht waren. Dat die regels voortdurend veranderd werden en je ook gestraft werd als je ze naleefde. In de eerste nacht leerde ik dat ik de deken alleen over mijn benen mocht slaan. Dat ik niet op mijn zij mocht liggen, maar alleen op mijn rug. In de dagen daarna leerde ik dat ik in de kooi niet mocht staan noch rondlopen; overdag mocht ik er alleen zitten en 's nachts alleen liggen. Als je overdag ging liggen, werd je ook bestraft. We mochten het gaas niet aanraken en er ook niet tegenaan leunen als we zaten. We mochten niet praten. We mochten de bewakers niet aanspreken en hen niet aankijken. We mochten niet met onze vingers in het zand tekenen, niet fluiten, niet neuriën, zingen of lachen. Elke keer dat ik (uit onwetendheid of omdat ze net weer nieuwe regels bedacht hadden) iets deed wat ik niet mocht doen, kwam het 'IRF-team' om me af te ranselen.

Zo noemden de Amerikanen dat: 'IRF' was de 'Immediate Reaction Force': eenheden die uit vijf tot acht soldaten bestonden. Ze droegen plastic schilden, borst-, knie- elleboog- en schouderbeschermers van hard plastic, helmen met een plastic klep, met hard plastic afgezette handschoenen, zware laarzen en knuppels. Ik zou zeggen: het waren vechtjassen. Vechtjassen die tot onder de kin kogelvrij en onkwetsbaar waren. Ze droegen buiten de knuppels geen wapens, vermoedelijk uit angst dat wij die zouden stelen.

Ik heb dat later nog vaak gezien in hun ogen: hoe bang ze waren als ze voor de kooien wachtten tot ze ingezet werden, hoewel wij nooit schoenen droegen en al weerloos op de grond hurkten. Ze kwamen met pepperspray, een soort kanon, een hogedrukspuit waarvan ze de straal over een afstand van twee tot drie meter precies op de gevangenen konden richten. Daarin zat de werkzame stof oleoresin capsicum, gemaakt van rode pepers. Ze spoten de hele kooi onder en wachtten tot de gevangene totaal niet meer in staat was om te vechten. Pas dan bestormden ze de kooi.

'*Get up!*'
  '*Hurry!*'
  '*Get up!*'

Ik hoorde harde rockmuziek, ik hoorde hun commando's. Het prikkelende gas brandde in mijn neus, in mijn keel, in mijn ogen. Ik moest hoesten, het brandde verschrikkelijk.

'*Get up!*' schreeuwden ze.

'*Get to the wall!*'

'*Hands to the wall!*'

'*Move! Move!*'

Ik kon niets zien, ik kon niet ademhalen, ik wist niet wat me overkwam. Ik hoorde de dreigende klappen van knuppels op het gaas. Ik hoorde de deur van de kooi openspringen, ik hoorde hen brullen. Ik voelde een klap met een knuppel op mijn hoofd. Ik kroop in elkaar en toen begonnen ze op me in te slaan. Ze trokken me omhoog en gooiden me weer op de grond. Ze schopten en sloegen me; ik rolde me op. Toen werd ik bevangen door woede en probeerde me te verweren. Ik sprong op, blind, sloeg om me heen, kreeg een of andere helm te pakken, maar ze kregen me er weer onder en grepen me bij mijn ballen. Ze drukten mijn benen en mijn armen op de grond, tot ik op mijn rug lag alsof ik gevierendeeld werd. Een van hen drukte zijn schild op mijn borst, een ander sloeg in mijn gezicht. Tot ik de muziek niet meer hoorde, tot ik helemaal niets meer hoorde.

Ik sliep weinig, de nacht waarin het IRF-team mij voor het eerst bezocht.

Ik lag op mijn rug, geteisterd door bonkende pijn en het gehamer van de bassen, en probeerde me niet te bewegen. Ik had geleerd dat ik op mijn rug moest liggen en de deken alleen over mijn benen mocht doen. Handen op de buik, zodat ze die konden zien. Ik hoorde het IRF-team die nacht nog vaker. Ik bad tot Allah dat ze niet nog een keer naar me toe zouden komen.

's Morgens vroeg deed alles me pijn. Ik ging zitten en keek om me heen. Het was nog donker achter de omheining, maar er werd al ontbijt geserveerd. Een ei, hardgekookt en zonder schaal. Een snee droge toast, een paar erwten. Ik hoorde enkele gevangenen steeds hetzelfde woord zeggen; ze riepen het naar de bewakers:

'*Tipi!*'

Even later kwamen de bewakers en gaven hun een klein stukje wc-papier dat ze door het etensluikje staken. Ik leerde: '*TP*' stond voor *toilet paper*.

'*TP!*' riep ik.

'*TP?*'

Ik kreeg geen toiletpapier. Ik leerde: het hing helemaal van de bewaker af. Als die er zin in had, kreeg je het, had die er geen zin in, dan moest je je maar op een andere manier behelpen.

Kort daarna verscheen een escortteam. Ze boeiden me en we liepen door de gangen van draadgaas. Ze duwden mijn hoofd naar beneden, zodat ik niet om kon kijken. We passeerden vijf deuren van draadgaas. Bij elke deur stonden bewakers die de deur opendeden, mijn armband lazen en me fouilleerden. We verlieten Blok Charlie, liepen de gang tussen Charlie en Bravo door, passeerden Blok Bravo aan de buitenkant en kwamen in de gang tussen Bravo en Alpha. Ik zag alleen kiezelstenen en kooien met gevangenen. Plotseling riep iemand mij in het Turks.

'Murat! Murat! Ik ben het!'

Het was de stem van Nuri.

Nuri was een Turk die ik in Kandahar had leren kennen. Hij had met mij voor de hangar gezeten toen we moesten wachten voordat we het vliegtuig in gebracht werden. Hij had er verschrikkelijk uitgezien. Zijn ogen waren gezwollen, zijn lippen gebarsten, zijn polsen en enkels bloedden door de kettingen en ze hadden verschillende tanden uit zijn mond geslagen. Ik had hem gevraagd hoe hij heette en waar hij vandaan kwam. Hij had geantwoord dat hij uit Izmir kwam. Dat was de geboorteplaats van mijn vader.

Nuri was elektricien, hij was getrouwd en vader van twee kinderen. We hadden steeds weer het gegil gehoord van de mensen die in de hangar werden gemarteld. Dan zei Nuri:

'Nu gaan we naar de plek waar we ooit vandaan zijn gekomen.' Allah heeft ons uit aarde geschapen en daar zullen we ook weer naar terugkeren. 'Denk je nou echt dat ze ons laten gaan, na alles wat zij ons aangedaan hebben?'

'Het wordt in ieder geval beter dan het hier is,' had ik hem geantwoord. 'Of ze ons nu doden of niet.'

Toen had Nuri gelachen. 'Dat klopt. Maar ik maak me zorgen om mijn kinderen.'

Nuri was dus hier. Ik hoorde hem nu, maar ik kon mijn hoofd niet omdraaien om hem aan te kijken. Ik kon hem ook niet antwoorden.

'Probeer naar mijn blok te komen, Blok Alpha!' zei hij.

Maar hoe?

'Vraag aan de bewakers of ze je hierheen verplaatsen,' zei Nuri.

Ik hoorde nog dat hij de bewakers riep. Ze bleven staan en lieten mijn hoofd los. Nuri keek een van hen grimmig aan. Hij gebaarde dat hij bij hem moest komen. Toen wees hij naar zijn bovenarm waarop een insect kroop. Hij wees weer naar de bewaker alsof hij wilde zeggen: jij bent het insect, dit insect! Ten slotte drukte hij het insect met zijn hand plat.

We kwamen op een open plek buiten. Daar stond een elektrische auto, zo een die ze op de golfbaan hebben. Daarmee reden we naar een rij lange houten gebouwen. Het waren steeds vier rechthoekige blokken van spaanplaat die ongeveer een meter hoog op palen stonden.

Voor het gebouw waar wij stopten, stonden soldaten en een donkere vrouw in uniform. De soldaten fouilleerden me. Daarna vroeg de vrouw:

'*Do you have any weapons?*'

Dat was toch belachelijk. Hoe kon ik nu wapens hebben?

Ik zei: ja – '*Yes, I have.*'

'*Where?*' vroeg de vrouw, die meteen achteruitweek.

Ik liet mijn tanden zien.

De soldaat rende weg en riep dat ik haar wilde bijten. Toen kwamen er andere soldaten en die gooiden me op de grond. Er werd een officier bij geroepen. Hij vroeg me: '*You want to bite the guards?*' Hij praatte hard en snel, ik verstond er nauwelijks iets van.

'*No, no,*' zei ik. '*No problem. I don't bite women.*'

Ze duwden me tegen de grond en schreeuwden tegen me. Ze waren opgefokt. Daar had ik niet op gerekend. Ik hoorde een IRF-team aanrukken.

'*He wants to bite,*' zei de officier.

Het IRF-team gaf me een paar dreunen. Ze trokken me overeind en brachten me naar een van de houten gebouwen. De twee kamers daarin waren zo te zien verhoorruimtes, elk ongeveer vijf of zes vierkante meter groot. De rechthoekige blokken hadden er van buiten veel groter uitgezien. In het midden van de ruimte stond een stoel, daar moest ik op gaan zitten. Daarvoor was een massieve ring in de houten bodem vastgemaakt. Aan die ring maakten ze de korte ketting tussen mijn voeten met een hangslot vast. De voetketting was met een smalle ketting om mijn buik gebonden en daaraan waren mijn handboeien weer bevestigd.

Zo kon ik niet opstaan, me niet bewegen en mijn handen niet optillen. Voor mij stonden een tafel en nog een stoel. Verder niets. Twee deuren, geen ramen. Om me heen spaanplaat. Ook de tafel was van spaanplaat. Ik keek om me heen in deze kale ruimte. Ik zag geen camera en ook geen spiegel. Uit die andere deur zou de ondervrager wel komen, dacht ik. Daarachter moest een tweede ruimte, de camerakamer liggen. Maar waar waren de camera's? Er stond een bewaker naast me.

De ondervrager kwam inderdaad door de andere deur naar binnen. Hij was ongeveer halverwege de veertig.

'Mooie kans. Ik vind het fijn dat ik Duits met je kan praten. Zo vergeet ik het niet,' zei hij.

Hij sprak niet accentloos Duits, maar wel vloeiend. Ik was verbaasd. Eindelijk kreeg ik de kans om in het Duits mijn mening te geven, mijn onschuld te bewijzen. Maar nog voor ik iets kon zeggen, vertelde hij me dat hij een paar jaar in Duitsland had gestudeerd. Ik geloof dat hij Frankfurt zei. Ik wachtte af.

Hij stak een sigaret op.

Hij stelde me geen vragen, maar praatte aan één stuk door: hij had met andere Amerikanen in een woongroep gezeten en ze hadden toen hasj gerookt en een vrouwelijke beambte was regelmatig met honden in het huis geweest om naar drugs te zoeken. Maar omdat ze wisten wanneer ze kwam, sneden ze telkens de hasjiesj fijn en verdeelden de stukjes met een schrobber over de vloerbedekking. Dan ging de hond als een dolle rondlopen, omdat hij overal hasjiesj rook, en was de vrouw opgetogen dat ze iets op het spoor was, maar kon vervolgens niets vinden en was elke keer weer teleurgesteld vertrokken.

Waarom vertelde hij mij dit stomme verhaal?

Hij was goedgehumeurd. Soms lachte hij. Op zijn tafel lagen een map met documenten en een balpen. Toen vertelde hij nog meer saaie verhalen. Hij praatte alsof ik lucht was. Ik vermoed dat hij alleen zichzelf Duits wilde horen praten. Of wilde hij op die manier sympathiek op me overkomen?

Wat maakt het uit, dacht ik. Ik werd tenminste niet geslagen en kon rustig op mijn stoel zitten.

Opeens zei hij: 'Weet je wat we met jullie van plan zijn?'

'Ja,' zei ik.

Ik glimlachte op een manier dat hij het moest zien.

Zijn gezichtsuitdrukking veranderde. Misschien had hij een andere reactie verwacht. Hij rookte.

Ik had eerst nog gehoopt dat ik eindelijk mijn verhaal zou kunnen doen. Maar al snel stond vast: deze man was niet geïnteresseerd in mijn onschuld.

'Vertel je levensverhaal,' droeg hij me op.

Ik begon bij mijn vakopleiding tot scheepsbouwer.

'Nee, begin bij je jeugd. Vertel me over je jeugd,' zei hij.

'Ik ben in Bremen geboren...'

Ik vertelde over mijn schooltijd in Hemelingen, maar hij onderbrak me weer. Hij wilde namen weten. De namen van de vrienden die ik noemde, hij wilde weten of ik vriendinnen had, ook hun namen interesseerden hem. Hij wilde weten wanneer en waar ik geweest was, in welke discotheken ik had gewerkt, namen, namen, namen.

Hij zei dat het duidelijk was dat ik me als terrorist alleen maar wilde verstoppen in de discotheken, dat ik die als dekmantel had gebruikt. 'Ik ken jullie terroristen,' zei hij.

Ik zou me in discotheken verstopt hebben?

'Toen had je nog geen baard, als dekmantel. Je hebt je vriendinnen alleen uitgebuit.'

Elke keer zag hij weer een aanknopingspunt. Hield hij mij voor een superterrorist?

'Die verhalen ken ik allemaal al. Je kunt meteen met de waarheid beginnen.'

Hij rookte.

Ik vertelde hem over mijn sport.

'Typisch terroristen. Jullie hebben allemaal aan vechtsporten gedaan. Logisch dat je getraind hebt. Maar je bent misschien de enige die dat toegeeft.'

Hij wilde weten in welke sport- en karatescholen ik getraind had. Hij zei dat hijzelf naar een fitnessschool ging.

'Mohammed Atta had in Duitsland een fitnessclub, maar achter de coulissen hebben ze aanslagen beraamd. Net als jij!'

'Ik heb op mijn sportschool in Bremen alleen maar getraind, verder niets. Ik weet niet wat Mohammed Atta gedaan heeft. Ik ken hem alleen van de televisie.'

Dat schreef hij allemaal op. Het viel me op dat hij daarvoor een andere balpen gebruikte dan de pen die hij aan het begin van het verhoor op de tafel had gelegd en waar hij zo opvallend mee had zitten spelen. Nu ging me een licht op: er zat vast een camera in die pen verstopt. Hij had de pen zo op de tafel gelegd dat de dop op mij gericht was en de camera me van voren op kon nemen. Hij gebruikte de pen niet één keer om mee te schrijven en ging er zo voorzichtig mee om dat het me duidelijk was: er moest een camera in zitten. Zoveel wist ik wel van elektronica.

Het verhoor duurde urenlang. Ik vertelde hem alles, tot de dag van mijn arrestatie in Peshawar. Tussendoor was hij opgestaan, naar buiten gegaan en weer teruggekomen. Misschien had hij iets gegeten of gedronken.

Hij verzamelde zijn documenten en stak de camerapen voorzichtig in zijn borstzak.

'Genoeg voor vandaag. Ik weet dat je gelogen hebt. Van begin tot eind. Dat verslechtert je positie alleen maar. Pech gehad, jongen. Moet je maar niet liegen.'

'Ik heb niet gelogen. Waarom zou ik liegen?'

'We weten precies wie jij bent. We willen het ook van jou horen. Je hebt die kans voorbij laten gaan!'

Toen vertrok hij. Het escortteam bracht me terug naar mijn kooi. Ze fouilleerden me en lieten me alleen.

Intussen was mijn argwaan veranderd in een zekerheid: de Oezbeek aan wie ik gevraagd had hoe lang hij al hier was, had niet
twintig minuten, niet twintig uur, maar twintig dagen bedoeld.
Deze kooien waren geen tussenstation. De kooien wáren de gevangenis, waar die zich ook bevond. Iets anders zou er niet komen. De kooien waren mijn toekomst. Dat begreep ik nu. Maar
voor hoe lang? *Chayr Insha Allah*. Met Allahs wil zal het goede gebeuren.

Maar wat zou hier voor goeds kunnen gebeuren?

Toen verschenen bewakers die zeiden: '*Get ready for a shower!*'

Deze woorden herinnerde ik me nog uit Kandahar.

Ik kleedde me uit tot mijn onderbroek, pakte de handdoek, het
stuk zeep en de slippers, ging zitten en wachtte. Ze kwamen terug
met een IRF-team en een herdershond. Wat had ik nu weer fout
gedaan? Ik kwam daar pas later achter: sommige gevangenen die
voor een douche of verhoor werden opgehaald, werden elke keer
door een IRF-team begeleid. Dat waren degenen die bijzonder
sterk waren of van wie ze wisten dat ze aan vechtsporten hadden
gedaan. Anderen werden door gewone bewakers opgehaald.

'*Turn around and get on your knees! Hands on your head!*'

Ik draaide me om, knielde en legde mijn handen op mijn
hoofd. Ze kwamen de kooi in en deden me hand- en voetboeien
om. Vervolgens liepen we door de gangen van draadgaas tot we
uiteindelijk bij de douches kwamen: dat waren kooien als de
onze, maar dan in tweeën gedeeld met aan beide kanten een slang
aan de draadwand. De watertoevoer werd door een soldaat buiten de douchekooi geregeld. Ze duwden me de douchekooi in en
maakten de handboeien los. Uit de slang kwam slechts een dun
straaltje. Ik ging eronder staan en toen ik de zeep pakte en me
daarmee insmeerde, begonnen ze snel af te tellen: *three-two-one-
over*. De waterstraal droogde op. Op heel mijn lichaam zat nog

zeep, maar de soldaat die de kraan bediende zei:

'*Your time is up.*'

Dat noemden ze dus douchen.

Op de terugweg vroeg een bewaker aan me of ik trainde en wat ik dan getraind had: '*Hey, you got big arms! What you're doing?*' vroeg hij.

Ik zweeg.

Toen ik in de kooi terugkwam, geloofde ik mijn ogen niet: er zat een nieuwe gevangene in Charlie-Charlie-1; een kooi die tot nu toe leeggestaan had. Hij was nog jong, misschien even oud als ik, negentien of twintig jaar. Hij lag op de vloer en maakte een zacht geluid. Hij huilde niet, maar ik meende een soort melodie, een droevig Arabisch lied te horen. Hij had geen benen meer. Zijn wonden waren nog heel vers.

Ik zat in mijn kooi en kon er bijna niet naar kijken. Alleen af en toe wierp ik een steelse blik in zijn richting. Zijn stompen etterden. Het verband dat eromheen zat was rood en geel verkleurd. Alles bloedde en etterde. Op zijn handen zaten vorstbuilen. Hij leek zijn vingers nauwelijks te kunnen bewegen. Ik zag dat hij rechtop ging zitten. Hij kroop naar de emmer in zijn kooi en probeerde erop te klimmen. Hij moest vermoedelijk naar de wc. Hij probeerde zich met zijn handen aan het gaas op te trekken om op de emmer te komen. Maar het lukte hem niet. Hij kon met die gezwollen handen niets vastpakken. Toch deed hij vertwijfelde pogingen. Toen kwam er een bewaker die hem van buitenaf met een knuppel op zijn handen sloeg. De jongen viel op de grond.

Elke keer dat hij probeerde zich op de emmer te hijsen, kwamen er bewakers die hem op zijn handen sloegen. Dat was een voorschrift: we mochten het gaas niet aanraken. Maar een jongen zonder benen? Ze zeiden dat hij niet mocht gaan staan. Hoe had hij dat kunnen doen zonder benen!? Hij mocht niet tegen het rasterwerk leunen. Hij mocht ook niet liggen. Ze lieten hem niet één keer op de emmer kruipen.

In de loop van de volgende dag raakte ik een beetje met hem aan de praat. Ik verstond hem nauwelijks. Hij heette Abdul Rahman en kwam uit Saudi-Arabië. Ik meende te verstaan dat hij in Bagram was geweest. Daar had men hem, net zoals ons in Kandahar, aan strenge kou blootgesteld. Zo was hij vermoedelijk aan die vorstbuilen op zijn handen en bevroren voeten gekomen. Daarom hadden de Amerikaanse artsen in een militair hospitaal zijn benen geamputeerd.

Ik had verschrikkelijk veel medelijden met Abdul. Hij moet ongelooflijk veel pijn gehad hebben en hij was uitgemergeld. Desondanks hadden ze hem gewoon in deze kooi gegooid en lieten hem daar liggen zonder zijn wonden te verzorgen. Hoe zou hij dat moeten overleven? Wat waren dat voor artsen? En wat waren dat voor bewakers die hem op zijn handen sloegen? Wat waren dat voor mensen?

Het verband waarmee ze Abduls stompen hadden verbonden werd nooit verschoond. Uiteindelijk haalde hij het eraf: het zat vol bloed en etter. Hij liet de bewakers het verband zien en wees naar zijn open wonden. De bewakers negeerden het. Later zag ik dat Abdul probeerde het verband in zijn emmer met drinkwater te wassen. Maar hij kon zijn handen amper bewegen en het lukte hem niet. Waar had hij het ook moeten laten drogen? Hij mocht immers het gaas niet aanraken? Hij deed het smerige verband weer om.

Toen de bewakers hem kwamen halen voor het verhoor bevalen ze hem met zijn rug naar de deur te gaan zitten en zijn handen op zijn hoofd te leggen. Toen ze de deur openmaakten, stormden ze net als bij alle andere gevangenen naar binnen: ze sloegen hem op zijn rug en duwden hem op de grond, vervolgens hielden ze zijn handen vast en boeiden hem, zodat hij zich niet meer kon bewegen. Abdul schreeuwde van de pijn.

Waarom deden ze dat? Hij had geen benen meer en hij woog misschien nog maar veertig kilo. Wat kon hij hun nu aandoen? Abdul werd naar het verhoor gedragen. Twee bewakers staken van voren ieder een arm onder zijn oksels en vervolgens duwden ze zijn schouders, nek en hoofd naar beneden. Zo tilden ze hem op en droegen hem door de gang; zijn stompen bungelden in de lucht en Abdul schreeuwde verschrikkelijk. Toen hij na uren terugkwam zag zijn gezicht eruit alsof hij geslagen was.

We brachten een paar weken gezamenlijk door in Charlie-Charlie. Abdul was altijd vriendelijk en goedhartig, hij was echt een lieve man. Het duurde even voordat we ons verstaanbaar konden maken. Maar toen ging het goed. Zo kwam ik erachter dat hij net als ik net getrouwd was, sinds een paar maanden. Ik vroeg hem of zijn vrouw wist dat hij zijn benen verloren had. Natuurlijk wist zij het niet. Dat had ik kunnen weten. Niemand wist iets van ons. We praatten vaak over sport. Hij hield van voetballen, zei Abdul.

Het rare was: hoewel hij onbeschrijflijk veel pijn leed, was hij zeer kalm. Hij was iemand die, ondanks zijn verschrikkelijke omstandigheden, vooral in anderen geïnteresseerd was. Als het IRF-team hem sloeg, huilde hij niet. Maar als hij hoorde of zag dat anderen in hun kooi geslagen werden, dan huilde hij. Hij huilde met harde uithalen. Hij had medelijden, terwijl hij zelf zo onmenselijk werd behandeld. Toen werd hij verplaatst en zag ik hem nooit weer.

Nu weet ik dat Abdul zijn verwondingen heeft overleefd. Dat zijn wonden geheeld zijn en hij ook zijn handen weer kan bewegen, dat hij aangekomen is en probeert zich lichamelijk in conditie te houden. Ik heb van een andere gevangene gehoord dat Abdul zelfs push-ups doet. Abdul heeft me de hartelijke groeten gestuurd. Hij wordt nog steeds in Guantánamo gevangengehouden.

Abdul was niet de enige die ze een lichaamsdeel hadden afgenomen. Ik heb het in Guantánamo vaak meegemaakt. Ik weet van een gevangene die over kiespijn klaagde. Ze brachten hem naar een tandarts die niet alleen de rotte kies, maar ook acht gezonde tanden en kiezen heeft getrokken. Ik kende een man, een Marokkaan, die in zijn vorige leven kapitein was geweest. Hij kon zijn pink niet meer bewegen, omdat die bevroren was. Al zijn andere vingers waren nog goed. Ze vertelden hem dat ze zijn pink zouden amputeren. Hij was het ermee eens. Ze brachten hem naar de ziekenboeg en toen hij terugkwam had hij alleen zijn duimen nog. Alle andere vingers hadden ze er afgesneden.

Veel Afghanen hadden oorlogsverwondingen en -verminkingen, sommigen misten een been of een arm. Ik heb hun open wonden gezien; die werden niet behandeld. Velen hadden gebroken benen, armen of voeten, omdat ze zo vaak met knuppels werden geslagen. Ook de botbreuken werden niet behandeld. In Camp X-Ray heb ik een man gezien die naar het verhoor werd gebracht. Toen hij terugkwam, hing zijn arm slap naar beneden; die zat alleen nog met huid en vlees aan zijn romp vast. De arm moest helemaal zijn afgebroken, maar de man werd gewoon in zijn kooi gegooid. Hoe moest dat weer aan elkaar groeien?

Ik heb nooit iemand gezien die gips droeg. Dat geneest vanzelf, dachten de bewakers. Kort voor mijn vrijlating ontmoette ik nog een gevangene van wie het IRF-team twee vingers had gebroken. De zwellingen werden elke dag erger, een paar weken lang. Sommigen die zulke verwondingen hadden heb ik op een bepaald mo-

ment weer teruggezien. Anderen niet meer. Of ik heb hen niet herkend, want de eerste tijd in Camp X-Ray waren we kaalgeschoren
en later hadden de meesten lang haar en een lange baard, net als ik.
Je zag steeds weer gevangenen bij wie de armen, benen of vingers
verkeerd aan elkaar gegroeid waren. Ze konden hun vingers of ge-
wrichten niet meer bewegen, of ze hadden nog maar één arm.

Ik heb in al die jaren vaak kiespijn en allerlei andere problemen
met mijn gezondheid gehad. Maar ik wilde voor geen goud naar
de ziekenboeg gebracht worden. Ik wilde mijn tanden, vingers en
benen houden.

Ik zag ook een oude, blinde man. Hij werd net zo verhoord, geslagen en gemarteld als wij allemaal. De Amerikanen maakten
geen onderscheid. De man zou meer dan negentig jaar oud zijn.
Hij was Afghaan. Zijn haar en zijn baard waren sneeuwwit.

Een van mijn gekooide buurmannen in X-Ray vertelde dat zijn
vader ook in Guantánamo zat. Hij had de bewakers een paar keer
gesmeekt hem te mogen zien. Ze verboden het hem. Dat was geen
op zichzelf staand geval. Er waren enkele vaders en zonen in Guantánamo. Ik kende een achttienjarige jongen wiens vijftigjarige
vader hier ook vast werd gehouden. Er waren ook tamelijk veel
broers. De vaders moesten toekijken hoe hun zonen geslagen werden en omgekeerd. Hoe kun je nu machteloos toezien hoe je eigen
vader in elkaar wordt geslagen? In Camp Delta heb ik meegemaakt
dat het IRF-team een gevangene in de kooi tegenover me mishan-
delde. Zijn zoon zat in de kooi naast me. Hij heeft het ook allemaal
moeten zien.

Ik heb in Camp X-Ray ooit gespuugd naar een bewaker die de
blinde grijsaard geslagen had. Toen kwamen ze naar me toe en
zeiden: jij wordt gestraft! Ik antwoordde: wat willen jullie doen?
Me opsluiten? Ik zit toch al in een kooi! Natuurlijk hebben ze me
in elkaar geslagen. Ik ben er niet trots op, maar op sommige men-

sen kun je alleen spugen. Deze bewaker was misschien twintig of vijfentwintig jaar oud. En die oude man was blind. Ik had zoiets nog nooit meegemaakt: hoe konden mensen zo weerzinwekkend, zo afstotelijk zijn?

Toen ik Abdul voor het eerst gezien had, dankte ik mijn God dat zijn lot mij bespaard was gebleven. Ik dankte Allah omdat het mij zo veel beter ging dan Abdul, hoewel ik gemarteld werd en in een kamp zat opgesloten. Als ik het IRF-team in Charlie-Charlie hoorde, bad ik soms dat ze mij zouden slaan in plaats van Abdul.

Bij een van de volgende verhoren legde de Amerikaan die Duits sprak krantenartikelen voor me neer. Het waren computeruit-draaien waarop het logo of lettertype van Amerikaanse kranten te zien was. *New York Times, Washington Post.* Een hele stapel ar-tikelen. Hij vertaalde een van de alinea's:

'Duits lid taliban door speciale eenheid opgepakt tijdens ge-vechten in Afghanistan.'

Hadden zij dat zelf geschreven? Maar op de een of andere ma-nier klonk het echt. Hij las me een paar alinea's in het Engels voor en vertaalde die toen weer: 'Amerikaanse speciale eenheden zijn erin geslaagd tijdens gevechten in de bergen van Afghanistan een Duits lid van de taliban gevangen te nemen. De man, die was op-geleid in alle vechtsporten, verweerde zich hardnekkig...'

Wat een leugen; zoiets zou een Amerikaanse krant over mij ge-schreven hebben?

'Ze weten toch dat ik in Pakistan ben opgepakt!' zei ik.

'Ja, dat weten we. Maar dat weet de buitenwereld niet. Daar heb-ben wij niets mee te maken. De journalisten schrijven wat ze wil-len.'

De Amerikaan lachte.

's Avonds kwamen de dieren. Misschien kwamen ze uit de heuvels die ik overdag kon zien. Onze kooien werden vaak bevolkt door spinnen, kruisspinnen en kleine tarantula's. Die waren zwart en behaard. Wij werden goede vrienden, de tarantula's en ik. De bewakers vonden het niet erg dat wij bezoek van spinnen kregen. Familiebezoek was niet toegestaan, maar tarantulabezoek wel. Mij maakte het niets uit. Een tarantula doodt niet. Als hij bijt, krijg je alleen hoofdpijn. De bewakers trapten ze met hun laarzen plat op de kiezelstenen.

Er was echter nog een andere spin, en daar waren de bewakers bang voor. Ze noemden die 'Brown La Cruz' of zoiets. Die spin was roodbruin, erg klein en nauwelijks behaard. Alleen op zijn onderlichaam. Hij zou een stuk giftiger zijn dan de tarantula's; de beet ervan kon dodelijk zijn als die niet werd behandeld. Deze spinnen konden zelfs springen. Ik ving ze altijd op en gooide ze dan ver weg. Maar ik maakte ze niet dood. Ze hadden mij niets gedaan. Je moet dieren niet doden als je ze niet opeet. Ook planten niet. Ook slangen brachten ons een bezoek, elke avond. Ze hielden van de warmte van de kiezelstenen en het beton.

Charlie-Charlie was een van de buitenste blokken en wij zaten het dichtst bij de natuur. Ik heb later nooit meer zo veel bezoek gekregen. Ooit was er een boa bij me, heel lang en dun, die moest volgens mij nog flink groeien. Er kwamen heel verschillende slangen, bruine, groene, grijze. Maar ze deden ons niets. Ik dacht aan de slangen in opa's tuin en in het hazelnotenbosje in Kusca, en ik dacht aan die gele, die ik met de knuppel had willen uitschakelen en hoe Ibrahim die toen met de hazelnoottwijg gedood had. Nu vond ik dat jammer.

Op een nacht sliep ik even, ondanks het lawaai dat uit de luidsprekers kwam, en ik voelde iets kriebelen op mijn hand. Het leek wel of iemand me kietelde. Ik dacht dat ik thuis was en mijn moeder me wakker maakte; zij had me vaak op die manier wakker gemaakt. Ik deed mijn ogen open en keek naar mijn hand; daar zat een schorpioen. Een kleine, zwarte schorpioen. Ik gooide hem op de grond en trapte hem dood. Ik wist: als ik snel was, zou hij me niet in mijn voet kunnen steken.

Vaak glipten er ook kikkers door het gaas. Die zagen er leuk uit. Ik zag ze niet binnenkomen; plotseling zaten ze er. Ze zochten water en sprongen in de emmer. Soms zag ik ze pas als ik wat wilde drinken. Dan zaten ze op de bodem van de emmer. Ik vond het elke keer leuk.

Het leukst vond ik iguana's. Zo heten de leguanen daar. Ik bewaarde altijd iets van de snee toast om ze te voeren. Daar maakte ik kruimels van en die legde ik dan voor ze op de grond. Je had ze in verschillende kleuren, groene of groengele of grijze. Ze leken op kleine draakjes. Sommige waren te groot om door het gaas te kruipen. Maar ze kwamen steeds weer. Ik wipte de broodkruimels voor ze in het zand en ze wenden eraan.

Iguana's? Waar waren we eigenlijk?

Er kwamen kolibries naar mijn kooi. Ik heb het een en ander over vogels gelezen: kwamen kolibries niet vooral in de Cariben voor?

Een tijdje later hoorde ik van andere gevangenen dat we wel eens op Cuba konden zijn. Een van hen had gezegd dat de Amerikanen een basis op Cuba hadden. Toen heb ik een keer aan de ondervrager gevraagd: we zijn toch op Cuba?

Ja, zei hij, we zijn op Cuba.

Naast me stond een kooi leeg. In de kooi daarachter zat een relatief kleine, maar zeer sterke man. Ik had nog nooit een IRF-team bij hem gezien. Misschien hadden ze respect voor hem. Op een avond sprak ik hem aan, in het Turks. Hij vertelde veel, maar ik verstond er maar weinig van: dat hij Tsjetsjeen was, maar uit Dagestan kwam. Ik vroeg me af hoe het er daar uit zou zien. Hij was worstelaar, meende ik te verstaan. Maar dat moest een bijzondere vorm van worstelen zijn, omdat hij mij met zijn handen duidelijk maakte dat je daarbij de benen niet mocht aanraken. Ik mocht hem wel.

Ik kan maar weinig persoonlijks over hem vertellen, want ik weet dat hij inmiddels weer in de gevangenis zit. Toen hij uit Guantánamo vrijkwam en naar huis werd gevlogen, hebben de Russen hem op de luchthaven opgevangen. Ze beschuldigden hem ergens van en sloten hem op. Hij zou veertien jaar hebben gekregen. Hij had de Arabische naam van een profeet die zeer gangbaar is. Ik zal hem Isa noemen. Dat is de Arabische naam van de profeet Jezus, die ook vaak gebruikt wordt. In het christendom is Jezus de Messias. In de islam is hij een belangrijke profeet op wiens wederkomst we wachten. Ik hoop dat ook de Tsjetsjeen op een dag zal terugkeren en vrij zal zijn.

Isa was een vrolijk mens. Hij lachte voortdurend en trok gekke gezichten, hoewel dat verboden was. Hij trok zich niets van de bewakers en het IRF-team aan. Hij ging staan als hij daar zin in had en turnde in zijn kooi als hij daarvoor in de stemming was. Hij was ongelooflijk sterk. Hij kon een achterwaartse salto uit stand maken. Eén keer liet hij me zien wat hij werkelijk in zijn mars had.

'Pst,' hoorde ik.

Isa zat in kleermakerszit op de grond en wenkte me.

'Pst…'

'*Evet?*' vroeg ik in het Turks: wat?

Isa grijnsde.

'*Ha?*'

Isa stak zijn armen in de lucht en boog zijn bovenlichaam zijwaarts naar de deur. Toen pakte hij met beide handen de loodrechte ijzeren stang van de deur. Ik kon mijn ogen bijna niet geloven: zijn bovenlichaam rustte in eerste instantie op zijn onderste elleboog. Toen wandelden zijn benen als in slow motion door de lucht, alsof ze door een onzichtbare band werden vastgehouden, tot ze volledig gestrekt waren. Ten slotte begon hij langzaam zijn armen te strekken tot hij horizontaal en kaarsrecht vanaf de kooideur boven de grond zweefde. Ik had nooit gedacht dat zoiets kon: zo'n kracht en lichaamsbeheersing had ik nog nooit gezien! Isa hield deze positie een paar tellen vast en maakte toen dezelfde slow-motionbeweging terug, tot hij weer in kleermakerszit voor me zat.

Ik was verbijsterd.

'*Eh?*' zei Isa, en hij grijnsde als een klein kind. Hij klopte op zijn bovenbenen.

Ik applaudisseerde alsof ik een getuige was geweest van tovenarij.

Het IRF-team kwam en gaf hem er verschrikkelijk van langs; kort daarna sproeiden ze pepperspray in mijn kooi, sprong de deur open en was ik aan de beurt. Ik kroop zo goed als ik kon op de grond in elkaar en dacht: dat was het toch in ieder geval wel waard geweest.

Een andere keer stuurde Isa mij een cadeau. Het was avond en de bewakers maakten hun rondjes; niemand sprak ook maar een woord.

'Pst,' hoorde ik Isa weer.

Ik keek zijn kant op; hij sliep nog niet.

'*Hediye!*' fluisterde hij. Dat was het Turkse woord voor 'cadeau'.

Ik zag dat hij een in elkaar gefrommeld papiertje in zijn hand had. Zat daar iets te eten in?

'Wat zit erin?' vroeg ik hem.

'*Hediye*,' zei hij.

Hij wachtte tot de bewakers zijn kooi voorbij waren. Toen wipte hij het papier door de lege kooi naar mij toe; het botste tegen het gaas en landde op de grond. Het lukte me het papier met mijn vingers te pakken te krijgen en het door de mazen te friemelen. Ik maakte het open en schrok: er zat een reusachtige, weerzinwekkende, exotische worm in. Hij was neongroen en geel en rood, had pootjes als een duizendpoot en scharen als een schorpioen. De worm zag er echt gevaarlijk uit. Hij was prachtig graffiti-achtig, maar kroop tamelijk snel van het papier op mijn hand. Ik liet hem meteen vallen. Hij bewoog snel heen en weer over de grond, ik greep een slipper en probeerde hem daarmee te pakken. Isa lachte zich kapot. Hij lag op zijn rug en hield zijn buik vast. Natuurlijk kwam het IRF-team.

Isa maakte altijd grapjes. Als de bewakers tegen hem schreeuwden, als ze hem bedreigden en probeerden hem bang te maken, rolde hij over de grond en lachte zich dood. De bewakers werden daardoor op stang gejaagd, maar Isa wees met zijn vinger naar hen en lachte gewoon. Hij zei: moet je zien hoe rood die gezichten zijn als ze schreeuwen, en lachte.

Afgezien van de IRF-teams waren er ook altijd vrouwelijke bewakers, net als in Afghanistan. Blanke vrouwen, donkere vrouwen of latina's. De bewaking wisselde vaak, maar de meesten kende ik al snel. Gail Holford zag ik vaker, maar hij praatte niet met mij. Ik had het gevoel dat sommige bewakers best met mij of de andere gevangenen hadden willen praten. Maar ze zeiden steeds weer: 'Sorry, I can't talk to you, they're watching me.' Ze werden zelf in de gaten gehouden. De bewakers mochten niet met ons praten, dat was de regel. En ze mochten ons niet als mensen behandelen; ook dat was de regel.

Ik kan me nog twee andere namen van bewakers herinneren.

De ene heette Philips. Schoppen tegen de deuren als wij aan het bidden waren, was zijn specialiteit. Dat deed hij maandenlang; hij was er berucht om.

Ik riep Mr. Philips één keer met zijn naam aan. '*Mr. Philips, please TP!*' Dat vond hij verschrikkelijk. In plaats van mij pleepapier te geven, joeg hij het IRF-team op mijn dak. De bewakers patrouilleerden vierentwintig uur per dag, in diensten van twaalf uur. Hun laarzen knarsten steeds ergens op de kiezelstenen. Alleen 's nachts hoorde ik hun laarzen niet vanwege de harde rockmuziek. In Charlie liepen altijd twee bewakers tussen de kooien door, terwijl de anderen ergens koffie dronken. Vanaf de torens werden we door scherpschutters in de gaten gehouden.

Op de omheiningen van draadgaas hingen posters waarop in het Arabisch, Engels en Perzisch te lezen was: VLUCHTEN IS ZIN-LOOS. DAG EN NACHT BEWAKING DOOR SCHERPSCHUTTERS. Hoe hadden we ook uit deze kooien kunnen ontsnappen? Het draadgaas was heel sterk en aan elkaar gelast. Maar een avond was ik getuige van een tafereel dat me aan het denken zette.

Het was al donker toen de bewaker het papbordje bracht en door de opening schoof: koude gierstepap, een sneetje toast. Hij moet er met zijn hoofd niet bij zijn geweest, want hij manoeuvreerde ook een bord in de lege kooi die tussen Isa en mij in lag. Misschien dacht hij dat de kooibewoner verhoord werd.

Isa at zijn pap op. Toen wendde hij zich naar mij. Ik zag hoe hij met zijn blote vingers het gaas op een bepaalde plek openscheurde. Hij boog het draad en maakte stukje bij beetje de lasnaad los. Het klonk als een stofnaad die langzaam openbarstte. Het gat was ongeveer twintig of dertig centimeter breed, zodat hij zijn arm en halve schouder erdoorheen kon steken. Isa greep het bordje pap uit de kooi naast hem. Vervolgens zette hij zijn lege bord daar neer en knoopte het draad weer dicht. Het viel niet op: overal zaten butsen in het gaas van de knuppels en het geharrewar met de IRF-teams.

Isa lachte en at een tweede portie.

Toen kwamen de bewakers om de borden op te halen en in een vuilniszak te gooien. Ik stak mijn bordje door de opening. In de kooi naast me greep een bewaker het lege bord en trok het naar buiten. Vervolgens ging hij naar Isa, die eveneens zijn bordje aanreikte. Plotseling bleef de bewaker staan. Hij draaide zich om, keek in de lege kooi, keek naar zijn vuilniszak, keek Isa aan en wierp toen een blik op mij. Toen krabde hij op zijn hoofd.

'Ik heb gezien wie dat bord leeg heeft gegeten,' zei ik.

De bewaker kwam naar me toe.

'Wie dan?'

'Ken je Chen?'

'Ja…'

'Chen is net hier geweest en heeft het bord leeggegeten en daar laten staan.'

'Ik weet dat Chen gek is, maar zo gek is hij niet,' zei de bewaker.

'Vertel jij me dan maar wie het opgegeten heeft,' antwoordde ik.

Hij haalde zijn schouders op. Toen draaide hij zich om en haalde de borden van de andere gevangenen op.

Chen was de derde bewaker wiens naam ik opgevangen had. Chen was een Filippijn en de andere bewakers maakten vaak grappen over hem. Chen behandelde ons net zo slecht als zijn collega's en daarom hielden ook wij hem voor de gek.

Isa grijnsde van oor tot oor.

Ik had tot dan toe nog nooit over ontsnappen nagedacht. Maar toen ik zag hoe Isa de draad losmaakte, dacht ik: als hij het gat groter had gemaakt, had hij er gewoon doorheen kunnen glippen. Er was dus een kans om uit te kooi te ontsnappen. Je moest erg sterk zijn. Maar als het Isa lukte, zou ik het toch ook moeten kunnen?

Dan zou ik over de volgende omheining moeten klimmen; die was misschien vier meter hoog. Daar lag natodraad op. Misschien dat je daar op de een of andere manier overheen kon komen. Maar hoe zag de buitenste omheining eruit?

Die nacht droomde ik van Faruk. Dat was een vriend uit Bremen. Ik zag hoe hij kapotging aan de drugs die hij gebruikte. Ik zag hoe hij het aan iedereen wilde bewijzen, hoe hij mensen in elkaar sloeg. En dan keek hij mij in de ogen alsof hij wilde zeggen: help me, je bent toch mijn vriend!

Toen ik wakker werd, was het donker. Ik hoorde de geluiden van de dieren en ik dacht aan Faruk. Als vriend was ik tekortgeschoten. Ik dacht aan Bremen. Ik vroeg me af hoe het allemaal zover had kunnen komen dat ik nu in deze kooi zat. Eigenlijk, dacht ik, was het allemaal begonnen met een grap die Selcuk over mijn baard gemaakt had.

VI

Bremen, Hemelingen

Ik ben in 1982 in de kinderkliniek in de Bismarckstrasse geboren. We woonden in een gehuurde zolderwoning in de arbeiderswijk Bremen-Hemelingen. Toen ik twaalf jaar was, kocht mijn vader een rijtjeshuis in een kleine zijstraat. Er was veel werk in deze streek. Je had er de grote vlees- en worstfabriek Könecke, de reusachtige colafabriek, gemeentebedrijven en Wilkens & Söhne, dat bestek en tafelzilver maakte, een complete stad van gebouwen van rode baksteen met torens en puntgevels. Ontelbare pakhuizen en fabrieken lagen op het braakliggende terrein langs de Weser, tussen onze wijk en de stad. Mijn vader werkte bij Mercedes, zoals de meeste Turkse vaders.

Hij werkte in ploegendienst op de perserij. Dat was zwaar werk. Al sinds het midden van de jaren zeventig stond hij aan de lopende band. Mijn vader werkte de hele nacht, de band stond nooit stil, hij kon nooit even op zijn hoofd krabben. Daarom was het bij ons thuis overdag altijd stil: we fluisterden om vader niet wakker te maken. Pas 's avonds, als hij om negen uur met de Mercedes naar zijn werk ging, praatten we weer gewoon.

Ook ik werkte in de vakantie soms bij Mercedes. Op de afdeling interieurbouw en bij de schoonmaakdienst. Mercedes was een wereld op zich. De hallen waren zo groot dat iedereen zich op de fiets of in een elektrisch autootje verplaatste. Ze hadden een eigen interieurafdeling, een eigen schoonmaakbedrijf, een eigen elektronica-afdeling, zelfs een eigen brandweer, en bijna alle werknemers woonden in Hemelingen.

Meteen achter station Sebaldsbrück begon onze wijk: Turkse groenteboeren, kebabzaken en theehuizen. Aan de zee van satellietschotels op de daken en aan de ramen kon je al van veraf zien dat daar bijna alleen Turken woonden.

Snackbar Sölen, reisbureau Sultan, de vereniging van buitenlandse werknemers, de brug over het spoor. Wanneer ik als kleine jongen met mijn vader over deze brug liep, tilde hij me over de leuning en zette me op de smalle betonnen richel boven de afgrond: hij wilde me een beetje bang maken. 'Straks val je nog naar beneden,' zei hij dan, maar hij had me altijd stevig vast. Vervolgens de Tokcan-Market, de bakker waar mijn moeder me 's middags naartoe stuurde om brood en baklava te halen. Discotheek Aladin. Die was beroemd vanwege de lasershow, een van de grootste van Duitsland. Veel van mijn vrienden gingen daar later werken en oom Ekram was een van de uitsmijters.

Mijn basisschool was de Glockenschule; die heette zo omdat hij in de Glockenstrasse stond. Meteen om de hoek woonde mijn beste vriend Orhan. Ik had toen ook een Chinees vriendje wiens ouders het China-Restaurant aan het eind van onze straat runden. We speelden samen; hij sprak Chinees, ik Turks, maar kinderen hebben geen taal nodig om elkaar te begrijpen. Soms nodigden zijn ouders mij uit om te blijven eten. Dat was heel vreemd. Duits leerde ik pas in de eerste klas van de Glockenschule; bijna alle kinderen daar waren Turks. Ook het meisje dat ik zo leuk vond. Ik haalde haar vaak over om 'vadertje en moedertje' met mij te spelen. Zij was de moeder, ik de vader. Na het eerste jaar ging zij met haar ouders terug naar Turkije.

Elke middag reed ik met mijn fiets naar het industrieterrein. Met Orhan of in mijn eentje, onder de oprit van de snelweg door en langs het braakliggende terrein waar woonwagens stonden. Het industrieterrein was mijn lievelingsspeelplaats. Ik klom op grote kranen, op zand- en grindhopen. Ik gleed op mijn buik van bergen steengruis, net als van Dédé's helling bij het hazelnotenbosje in Kusca. In de zijtakken van de Weser lagen oude vrachtschepen waarop zand en stenen en gigantische kisten werden geladen. Bij het brakke water stonden vissers. Wij kinderen klauterden overal op, en soms lieten ze ons zelfs op de schepen. Aan de rand van de straten vol kuilen en bulten stonden verlaten woonwagens. De mensen hadden ze daar gewoon neergezet en waren ervandoor gegaan. Wij maakten ze schoon en gezellig: dat waren onze huizen, daar speelden we.

Ik ging overal met de fiets naartoe. Ik kende elke hoek, elk wrak en elke metershoge stapel kabeltouw. Er was een schroothoop met containers en kapotte hoogovens. Ik kon tussen de rails ravotten; het rook er naar diesel of koffie, afhankelijk van de windrichting, of die van de kant van de scheepswerven of van de koffiebranderijen kwam.

Net onder Jacobs-Kaffee was mijn zwemplekje. Het zand rond het elektriciteitshuisje van de Hegemannwerf lag vol keutels. Daar, tegen de helling van het Hegemannmeer, stonden bramenstruiken achter hekken van draadgaas. Daar klom ik overheen, verstopte me tussen de struiken en at bramen. 's Avonds kwamen de konijnen naar buiten en renden in het rond. Dan werd het daar echt romantisch. De bedrijfspoorten gingen dicht, maar er bleven gele lichten branden die weerspiegelden in het water. Overdag dreunden de machines, kwam van achter alle hekken lawaai, braakten hoge schoorstenen dikke rookwolken uit. Maar 's avonds werd het stil en vredig. Ik was alleen met de konijnen en de gele lichtjes.

Soms ging oom Ekram met mij naar de Weser. Hij was de jongere broer van mijn moeder en ik was dol op hem. Oom Ekram was een vrolijke man en een avonturier. Hij heeft mij fietsen geleerd toen ik nog heel klein was. Later gingen we naar de Weser om te vissen. Oom Ekram had vroeger in de gevangenis gezeten, in Keulen. Hij was heel sterk. Hij kon me met één hand boven zijn hoofd optillen toen ik al twaalf was.

Ik heb het nooit als een nadeel ervaren buitenlander te zijn. Als kind was het een voordeel om twee talen te spreken. Daardoor had ik zowel Turkse als Duitse vrienden. Maar met mijn Turkse vrienden kon ik bij de Weser spelen tot het donker was. De Duitse kinderen moesten vroeger naar huis en sommige mochten helemaal niet naar het industrieterrein. Bij hen mocht je alleen thuis of in de tuin spelen. Dat was niets voor mij. Bij Turkse gezinnen speelde het leven zich 's zomers veel meer buiten af.

Wij waren anders: wij Turkse jongens vochten met elkaar voor de lol. Het was heel normaal om anderen af en toe een dreun te verkopen. Voor Duitse kinderen was dat vreemd. Die namen dat meteen serieus, gingen huilen en waren verschrikkelijk beledigd. Onze families en tradities waren ook heel anders. Wij hadden heel veel ooms, tantes, neven en nichten. Wij vierden geen Pasen en geen Kerstmis. Wij vierden *Id ul-Adha* en *Id ul-Fitr*, het offerfeest na de hadj en het Suikerfeest na de vastenmaand ramadan.

Voor het offerfeest ging ik met vader naar de Turkse slager en dan zochten we een dier uit: een hamel of een schaap. We blinddoekten het dier. '*Bismillah*,' zei vader, 'in naam van Allah'. Onze dieren moesten geslacht worden. Tijdens het doodbloeden raakt het dier buiten bewustzijn, het voelt geen pijn meer, en de profeet

Mohammed heeft voorgeschreven het mes zo scherp mogelijk te slijpen. Een deel van het vlees moet onder arme mensen verdeeld worden, maar de meeste families stuurden gewoon geld naar Turkije.

Na de basisschool ben ik naar de Parsevalschule in Sebaldsbrück gegaan. Al op achtjarige leeftijd was ik met judo begonnen. Maar daar had ik al snel niet genoeg aan. Ik was gefascineerd door vechtsporten, Bruce Lee, kungfu. Op karate- en kickboksscholen kwam je veel Turkse jongens tegen, net als in de fitnessstudio's. Dat was een belangrijk onderdeel van onze cultuur in Duitsland. Al onze ooms en oudere broers trainden daar. Oom Ekram liet me zien hoe ik op één arm push-ups kon doen; als mij dat ook lukte, zou ik tien mark krijgen. Ik oefende net zo lang tot ik het kon.

Een vriend van mij bracht het zelfs bijna tot Europees kampioen kickboksen. Hij was een jaar ouder dan ik en wij, ik en mijn vriend, waren er trots op dat hij ons trainde. Vervolgens werd ik een tijdje lid van een boksvereniging en speelde een paar wedstrijden. Ik was goed, maar ik was met mijn hoofd telkens ergens anders.

Want meteen na de training gingen we met onze vriendinnen rondhangen in het jeugdcentrum bij het station Hemelingen. Het enige waar ik aan dacht was in welke disco de mooiste meisjes zouden komen. Bij Duitse meisjes was het ook geen nadeel buitenlander te zijn. Ik had ook Turkse vriendinnen gehad, maar daar konden algauw problemen van komen, want die mochten van hun ouders geen vriend hebben, laat staan seks. Wat in de Koran stond, was één ding; wat ik goed vond, wat anders.

Toen ik zestien werd, had ik al geen belangstelling meer voor boksen. Ik ontdekte de krachtsport. Ik had thuis al halters. Ik trainde al voor het ontbijt en elke middag ging ik naar de studio.

Op mijn zeventiende kon ik al 150 kilo met gestrekte armen drukken. Ik pakte de halter gewoon uit de standaard en drukte hem omhoog. Het was bijna twee keer mijn lichaamsgewicht.

Als iemand mij toen had gezegd: jij bent goed, jongen, ga wedstrijden doen, dan was ik ver gekomen. Maar het interesseerde me niet. Ik wilde mijn triceps en mijn schouders trainen. Ik wilde er goed uitzien, grote spierballen hebben en sterk zijn. Ik had altijd een stoppelbaardje en was behoorlijk wat zwaarder geworden. Voor een jonge jongen was ik echt sterk. Op mijn veertiende moest ik al voor de rechter komen, omdat ik iemand in elkaar had geslagen die ouder dan dertig was. Zulke dingen gebeurden.

We waren naar de kartbaan gegaan. De meesten van mijn maten waren al zestien of zeventien. Sommigen van ons reden; de anderen keken toe. We waren een beetje wild op de baan en ramden een paar keer tegen elkaar aan. We wilden lol maken, maar we hebben niets kapot gemaakt en geen schade aangericht. Naast de baan was een glazen wand en daarachter een balie waar de kaartjes werden verkocht. Toen de tijd van de eerste groep om was, wilde de andere groep karten en daar kaartjes voor kopen. De vrouw achter de balie zei: jullie krijgen geen kaartjes, de baas heeft jullie gezien, jullie waren niet netjes. We beloofden dat we braaf zouden zijn. De caissière glimlachte en overhandigde ons de kaartjes.

Maar er zat nog een man aan de balie; hij was minstens twee meter lang. Hij deed zijn bril af, stroopte zijn mouwen op en ging op mijn vrienden af. Hij was erg sterk. Hij pakte er meteen twee bij hun hoofd en sloeg die tegen de glazen wand. Ze verweerden zich, maar hadden geen schijn van kans. De anderen gingen ernaartoe en probeerden de man op de grond te krijgen; ook mijn vriend, de Europees kampioen. Maar de man hield hen in een wurggreep of smeet ze opzij. Toen pakte ik een barkruk en ramde hem daarmee in zijn rug. Hij draaide zich om en de tweede keer trof ik hem in zijn gezicht. Tegen de rechter zei hij dat zijn kaak was gebroken.

Dat was heel Hemelingen rondgegaan. Toen ik twee jaar later in de fitnessstudio kwam, wisten de ooms er nog van. Al snel had ik verschillende baantjes. Ik werkte in Bremen en in de dorpen als bodyguard en uitsmijter op concerten, feesten en in discotheken. Ik verdiende goed, toen ik zestien was al. Maar het was riskant. Het was mijn taak vechtpartijen te voorkomen. Daarvoor moest je in staat zijn sterke mensen uit elkaar te halen en als het nodig was naar buiten te slepen. Aangezien ik ook bij Turkse discotheken voor de deur stond, moest ik er rekening mee houden dat iemand een mes trok of met een wapen terugkwam. Moest ik voor een paar honderd mark mijn leven op het spel zetten? Het is altijd goed gegaan. Ik had geen problemen.

Ik droeg nu merkkleding. Jacks van Boss en dure schoenen, maar die had ik in onze wijk goedkoop kunnen krijgen. Wij kochten en verkochten voortdurend dingen. Jacks, playstations, mobieltjes; we wilden altijd up-to-date zijn. Ik kon het me veroorloven, omdat ik voor mijn leeftijd veel geld verdiende. Ik probeerde er goed uit te zien. Oom Ekram was trots op me.

In die tijd leerde ik Selcuk kennen. Door Apollo, mijn hond, een rottweiler. Selcuk woonde in onze straat samen met zijn Duitse vriendin. Ik ging op een avond met mijn hond wandelen en Selcuk sprak me vanaf het balkon aan. Hij wilde weten waar je op moest letten als je een hond had. Ik had daar veel over gelezen en me ermee beziggehouden. Toen vroeg hij me waar ik trainde. Selcuk was acht jaar ouder dan ik en ik was trots toen hij tegen me zei dat hij met mij samen wilde trainen. Een paar dagen later kwam ik hem tegen met een puppy onder zijn arm: een Turkse herdershond.

Het klopte allemaal: we woonden in dezelfde straat, we deden aan dezelfde sport, we gingen met de honden naar de Weser, we bezochten dezelfde disco's. Selcuk was in die tijd net zo weinig religieus als ik. En toch kwamen we bijna tegelijkertijd tot het geloof. Ik was inmiddels meerderjarig en volgde de opleiding tot scheepsbouwer.

In de herfst werd het ramadan. Ik had Selcuk twee weken niet gezien. Overdag vastte ik, net als iedereen, en ik had me een paar dagen niet geschoren. Selcuk belde aan. Toen hij me zag, moest hij lachen.

'Wat is er met jou gebeurd? Wil je soms op hadj naar Mekka?'

Hij lachte me gewoon uit. Ik had aanvankelijk helemaal niet in de gaten wat er aan de hand was.

'Je ziet eruit als een pelgrim!'

Toen lachten we allebei en vertrok hij.

Maar ik begon te piekeren. Hoorde het niet bij de islam, bij mijn herkomst, dat een man zijn baard liet staan? Het vasten was toch niet het enige wat ons moslims verbond. Onze profeet Mohammed had ook een baard. En zou dat echt grappig zijn? De rest van de vastenmaand schoor ik me niet meer.

Ineens begonnen steeds meer Turken mij te vragen waarom ik mijn baard liet staan. Zij vonden dat ik me moest scheren. Ik antwoordde hun dat ik moslim was, dat het deel uitmaakte van ons geloof. Veel meer wist ik eigenlijk niet. Maar nu ik er eenmaal mee begonnen was, werd ik nieuwsgierig. Wat was ons geloof eigenlijk? Waar ging het om?

Ik kocht boeken over de islam, maar ik begreep er nauwelijks iets van. Ik ging naar onze moskee in Hemelingen, de Kuba-moskee, waar ik vrijdags soms met vader geweest was. Maar ik begreep net zomin iets van de Arabische gebeden en rituelen als toen.

Zo kwam het dat ik me met religie bezig begon te houden. Het was begonnen met Selcuks grap over mijn baard. Maar tegelijkertijd zag ik mijn vrienden in Hemelingen langzaam veranderen. Bijvoorbeeld Faruk en Ilias.

Ik kende Faruk al van kinds af aan. We hadden vaak met elkaar bij de Weser gespeeld en soms gevochten. Zijn ouders waren gescheiden. Toen zijn moeder een nieuwe man kreeg die Faruk niet wilde hebben, stuurde ze hem naar zijn oma in Turkije. Na twee jaar kwam hij terug. Hij was brutaal geworden en wilde alles met geweld oplossen. Zijn moeder gooide hem het huis uit. Hij woonde eerst in een kindertehuis en later in een therapeutische inrichting met andere jongens. Toen we zestien waren, was hij gek op geld. Hij stal en werd daar vaak voor veroordeeld. Ik had met hem te doen. Ik kwam hem vaak tegen in de disco's, maar niemand mocht hem meer. Hij was het criminele pad op gegaan en gebruikte drugs. Soms als ik hem zag, kreeg ik het gevoel dat hij aan de drugs kapot zou gaan, zo afwezig zag hij eruit.

Ook Ilias was verslaafd geraakt. Hij groeide op bij zijn moeder in Turkije, terwijl zijn vader in Bremen werkte en met een Duitse vrouw getrouwd was. Pas toen hij twaalf was kwam hij naar Bremen; hij ging bij die vrouw en hun twee Duitse kinderen wonen. Maar hij kon niet opschieten met zijn vader. Als hij ruzie had met zijn Duitse broertjes koos zijn vader partij voor hen. Ook Ilias belandde in een kindertehuis. Je had het daar niet makkelijk. Veel kinderen die ik gekend heb gingen eraan onderdoor. Toen Ilias het tehuis verliet, vertelde hij mij dat hij mensen kende die met drugs op een heel makkelijke manier heel veel geld verdienden. Ik zei tegen hem: daar kom je niet ver mee. En dat was ook zo. Toen hij voor de zoveelste keer uit de bajes kwam, zag ik hem op het station: hij zat volledig onder de drugs. Hij werd opgepakt en toen hebben ze hem naar Turkije uitgewezen. Op die manier heb ik enkele vrienden verloren: ze werden crimineel, raakten verslaafd en werden op een bepaald moment het land uit gezet.

Het had niets te maken met het feit dat we buitenlanders waren. Allah heeft de mensen zo geschapen dat ze liefde nodig hebben, of je nu keihard bent of niet. Als je geen liefde krijgt, dacht ik, kun je haat ontwikkelen en gewelddadig worden. Omdat je niets meer voor andere mensen voelt. Als je een puppy te vroeg bij zijn moeder weghaalt, wordt het een lastige hond. Natuurlijk waren er ook gevallen waarbij buitenlanders op school of door de politie slecht behandeld werden, en dat kon makkelijk de spuigaten uitlopen. Ik ondervond nu pas voor het eerst aan den lijve dat ik buitenlander was. Toen ik bij de vreemdelingenpolitie een keer een halve dag buiten in de kou op iets heel simpels had staan wachten, stuurden ze me op een bepaald moment zonder opgaaf van reden weg. 'Je moet morgen maar terugkomen.' Ze tutoyeerden me gewoon. Toen dacht ik: als ik Duitser was geweest, hadden ze me niet zo behandeld.

Het was me tot dan toe niet opgevallen, omdat ik gewoon minder opviel dan de andere Turkse jongeren. Ik had als kind blond haar en een lichte huid. En ik had een lieve moeder en een goede vader. Faruk en Ilias hadden geen familie meer. Maar heeft Allah ons niet geschapen om familie en liefde te krijgen?

Ik keerde de scene de rug toe. Bedrog kwam steeds vaker voor, zelfs onder vrienden. Vooral toen de tijd van de mobieltjes en gameboys en laptops aanbrak. Toen wilde iedereen alleen nog maar meer geld om altijd het nieuwste van het nieuwste te kunnen kopen, en maakte het hun niet uit hoe ze eraan kwamen. Het zou voor mij als bodyguard geen probleem geweest zijn om drugs te verkopen. Het is me aangeboden. Maar ik kon het niet. Iemand moest die drugs ook gebruiken, en die persoon had een moeder en een vader die zich zorgen over hem zouden maken. De islam, zoveel wist ik wel, verbood alle slechte dingen in ons leven. Alcohol en drugs, leugens, diefstal en echtscheiding.

In de wintermaanden bezocht ik steeds vaker de Kuba-moskee. In de Abu-Bakr-moskee bij het centraal station, genoemd naar de schoonvader van de Profeet, ging ik naar het vrijdaggebed. Die lag namelijk op de route van mijn beroepsopleiding naar huis. In die moskee baden ook Arabieren en donkere moslims. De gebeden uit de Koran werden altijd in het Arabisch gesproken, ook in Hemelingen, en ik verstond ze niet. Toen verscheen op een avond een groep moslims die zich Jama'at al-Tabligh noemden in de Kuba-moskee. Ze zeiden dat dit een van de grootste groeperingen van de islam was. Ze waren met zijn vijven: twee Turken en drie Duitse moslims. Na het gebed raakte ik met hen in gesprek. Duitse moslims? Dat fascineerde me, maar ik werd er tegelijkertijd door in verlegenheid gebracht: de Duitse moslims wisten veel meer over de islam dan ik; ik kende niet eens de vijf gebeden die we elke dag moesten opzeggen.

In de Abu-Bakr-moskee zag ik hen nu vaker. Ik ontmoette hen steeds weer, maandenlang. Een van de tablighs was wel eens in het Mansura-Center in Lahore geweest. Daar hadden ze het vaak over en ik vroeg hun van alles over de school. De tablighs waren afkomstig uit Pakistan, vertelden ze me. Als je een pelgrimsreis – hadj – maakt, ga je naar Mekka. Als je iets over de islam wilt leren, ga je naar Lahore, zeiden ze. Ik las over de tablighs op internet. En op een dag zeiden ze: ga mee!

Ze wilden me laten zien wat ze deden. Ze gingen naar verslaafden en daklozen bij het station of ergens anders in de stad en boden die hulp aan. We bezochten mensen die vroeger crimineel of verslaafd waren geweest en dankzij de tablighs nu een baan en een gezin hadden. Dat waren niet alleen Turken, maar ook Duitsers.

De tablighs haalden de mensen van de straat en hielpen hen werk te vinden. De manier waarop zij de islam in de praktijk brachten, beviel mij wel.

Ik vatte het plan op om dit centrum in Lahore te bezoeken, nog vóór ik die zomer ging trouwen. Ik had ook een islamschool in Turkije of Saudi-Arabië uit kunnen kiezen. Maar Turkije kende ik al en Pakistan interesseerde me. Ik had alleen goede dingen over deze koranschool gehoord en ik zou in Pakistan met weinig geld rond kunnen komen. De taal, dacht ik, zou ik wel leren.

Ondertussen was Selcuk naar Sebaldsbrück verhuisd. Hij had het uitgemaakt met zijn Duitse vriendin en was met een Turks meisje getrouwd. Hij had nu zelf een baard. Soms spraken we in het weekeinde af en baden gezamenlijk in de Kuba-moskee. Weer klopte het allemaal: ook Selcuk wilde meer over de islam weten. Ook hij had kennisgemaakt met de tablighs, hij bezocht de moskee zelfs veel vaker dan ik, en ik vertelde hem enthousiast over de school in Pakistan. Hij luisterde alleen maar.

In de zomer vertelde ik hem over mijn trouwplannen en dat ik misschien een vrouw gevonden had. Toen ik uit Turkije terugkwam, zei ik tegen hem dat ik nu absoluut naar Pakistan wilde.

'Als het lukt, ga ik met je mee,' zei hij.

Hij had blijkbaar niet zo'n haast.

'Als je mee wilt, dan graag meteen! Ik heb een vrouw die in december naar Hemelingen komt. Dan moet ik weer terug zijn.'

Selcuk aarzelde.

'Als het kan dan nu meteen. Anders ga ik alleen.'

'Ja, snap ik,' zei Selcuk.

Hij stemde toe. We spraken af het tegen niemand te vertellen. De enige met wie we over ons plan spraken was Ali. Ik had Ali in de Abu-Bakr-moskee leren kennen. Hij was toen een jaar of vijfendertig en hij kende Selcuk ook. Hij was altijd in de moskee als wij er waren. Ik had hem al voor de zomer verteld dat ik een gelovige moslima zocht en wilde trouwen, en Ali had mij alles uit de doeken gedaan over de ceremonie en wat ik verder nog moest weten. Later was hij ontzettend blij dat ik met Fatima was getrouwd. Ik praatte met hem dus ook over de tablighs en onze reisplannen. Eerst had Ali gezwegen. Maar een paar dagen later nam hij me apart:

'Als ik je een goede raad mag geven: ga niet.'

Hij zei het een paar keer.

'Ik zeg jullie niet wat je moet doen, maar ik raad het jullie af.'

Toen ik hem duidelijk maakte dat ik het geen probleem vond om te reizen en geen gevaar zag, trok hij zijn schouders op. 'Jullie moeten zelf weten wat je doet.'

In de tussentijd waren de aanslagen op het World Trade Center in New York en het Pentagon in Washington gepleegd. Ik was die dag op de beroepsopleiding. Onderweg naar huis kwam ik een vriend tegen die me vertelde dat er in Amerika een vliegtuig was neergestort. Maar dat gebeurt toch wel vaker, antwoordde ik, waarom vertel je me dat? Toen ik thuiskwam, riep mijn moeder in de huiskamer: kom snel, er is een aardbeving in Amerika!

Toen zag ik de torens instorten. Toen ik in de herhaling zag hoe het vliegtuig erin was gevlogen, wist ik dat het geen ongeluk was. Ik vond het verschrikkelijk voor de mensen die in die gebouwen zaten. Mijn moeder had zelfs mijn vader wakker gemaakt, 's middags al. Ik zat lang en gebiologeerd voor de televisie.

Een paar dagen later werd bekend dat een groep en een terrorist met de naam Osama Bin Laden, die zich in de bergen van Afghanistan schuilhield, verantwoordelijk zouden zijn voor de aanslagen. Ik dacht niet dat er hierdoor oorlog in Afghanistan zou komen; mijn vader deelde die mening. Ze wilden immers alleen

Osama Bin Laden en zijn mensen pakken. Toen hoorde ik op het nieuws dat de Amerikanen een aanval voorbereidden. Maar ik dacht dat alleen op de plek waar de terrorist zat, in een bepaald berggebied, troepen zouden worden ingezet. Of de Afghanen zouden hem binnenkort uitleveren. Op de een of andere manier zou het opgelost worden.

Ik kon me niet voorstellen dat er oorlog zou komen. En dan nog? Dat zou dan een oorlog tussen Afghanistan en Amerika zijn. Ik ging immers alleen naar Pakistan. En wat had Pakistan met Afghanistan te maken? Dat was toch een ander land? Ik zag geen reden om mijn reisplannen op te geven.

Ik was in een Turkse moskee voor het vrijdaggebed. De imam sprak over de aanslagen; hij zei dat zoiets nooit meer mocht gebeuren. Kort daarna belden Selcuk en ik naar het Pakistaanse consulaat in Berlijn en informeerden naar de voorschriften om het land binnen te komen. We kregen een termijn om de visa aan te vragen. Toen reden we met de auto naar Berlijn. We lieten ons paspoort achter op het consulaat en kregen dat twee weken later samen met de visa over de post terug.

Mijn ouders vertelde ik niets over ons voornemen. Die zouden zich alleen maar opwinden en proberen me ervan af te brengen. Traditioneel mogen wij onze ouders niet tegenspreken. In ons geloof moet je tegenover hen respect betonen; daar wijst ook de Koran op. Ik kon het moeder niet vertellen. Ze had me niet laten gaan. Ik nam me voor haar vanaf het vliegveld op te bellen.

Ik haalde geld van mijn bankrekening. Selcuk en ik stapten in de auto om de tickets te gaan kopen. Het enige reisbureau dat wij kenden was in Hansa-Carré. In dit winkelcentrum kwamen mijn ouders ook. Moeder sprak er soms met vriendinnen af. Ook andere familieleden gingen naar Hansa-Carré om koffie te drinken en te winkelen. Als iemand mij het reisbureau in of uit had zien gaan, hadden ze me zeker vragen gesteld. Ik gaf Selcuk het geld voor mijn ticket, 1100 mark, en wachtte op hem in een Turks theehuis een paar straten verder.

Ik belde nog met Ali. Hij probeerde ons tevergeefs de reis uit ons hoofd te praten. Maar ik had de tickets voor de heen- en terugreis in mijn zak en dacht er niet aan mijn plannen te veranderen. Een paar dagen voor ons vertrek verkocht ik mijn mobiel. Dat was volkomen normaal. We verkochten voortdurend onze mobieltjes, soms om de één of twee maanden, om altijd het nieuwste model te hebben. Het was een Nokia die ik – met een Duitse CallYa-kaart – al tweedehands gekocht had, en die zou het in Pakistan toch niet doen. Bovendien kon ik het geld goed gebruiken. Als ik terugkwam zou ik een nieuw mobieltje kopen.

Selcuk en ik spraken af 's nachts weg te rijden. Hoe meer het afscheid naderde, hoe opgewondener ik werd. Ik voelde me schuldig tegenover mijn ouders. Ik had zo graag afscheid van hen genomen, maar dat kon gewoon niet.

Toen bedacht ik opeens hoe ik moeder in ieder geval toch nog even kon vasthouden, en ik smeedde een plan. Ik wist dat moeder, vader en mijn broer Ali op bezoek waren bij een familie in Sebaldsbrück, maar zeker voor middernacht terug zouden komen.

'Ana, ik heb rugpijn…'
'Het is laat. Ik doe het morgen wel,' zei moeder.
'*Salam alaikum*,' zei ik.
'*Alaikum salam*,' zei zij.

We hadden onze koffers al bij de balie afgegeven en ingecheckt. We liepen naar de paspoortcontrole en ik legde mijn Turkse paspoort met het visum neer. De beambte scande de pas en wenkte al snel dat ik door mocht lopen. Selcuk liet hij echter niet door. Toen hij diens pas in de computer had ingevoerd, zei hij:

'U mag het land niet verlaten. Er staat nog een boete open.'

'Wat voor boete?'

'Een geldboete wegens mishandeling,' zei de douanier. 'Als u Duitsland wilt verlaten, moet u die boete nu betalen.'

Ik was al in de wachtruimte en hoorde hoe Selcuk probeerde de zaak met de douanier te regelen. Selcuk zei dat hij zijn advocaat wilde bellen.

'Oké,' zei de beambte, 'komt u dan maar mee.'

Een andere beambte vroeg me of ik nu nog met het toestel naar Pakistan wilde vliegen of niet. De bus die de passagiers naar het vliegtuig moest brengen, wachtte nu alleen nog op ons; alle andere passagiers waren al ingestapt. Onze namen werden omgeroepen, we moesten naar de gate komen. Selcuk zou het in geen geval meer halen.

Toen ging alles heel snel.

'Ik bel mijn broer op. Die zal de boete voor me betalen, als het niet anders kan,' zei Selcuk.

'Oké.'

'Ik neem het volgende toestel. We zien elkaar dan op het vliegveld van Karachi. Wacht daar op me,' zei Selcuk.

'Oké,' zei ik, 'ik wacht op je.'

Selcuk volgde de beambte en ik liep naar de bus.

Ik heb Selcuk nooit meer gezien.

VII

Guantanamo Bay, Camp X-Ray

'Ali Miri?'

'Ja! Ali Miri. Wie is Ali Miri?'

'Een vriend van mij uit Bremen…'

'Wat weet je over hem?'

'Niet veel. Hij is aardig. Hij is getrouwd, hij heeft kinderen…'

'Waar heb je hem leren kennen?'

'In de moskee…'

'In welke moskee?'

'Bij het centraal station. Daar kwam ik vrijdags na school…'

'De Abu-Bakr-moskee?'

'Ja, zo heet die!'

'Wat voor werk doet hij?'

'Ik geloof dat hij een uitkering heeft.'

De Amerikaan die Duits sprak, leek ongeduldig. Hij rookte veel en speelde met zijn balpencamera. Tijdens het verhoor mocht ik niet meer op de stoel zitten. Ik was met mijn handen en voeten vastgebonden aan de ring in de grond. Daardoor kon ik alleen knielen of gebukt staan. Als ik knielde, kon ik mijn rug weliswaar iets rechter houden, maar dan deed mijn knie pijn. Als ik gebukt stond, stroomde er weer bloed in mijn benen, maar kreeg ik een stijve nek omdat ik de Amerikaan aan moest kijken. Maar wat kon ik eraan doen? Moest ik tegen hem zeggen: 'Ik wil nu naar huis'?

Het verhoor was al een paar uur aan de gang. Ik was uitgehongerd en had dorst, en ik zweette uit al mijn poriën, alsof ik kilometers had gerend. Elke vezel van mijn lichaam deed pijn. De Amerikaan stelde me steeds dezelfde vragen. Hij vertelde allang geen leuke verhaaltjes meer. Hij commandeerde, brulde en schold me uit voor terrorist. Hij had me naar mijn vrienden en klasgenoten gevraagd, telefoonnummers en namen genoemd. Zelfs die van mijn trainer in de fitnessstudio. En ineens was hij met Ali gekomen. Ik was verbaasd.

'Ali Miri was jullie imam!' zei de Amerikaan. 'De plaatsvervangende imam van de Abu-Bakr-moskee!'

'De imam? Nee, hij was geen imam. Ik weet dat hij kinderen lesgaf. Ik heb hem alleen zien bidden, net als alle anderen in de moskee, de voorbidder was iemand anders.'

'Hij was jullie geheime imam! Jullie aanvoerder!'

'Hij was geen aanvoerder.'

'Hij heeft jullie ertoe aangezet strijders te worden!'

'Nee.'

'Hij heeft jullie tot taliban gemaakt, geef het maar toe!'

'Nee, hij was gewoon een vriend.'

'Hij heeft je voor je vertrek negen keer gebeld. Wat heeft hij tegen je gezegd?'

'Negen keer? Daar weet ik niets van.'

'Lieg niet!'

'Het zou kunnen dat hij me gebeld heeft. Hij wilde mij ervan weerhouden naar Pakistan te vliegen…'

Ali zou mij negen keer gebeld hebben? We hadden elkaar voor mijn vertrek nog één of twee keer gebeld, maar ik meende dat ik hem gebeld had. Had hij misschien geprobeerd me te bereiken toen ik al weg was?

'Je hebt Ali Miri vanuit Pakistan gebeld!'

'Nee, ik heb niemand vanuit Pakistan gebeld. Ja, toch, ik heb Selcuks vrouw gebeld, omdat ik wilde weten of hij nog kwam. Maar zij verbrak de verbinding. Twee keer.'

'Wat voor auto heeft Ali Miri?'

'Wat voor auto? Een stationcar. Zo'n grote stationwagen.'

'Merk?'

'Weet ik niet. Een grote stationcar.'

'Kleur?'

'Licht. Lichtgrijs of zo…'

'Hield hij redevoeringen tegen Amerika? Heeft hij jullie opge-hitst?'

'Daar heb ik nooit wat over gehoord. En over zulke dingen praatte hij niet.'

De man ging staan en diepte foto's uit zijn map op. Hij liet ze me zien. Het waren afbeeldingen van Ali Miri. Die moesten er-gens in Bremen op straat gemaakt zijn. Waarom had hij deze fo-to's? En waarom wilde hij weten of Ali geprobeerd had mij te bel-len?

'Is dat Ali Miri?'

'Ja, dat is hem. Wat heeft hij dan gedaan?'

'Dat gaat jou niets aan.'

De Amerikaan toonde me foto's van Ali toen hij nog geen baard had. Daarop kon ik hem niet duidelijk herkennen. Maar ik zei te-gen hem dat het inderdaad Ali was, alleen maar om hem gelijk te geven. Toen zei hij dat mijn ticket door terroristen was betaald.

'Mijn vliegticket? Dat heb ik zelf betaald. Ik heb geld van de bank gehaald en het daarmee betaald. Dat weet u toch al.'

'Nee. Dat ticket is met een EC-kaart betaald. Die EC-kaart was van de vader van een Tunesiër, Sofyen Ben Amor. Dat was ook een vriend van je!'

'Ken ik niet. Wie?'

'Sofyen Ben Amor!'

'Ik kende twee Sufyen in Bremen. Ik weet niet of een van hen Tunesiër was. Als u mij een foto laat zien, kan ik hem misschien herkennen.'

'Sofyen Ben Amor had contact met terroristen in Hamburg!'

'Daar weet ik niets van...'

'Lieg niet! Hij heeft jouw ticket betaald! Bij een reisbureau dat Go-Reisen heet!'

'Mijn ticket is door Selcuk betaald!'

Ik vertelde de Amerikaan waarom ik niet mee naar binnen was gegaan in het reisbureau. Ik snapte niet waarom die man mijn ticket betaald zou hebben. Ik was alleen met Selcuk naar de Hansa-Carré gegaan en had in een theehuis in de buurt op hem gewacht. Toen Selcuk terugkwam, had hij niemand bij zich. Hij had ook mijn geld niet teruggegeven. Waarom zou hij dat gehouden hebben? Er is nooit sprake geweest van een Tunesiër. Ik kende niet elke vriend of kennis van Selcuk. Hij heeft me ook niet verteld dat hij in de Hansa-Carré iemand tegengekomen was. En dan nog, waarom zou die persoon mijn ticket betalen? Ik zag daar de zin niet van in. Verzon de Amerikaan dit allemaal? Maar waarom kende hij dan zo veel details uit mijn leven?

Ik wist niet wat ik van dit alles moest denken. Maar ik merkte dat hij mij de das om wilde doen. En pas nu, maanden nadat mij in Kandahar voor het eerst vragen waren gesteld over mijn mobiel, over mijn bankrekening en over Selcuk, werd het me duidelijk: ze hadden vanaf het begin *alles* over mij geweten. En het interesseerde hen niets dat ik nooit in Afghanistan geweest en onschuldig was. Ik had geen enkele kans. Dat wist ik nu.

Wat doe je de hele dag in een kooi! Ik zat. Nu eens in de kleermakerszit, dan weer met gestrekte benen. Ik wachtte op het eten. Ik bad als het daar tijd voor was. Ik wachtte, ik zat. Benen gekruist, benen gestrekt. Als ik dacht dat de bewakers niet opletten, stond ik even op en schudde mijn benen. Of ik probeerde met de andere gevangenen te praten. Soms deed ik een paar push-ups. Vroeger kon ik er meer dan honderd achter elkaar doen. Nu was het al moeilijk om überhaupt op mijn armen te blijven staan. Meer dan vijf lukte sowieso niet, want dan zagen de bewakers het en kwam het IRF-team.

Ik schatte dat ik twintig kilo was afgevallen. Om de paar weken werd de was gewisseld en nu pasten small en medium me, terwijl ik vroeger XXL gedragen had. Een andere man was zo veel gewicht kwijtgeraakt, dat hij alleen nog uit botten en huid bestond. Hij woog vermoedelijk minder dan veertig kilo. Ik zag hem van een afstand en herinnerde me dat ik hem in Kandahar al eens gezien had. Toen was hij sterker geweest. Hoe vaak ik ook naar hem keek, hij zat altijd. Hij stond nooit op. Misschien kon hij niet meer staan, dacht ik. Soms dacht je de raarste dingen in zo'n kooi.

Ik begon de zoom van mijn deken los te tornen en hield uiteindelijk een dunne draad van ongeveer vijf meter lang in mijn hand. We hadden inmiddels ook weer een paar emaries gekregen en ik had de verpakking van de crackers bewaard. Die vulde ik met stof en kiezelstenen. Toen bond ik het zakje aan de draad en gooide die een paar meter van me vandaan in de gang. De draad was amper te zien. Ik wachtte tot Chen kwam.

'Chen, kun je me helpen?'

'Wat is er?'

'Mijn buurman heeft crackers naar me gegooid, maar ze zijn in de gang terechtgekomen.'

'Dat is tegen de regels! Dat kan niet! Waar zijn ze dan?'

'Daar, zie je?'

Chen wilde het pakje oprapen om het weg te gooien.

Ik trok aan de draad.

'O, mijn god!' zei Chen.

Hij liep achter het zakje aan en ik trok weer aan de draad.

'Hoe kan dat nou?'

Nu trok ik het pakje mijn kooi in. Chen zag de draad nog steeds niet. Hij was echt bang geworden. Hij rende naar de andere bewakers en maakte een enorme scène. Alle gevangenen die hadden toegekeken, lachten. Toen de andere bewakers kwamen, liet ik hun de draad zien. Zij lachten ook en zeiden dat ze me moesten straffen. Het IRF-team kwam en daarna haalden ze mijn deken en mijn matras weg. Na twee dagen kreeg ik alles weer terug.

Waarom deed ik dat?

Chen behandelde ons slecht. Hij schold ons uit, hij lachte ons uit en sloeg net als Philips tegen de deur als we aan het bidden waren. Hij was gewoon dom. Maar hij was niet zo erg als Philips, die Abdul op zijn handen sloeg als die zich op de emmer wilde hijsen. Philips was een man met een rood gezicht en een kaal hoofd wiens ogen flikkerden alsof hij stoned was. Hij probeerde de *'tough guy'* te spelen. Vooral Isa stond op zijn zwarte lijst, omdat die altijd grijnsde en de draak stak met de bewakers. Het IRF-team kwam nu vaker bij hem dan bij welke andere gevangene ook. En Isa bood elke keer weerstand. Het lukte hem soms een van de soldaten op de grond te trekken of met zijn vuist op een vizier te slaan.

Het is raar, maar op een bepaald moment word je ongevoelig, zelfs voor klappen. De bestraffing in X-Ray bestond in feite uit de klappen van de IRF-teams. Op dat moment waren er nog geen isoleercellen; die waren nog in aanbouw. Een andere straf was dat ze ons na de afranseling hand- en voetboeien aandeden die door een ketting verbonden waren. Dan kon je je armen niet bewegen, omdat die tegen je lichaam werden gedrukt. Ze lieten ons zo zitten en haalden bovendien de deken en de dunne matras weg. Het duurde dan meestal een paar dagen voordat ze de ketting weer losmaakten.

Een systeem kon ik in het bestraffen niet ontdekken. Ik wist dat het IRF-team me zou slaan als ik die geintjes met Chen uithaalde. Dat konden ze niet op zich laten zitten. Verschillende keren kwam het IRF-team omdat een bewaker gezien had dat ik een iguana of een vogel broodkruimels had gevoerd. Ook daar kon ik in komen. En natuurlijk kwam het IRF-team als ze me betrapten op het doen van push-ups.

Meestal wist ik echter helemaal niet waarom ik gestraft werd. Ze vonden gewoon een excuus: ik zou geprobeerd hebben mijn deken te verstoppen, hoewel ik die de hele dag niet aangeraakt had. Waarom zou ik die ook willen verstoppen? En waar? Onder de matras? Of: ik zou mijn hemd vies gemaakt hebben! Hoewel het gewoon schoon was. Soms kwamen de slagen ook zonder excuus. Midden in de nacht, 's middags of tijdens het ontbijt.

Ik begreep het: de bestraffing wás het systeem. Niemand kon eraan ontkomen. Het systeem bestond uit de voortdurende vernedering. Zoals bij het douchen. Iedere keer bedacht de soldaat die van buitenaf de kraan bediende iets nieuws. Ik kon me nog zo snel inzepen, de straal hield altijd op als ik nog ingezeept was. Eén keer draaide de soldaat de kraan al open terwijl de bewaker de douchekooi nog aan het openmaken was. Toen ik onder de straal wilde springen, draaide hij de kraan dicht. 'Je tijd is om,' zei hij. Ik had nog geen druppel gevoeld. Dat maakte me woedend. Ik had het liefst om me heen geslagen.

Maar dat was dus precies waar hij op uit was en ik onderdrukte mijn woede. Soms ging ik gewoon ook wekenlang helemaal niet onder de douche. We hadden er geen recht op.

Ik kreeg een nieuwe buurman in Charlie-Charlie-4, en dat was eindelijk eens een leuke verrassing. Het escortteam sleepte hem in de lege kooi waar in het midden al sinds mijn aankomst een dode kakkerlak lag, die elke dag in een iets verdere staat van ontbinding verkeerde. Het was Salah, de man uit Oman die ik in de cel in Pakistan had leren kennen. Ook Kemal, die daar met ons in de cel had gezeten, arriveerde nu in Charlie. Maar omdat hij in Charlie-Alpha zat, konden we alleen naar elkaar gebaren. Ze werden allebei op dezelfde dag verplaatst. Salah stak zijn vinger door het gaas en we begroetten elkaar.

Ik was blij, want Salah was voor mij als een oudere broer. Hij had vijf kinderen en was een heel rustig mens. Ik weet niet wat hij in de VS gestudeerd heeft. Salah praatte niet graag over zijn familie en zijn leven vóór Guantánamo. In de gevangenis was het slimmer om niet te veel over jezelf te vertellen. Maar van hem leerde ik nu Engels.

Een tijdje geleden hadden ze een wapen aan de omheining opgehangen, het wapen van Guantánamo. Je kon dat schild absoluut niet over het hoofd zien. Er stond een vijfhoekig gebouw op met daarin een zwarte ster en daarachter de oceaan en de horizon. In het midden zag je de omtrekken van Guantánamo. En erboven stond: HONOR BOUND TO DEFEND FREEDOM.

Ik vroeg het aan Salah.

In eer verplicht de vrijheid te verdedigen?

Salah kon ook voor me vertalen wat de Arabieren met elkaar bespraken. Daardoor kreeg ik voor het eerst sinds lange tijd nieuws te horen.

Iemand had met het Rode Kruis gepraat. Volgens de organisatie hadden de Amerikanen gezegd dat we voor altijd in dit kamp moesten blijven. Salah werd iets preciezer: Donald Rumsfeld had beweerd dat ze ons zonder gerechtelijke procedure en zonder tijdslimiet in de kooien mochten vasthouden. Dat was het nieuws. Vervolgens verklaarde Salah dat Donald Rumsfeld maar één iemand was. Het was aan Allah of Hij ons weer naar huis zou sturen of niet. Allah was voor de goede mensen en niet voor Donald Rumsfeld, en ik moest me geen zorgen maken.

Van Salah leerde ik mijn eerste soera's in het Arabisch. Er was nu een imam die opriep tot gebed. Het was een vijftienjarige, donkere jongen die de hele Koran uit zijn hoofd kende. Hij stond een eind bij mij vandaan, maar nog wel in Charlie, en ik zag hem soms als ik naar de douchekooi gebracht werd. Hij had een heldere, harde stem. Zijn gebeden waren verschillend van lengte, afhankelijk van welke soera's hij reciteerde.

Enkele gevangenen hadden Engelstalige Korans in hun kooien. Die hingen ze aan dunne draden aan het rasterwerk, want het Heilige Boek mocht niet tussen het vuil of op de grond liggen. Arabische uitgaven waren niet toegestaan. Wij vonden dat grappig. '*Maximum security!*' Er zou wel eens iets gevaarlijks in kunnen staan. Ik zou ook graag een Koran gehad hebben, maar de bewakers stonden me dat niet toe. Een van hen zei dat ze op waren. Een ander wees naar een gevangene die een Koran in zijn kooi had: vraag het maar aan hem! Een derde bewaker zei: ben ik moslim? Ik heb er geen. Als de jongen opriep tot gebed probeerde ik de Arabische woorden in gedachten te herhalen, of ik fluisterde ze.

Plotseling een gekwelde, langgerekte schreeuw. Ik draai me om. Weer een schreeuw en nog een; maar ze klinken heel anders dan de schreeuwen van iemand die geslagen wordt: slepend en huiveringwekkend als een doodsschreeuw. Door het draadgaas zie ik een bewaker in de kooi van een Arabische gevangene. Ik weet wat er gebeurd is.

We worden dagelijks gefouilleerd. Daarbij doorzoeken ze ook de Koran. De bewakers grijpen het boek bij de kaft en schudden het uit. Deze bewaker moet het echter op de grond hebben gegooid, anders zou de man niet zo schreeuwen. Ik zie dat de bewaker ergens op staat te stampen.

Enkelen springen op. Een verschrikkelijk gehuil wordt aangeheven. De ene na de andere gevangene raakt buiten zichzelf. 'Allahu akbar!' schreeuwen ze. 'Don't do that!' brul ik. De bewaker blijft maar op de Koran stampen. Het is alsof de bliksem is ingeslagen in een dierentuin: sommigen proberen de deuren kapot te trappen, anderen rukken eraan, trekken met blote handen aan het metaaldraad of bijten erin. De bewaker wordt bang. Hij laat de Koran op de grond liggen en rent weg. Ook alle andere bewakers verlaten gehaast Charlie. Ze rennen door de gangen en verschansen zich achter de tweede draadversperring.

De gevangenen worden steeds wilder: ze schreeuwen en joelen en trappen tegen de bedrading en huppen als kikkers in het rond. Sommigen rollen over de grond. Het oproer slaat als een lopend vuurtje over naar de andere blokken. Ik hoor geroep en geschreeuw uit Alpha en Foxtrot. Even later zie ik Hummers en vrachtwagens. Soldaten omsingelen in looppas het hele kamp. Ze dragen kogelvrije vesten en machinepistolen; ze brengen grof geschut in stelling. Ze knielen of liggen op hun buik.

Vervolgens leggen ze aan. Ik kijk omhoog naar de torens: ook de scherpschutters richten op ons. De situatie is dreigend. Ieder moment kan er een bloedbad worden aangericht; er hoeft alleen maar iemand in te slagen zijn kooi uit te komen, denk ik.

Isa! Wat doet Isa? Hij trekt niet aan de deur van zijn kooi. Hij staat er gewoon, met gebalde vuist, en grijnst.

We worden gevangen door de zoeklichten. Ik hoor een van de gevangenen iets in het Arabisch roepen. Ik heb het niet verstaan, maar het geschreeuw wordt minder. De meesten worden langzaam rustiger en laten de kooideuren los. De eersten gaan weer zitten. Ook ik ga zitten; dat is in deze situatie het beste. De Arabische gevangene wiens Koran beschadigd is, raapt het Heilige Boek van de grond op. Weer roept iemand iets dat ik niet versta. De minuten kruipen voorbij; de soldaten hebben ons nog steeds in het vizier.

Dan komen de IRF-teams. Met kanonnen sproeien ze pepperspray in alle blokken. Ik doe mijn ogen dicht en duw mijn handen voor mijn gezicht. Ik hoor ze over het grind rennen, '*Hurry, hurry!*', kooideuren die opengaan, '*Get up! Hurry!*', kettingen, klappen, schreeuwen. Ik spreid mijn vingers en zie hoe Kemal in Charlie-Alpha zijn wateremmer leeggooit over de klappen uitdelende soldaten in de aangrenzende kooi. Vervolgens laten ze de gevangene los en stormen Kemals kooi binnen. Als hij op de grond ligt, kiepert Kemals buurman een emmer boven de soldaten leeg: zijn toiletemmer.

Nu zie ik dat ook andere gevangenen hun toiletemmer boven de IRF-teams legen. Het team dat bij Kemal is, laat hem op de grond liggen. Dan hakken ze weer op de buurman in. Als ze met hem klaar zijn, keren ze terug naar Kemal, pakken hem bij de voeten en slepen hem weg. Veel gevangenen worden weggebracht. Dan komen de soldaten terug en slaan de anderen in elkaar.

De IRF-teams hebben veel te doen vannacht. Pas 's morgens houden ze op. Ze zien er nogal uitgeput uit. Ik heb geluk: ze zijn dit keer niet naar mij gekomen. Misschien waren ze te moe.

De volgende dag weigerden enkele gevangenen hun ontbijt aan te pakken. Anderen namen de papbordjes wel in ontvangst, maar aten niets. Toen de bewakers bij mij kwamen, weigerde ik het eten ook. Ook Salah wilde niets eten; zelfs Abdul raakte zijn bordje niet aan. We hadden dat niet afgesproken: het gebeurde spontaan. 's Middags at in heel Charlie niemand meer. Aan het eind van de middag hoorden we uit Bravo dat alle blokken in hongerstaking waren gegaan. En dat bleef zo. Elke morgen, middag en avond kwamen de bewakers met papbordjes of emaries, en niemand pakte iets aan.

Kemal kwam niet meer terug.

Op de vierde dag van de hongerstaking verscheen de generaal. Hij praatte met de Engels sprekende gevangene. Die weigerde voor de generaal op te staan. Toen deed de generaal zijn pet af en ging in de gang voor de kooi op de grond zitten. Op dat moment besefte ik dat we niet totaal machteloos waren. We konden hen op hun knieën krijgen als we gezamenlijk weigerden te eten! Ze wilden niet dat we allemaal dood zouden gaan. Maar ik begreep niet waarom de generaal zijn pet had afgezet. Wilde hij aangeven dat hij niet meer in functie was, dat hij als mens met ons wilde praten?

Ze praatten met elkaar.

Om de generaal heen stond een tiental hoge militairen, maar die waren blijven staan en het leek alsof ze het er niet mee eens waren dat de generaal op de grond zat. De generaal vroeg waarom wij niet meer aten. De gevangene legde hem uit hoe belangrijk de Koran voor ons en wat die voor ons betekent. De generaal antwoordde dat hij de soldaat zou straffen. Toen hij vervolgens opstond en met zijn mensen Charlie wilde verlaten, kwam hij langs mijn kooi. Hij vertraagde zijn pas en bekeek me. Misschien vanwege mijn lichte huid, dacht ik. Ik sprak hem aan.

'*Why happen?*' vroeg ik.

Hij zei van alles, maar ik begreep er niet veel van. Toen hij vertrokken was, zei Salah:

'Hij zal er zich persoonlijk voor inzetten dat zoiets nooit meer gebeurt.'

Die dag praatten we veel in de blokken, en de soldaten lieten het toe. Sommigen van ons zeiden dat ze de Amerikaan niet geloofden. Ze stelden voor dat de Amerikanen de Korans weer innamen. Ze hadden liever helemaal geen Koran, dan dat ze het risico liepen dit nog een keer mee te maken. Anderen vonden dat we af moesten wachten. Uiteindelijk waren we het er allemaal over eens dat we ons moesten organiseren en een leider moesten kiezen. Daarna begonnen de eerste gevangenen 's avonds weer te eten. Ik besloot dat niet te doen, hoewel ik echt vreselijk veel honger had. Er kwam een bewaker naar me toe die vroeg waarom ik nog steeds niet wilde eten.

'Kijk daar maar,' zei hij, en hij wees op een man die een beker in zijn hand hield.

'Jullie krijgen ook nog warme thee, als jullie weer eten.'

Maakte hij een grapje? Toen hij weg was, ontdekte ik dat ze inderdaad thee hadden uitgedeeld. Wat een sufferd; geloofde hij werkelijk dat we ons door een kop thee lieten overhalen? Ik snapte nog steeds niets van de mens achter de Amerikaanse bewakers.

Een paar dagen later kwam de generaal weer en wilde opnieuw onderhandelen. Hij vroeg naar onze eisen. De woordvoerder zei dat de Korans niet meer opgepakt en doorzocht mochten worden. Ten tweede moesten ze ophouden met het fouilleren van de intieme delen. En ten derde mocht dat fouilleren niet meer door vrouwelijke soldaten gebeuren. Dan zouden we eten. De generaal ging akkoord.

's Avonds at ik koude rijst en crackers. Het was heerlijk.

Na het voorval met de Koran kozen we een leider. Elke gevangene stelde een kandidaat voor. Het was een geheime verkiezing waarvan de Amerikanen niets wisten. Het duurde verschillende weken, want het moest mondeling en van kooi tot kooi gebeuren.

Uit vijfhonderd gevangenen werden tien mannen gekozen die voorstellen verzamelden en analyseerden. Die tien mannen kozen drie andere mannen. En die drie wezen vervolgens één man aan die onze leider was. We noemden hem de emir. Behalve de drie die hem uitgekozen hadden, wist niemand wie hij was. Want deze man was niet officieel onze leider. Hij wees een andere man aan die met de Amerikanen zou praten en naar buiten toe als onze emir optrad. Zo kon de echte emir op de achtergrond blijven.

We voerden de Amerikanen: we deden net alsof we een emir kozen en maakten zijn naam bekend. Binnen de kortste keren was deze man maandenlang verdwenen. Daardoor dachten de Amerikanen dat ze ons gebroken hadden en dat er geen hongerstakingen meer zouden komen. Maar de man op de achtergrond nam de beslissingen. Hij behartigde ook in de toekomst de belangen van alle vertegenwoordigers van de gevangenen en bepaalde wat de onechte emir tegen de Amerikanen moest zeggen.

Dat ging erom dat ze moesten ophouden met het schenden van de Koran. Dat de Amerikanen ons geloof moesten respecteren en niet meer tijdens het gebed het Amerikaanse volkslied mochten laten horen. Dat ze minder gingen martelen en dat ze aan sommige gevangenen medicijnen zouden geven. Soms beloofden de Amerikanen dan iets, medicijnen bijvoorbeeld, maar we wisten natuurlijk niet wat ze aan de zieken gaven. We wilden bereiken dat zieke, oude en gehandicapte gevangenen met meer respect werden behandeld. En dat we fatsoenlijk te eten zouden krijgen.

Later werd voor elk blok een emir gekozen. Ook ik werd tot emir van een blok gekozen, omdat ik al snel tot degenen behoorde die niet alleen goed Engels, maar ook andere talen van de gevangenen kenden. Ik had in Bremen weliswaar Engels op school gehad, maar toen interesseerde die taal me niet, omdat ik de zin er niet van inzag. In Kandahar en Guantánamo wilde ik Engels leren om de Amerikanen te verstaan en me tijdens de verhoren te kunnen verdedigen. Ik wilde Arabisch leren om de Koran te lezen en de gevangenen te kunnen verstaan. Ik kon die taal met luisteren onder de knie krijgen. Ik leerde Engels tijdens de verhoren, Oezbeeks van de Oezbeken, Farsi van de Afghanen, Arabisch van Salah en de Saudi's en Italiaans van de Algerijnen die in Italië gewoond hadden. Ik beheerste die talen absoluut niet, maar ik kon me verstaanbaar maken. En dat kwam zeer goed van pas in Guantánamo.

Als emir was ik het aanspreekpunt van de Amerikanen. Ik was verschillende keren emir, als ik niet net verplaatst werd of in de isoleercel zat. Ze verplaatsten ons om te voorkomen dat we ons organiseerden, maar hoe vaker ze dat deden, des te sneller de berichten zich onder de gevangenen verspreidden.

Als gevangenen in mijn blok in hongerstaking gingen, was ik als emir verantwoordelijk. Er waren een paar grote hongerstakingen, maar ook veel kleine. Ik had ooit gelezen dat je kon sterven als je twee weken niets at, en je kon ook doodgaan als je vier of vijf dagen niet dronk. Ik denk dat de artsen in Guantánamo zelf niet zo precies wisten wanneer iemand kon sterven. Daarom waren ze bij de eerste stakingen voorzichtig. Tot ze erachter kwamen hoe lang we daadwerkelijk zonder voeding konden. Een van de gevangenen weigerde meer dan honderd dagen te eten. Hij werd op een bepaald moment kunstmatig gevoed. Er waren steeds opnieuw kleine groepjes hongerstakers of eenlingen die weigerden te eten, en al snel veranderden de Amerikanen van tactiek. Als je twee weken niets meer at, kwam er niemand meer naar je toe. Pas na twintig dagen of langer verschenen ze weer.

Ik luisterde naar wat de gevangenen wilden en zei dat tegen de

Amerikanen. Het onderhandelen begon. Ze boden dingen aan in ruil voor het stopzetten van hongerstakingen. Deze onderhandelingen waren taai. De Amerikanen boden bijvoorbeeld aan de Korans uit de kooien te verwijderen; dat was een van onze eisen. Maar dan zouden wij onze T-shirts moeten afgeven. Dergelijke straffen bouwden ze voortdurend in. Wij kregen de keus onze broek te houden of medicijnen voor een zieke te krijgen. Of we onze zeep en slippers wilden houden of in plaats daarvan langer wilden douchen. De Amerikanen noemden dat 'voorstellen'. Als de gevangenen geen meerderheid konden vormen, moest ik zelf beslissen.

Al snel ontdekte ik dat we geen echte macht hadden. Dat was slechts een illusie. Het had alleen aan de generaal gelegen die met ons onderhandeld had. Hij was de eerste en de laatste kampcommandant met wie we tenminste over geloofskwesties hadden kunnen onderhandelen en die zich aan zijn beloften had gehouden. Toen deze generaal vervangen werd, veranderde alles in één klap.

Maar ons leiderssysteem functioneerde. De mannen die officieel onze emirs waren, werden telkens weer in isoleercellen gestopt. Maar de man die we al in Camp X-Ray als onze leider hadden gekozen, bleef de emir zonder dat de Amerikanen daarvan ook maar het geringste vermoeden hadden. Maar er waren ook slechts heel weinig gevangenen op de hoogte van zijn identiteit.

Ik weet het. Ik noem zijn naam niet. Want hij zit nog steeds in Guantánamo en hij is nog steeds de leider van alle gevangenen.

VIII

Guantanamo Bay, Camp Delta

Camp X-Ray werd eind april 2002 opgeheven.

Ik was daar drie maanden geweest. In die tijd hadden de Amerikanen Camp 1, Camp 2 en het isoleerblok India gebouwd. In april 2002 werd Camp 1 geopend en verhuisden wij daarnaartoe. Maar de gevangenis werd constant uitgebreid. In de tijd dat wij in Camp 1 waren, bouwden ze Camp 3, Camp 4 en de isoleerblokken Romeo, Quebec en Tango. En toen we naar Camp 3 gebracht werden, bouwden ze Camp 5 en vervolgens in 2006 Camp 6. We konden de bouwplaatsen soms zien; in ieder geval hoorden we ze vierentwintig uur per dag: ze hadden ongeveer twintig nieuwe dieselgeneratoren neergezet die zo veel herrie maakten dat we er voortdurend wakker van werden als we even in slaap waren gesukkeld.

Dat alles heette: 'Camp Delta'.

Op een dag stopten er bussen voor de draadversperring; ze zagen eruit als Amerikaanse schoolbussen. Soldaten controleerden onze monden en oren, ketenden ons vast en zetten ons de goggles, oorbeschermers en gezichtsmaskers op. We werden naar de schoolbussen gebracht en daarin aan de bodem vastgeketend; er waren geen stoelen. Vervolgens sloegen ze ons. Na twee à drie uur reden we weg. De rit duurde niet lang. In Camp Delta deden ze onze brillen weer af.

Dat was een verrassing.

Het leek wel of deze blokken bestonden uit verschillende metalen wanden die aan elkaar waren gelast tot één reusachtige container. Daarbinnen waren weer kooien, maar die hadden metalen tralies in plaats van draadgaas. De gevangenen konden elkaar door die tralies zien. En de bewakers konden ons weer te allen tijde in de gaten houden. De tralies waren vlijmscherp.

Ik kwam in Camp 1, Blok Alpha, Kooi Alpha-2. Mijn kooi zag er op het eerste gezicht op de een of andere manier moderner uit dan die in X-Ray: de matras lag niet op de grond, maar op een tussen twee wanden vastgelaste brits. Vervelend was dat, hoewel de kooi niet kleiner was dan in X-Ray, de bewegingsvrijheid tot een minimum beperkt was door die brits: één meter bij één meter tien. Achter in de kooi namen een wc van aluminium en een waterdispenser van zink aanzienlijk veel ruimte in. Hoe moest ik het daar nu uithouden?

Dat waren geen hondenkennels meer, dat waren extra beveiligde kooien. Zelfs Isa had daarin niets kapot kunnen maken; dat was een olifant niet eens gelukt. Elk blok bestond uit achtenveertig van deze kooien, in twee aan elkaar grenzende rijen van vierentwintig. Daaromheen liepen op korte afstand de containermuren. Alleen aan de korte kant van deze muren waren ramen aangebracht, zodat vier kooien een beetje daglicht kregen: de voorste twee en de achterste twee. In Alpha-2 kreeg ik bijna geen daglicht meer.

Ze hadden de kooien geperfectioneerd.

In X-Ray was ik de draadversperring op een gegeven moment vergeten. Ik kon de lucht zien, de heuvels en de cactussen. Nu zag ik alleen nog metalen traliewerk en het plafond. Ik voelde me levend verpakt in een metalen container. Alleen door de ramen kwam lucht naar binnen. Voor het overige was het ondraaglijk plakkerig en heet in dit containerblok.

Aan de andere kant wekten het toilet en de 'wastafel' de indruk van een nette gevangenis. Het was niet provisorisch, zoals de kooien in X-Ray. Dit was een echte gevangenis, zoals ik die uit Amerikaanse films en van de verhalen van oom Ekram kende. Het werd een zware tijd, maar ik zou het volhouden. Want in een nette gevangenis golden immers nette regels, waar ook de bewakers zich aan hielden, heerste een normale gang van zaken en was een binnenplaats.

Ik had meteen gemerkt dat de kooi kleiner was dan de oude; daar zouden ze ons zeker niet vierentwintig uur vast konden houden. We zouden er 's nachts in slapen en overdag op de binnenplaats gelucht worden. Daar was ik van overtuigd. Deze kooien waren gewoon te klein. Pas na een paar dagen kwam ik erachter dat er geen grote binnenplaats was. Ik had me weer vergist.

Na mijn vrijlating las ik in een tijdschrift dat de cellen in Camp Delta volgens officiële opgaven twee meter zeven bij twee meter vijftig groot zouden zijn. Daar klopt niets van. Ik heb de kooi met mijn hand gemeten. Ik kwam uit op twee meter zeven bij twee meter twintig. Het verschil lijkt misschien niet zo groot, maar toont wel aan dat er permanent werd gelogen. Niets in het kamp is wat het lijkt, en niets is zoals het wordt voorgesteld en door journalisten met eigen ogen gezien, gefotografeerd en gefilmd is. Voor de media zijn speciaal vervaardigde kooien en verhoorruimtes. Op de britsen van deze kooien liggen vaak dingen die ik in Guantánamo nooit gezien heb: een backgammonspel bijvoorbeeld, boeken of een reep chocolade. Op al die foto's die het interieur van een kooi in Camp Delta tonen, hangt een witte zak met daarin een Koran aan de muur. We hadden weliswaar soms een Koran in onze kooi, maar dat was eerder uitzondering dan regel, en die witte zakken bestonden al helemaal niet. Ze wilden op die manier bewijzen dat ze ons geloof respecteerden.

Mijn buurman in Alpha-3 had net zo'n lichte huidskleur als ik en sprak echt goed Engels. Hij was een moslim uit een buurland van Duitsland, ik zal niet zeggen welk. Hij leeft nu in vrijheid en heeft nooit met de pers gesproken. Hij wil met rust gelaten worden en ik wil dat dat zo blijft. Ik zal hem Mani noemen. Zijn moedertaal was Frans en hij kende zelfs een paar woorden Duits.

Mani was misschien twee of drie jaar ouder dan ik. Hij was erg hulpvaardig en gaf me koranlessen. We hadden nu allebei een Koran, een tweetalige uitgave zelfs: Arabisch en Engels. Ik had er vaak naar gevraagd en op een bepaald moment heeft een bewaker er tot mijn verbazing een gebracht. We zaten op de grond van onze cel en Mani legde me door de tralies uit hoe je las zonder fouten te maken. Ik vond het ontzettend leuk. Maar elke keer dat Philips in het blok was, trapte die tegen de deur en zei dat ik niet mocht praten.

Mani en ik bleven ongeveer drie maanden buren. Tot mijn verbazing vertelde hij me na een tijdje dat er in Camp Delta wel degelijk een binnenplaats was. Ik dacht dat hij terugkwam van een verhoor en vroeg:

'En, hoe was het?'

'Prima,' zei hij. 'Ik heb gewandeld!'

'Doe niet zo raar.'

Maar Mani deed niet raar. Op die binnenplaats mocht je twee keer per week gaan wandelen, mits je niet op dat moment een straf moest uitzitten. Vijftien minuten lang, hadden de bewakers hem verteld.

Een paar dagen later zag ik de binnenplaats. Het was niet meer dan een grote kooi achter het containerblok. De Amerikanen noemden het 'Rec-Area'. Dat stond voor 'Recreation Area'. Zeven bij twaalf meter, schatte ik. Daarin mocht ik heen en weer lopen, in mijn eentje. Je mocht het gaas niet aanraken, de bodem was van beton. Ik keek de bewakers ongelovig aan. Een van hen zei: je hebt vijftien minuten de tijd.

Maar wat hield dat in, vijftien minuten? Ik had immers geen horloge. Na een paar minuten gebeurde hetzelfde als bij het douchen: mijn tijd was om. En wat betekende 'twee keer per week'? Ik mocht in het gunstigste geval één tot twee keer per maand naar de binnenplaats. De resterende tijd vertelden ze ons dat het te gevaarlijk was, omdat het 'onweerde' of er 'orkaangevaar' dreigde. Maar dan scheen wel de zon; dat kon ik door het raam nog wel zien.

Op een dag had ik van buiten een kleine, puntige steen meegenomen. Daarmee tekende ik een speelbord op mijn ligplaats. Zo onopvallend mogelijk en zo ver van de deur af dat de bewakers het niet konden zien. De pionnen maakte ik van wc-papier. Ik maakte balletjes en rolletjes. Toen konden we het molenspel spelen. Als de bewakers kwamen, praatten we over de Koran. Mani kende het spel niet. Eerst won ik een paar keer achter elkaar, vervolgens haalde Mani zijn achterstand in.

Ik kon het molenspel spelen en met Mani de Koran bestuderen, maar de verhoren tot in de vroege morgen gingen door. Ze sloegen ons weer. De verhoorruimtes in Camp Delta hadden allemaal een grote spiegel waarachter nog meer ondervragers zaten en camera's draaiden. Ze probeerden nu vaak me erin te luizen. Een van hen zei:

'Weet je dat er mensen zijn die taliban waren en die inmiddels al thuis zijn?'

Dat klopte. Ik wist dat er al een paar talibanstrijders vrijgelaten waren. Dat verhaal had de ronde gedaan.

'Weet je waarom?' vroeg de ondervrager. 'Dat zijn soldaten die voor hun land gevochten hebben. We weten wie ze zijn en we hebben ze laten gaan. Maar het probleem met jou is dat we niet weten wie jij bent. We weten niet of jij lid van de taliban bent of bij Al Qaida hoort. Daardoor ben je gevaarlijk. Als je ons vertelt dat je bij Al Qaida hoort, laten we je gaan.'

Dat was natuurlijk een truc. Misschien zou het geholpen hebben als ik gewoon had toegegeven dat ik lid van de taliban was, ook al wisten ze dat dat niet klopte. Dan hadden ze me schuldig kunnen verklaren. Misschien hadden ze me zelfs vrijgelaten. Maar ik ging er niet op in.

De constante vermoeidheid drukte als lood op mijn schouders. Want in Camp Delta gold de regel dat de kooien minstens één keer per dag en één keer per nacht doorzocht werden. 'Cell search' noemden ze dat. Ze schopten tegen de deur en brulden. Opstaan, vastgeketend worden.

Hoewel er buiten de deken, de matras en de slippers eigenlijk helemaal niets te doorzoeken was, namen ze er ruim de tijd voor en schenen met de zaklamp in alle hoeken. Daarbij floten ze vrolijke deuntjes en maakten de andere gevangenen wakker. En ze schopten tegen de wanden, tegen de zinken emmer, om te kijken of alles nog stevig op zijn plaats stond. Het duurde vaak een half uur.

Als de bewakers in de kooien kwamen, gingen de plafondventilatoren in de gangen aan, omdat ze bij het werk niet mochten transpireren. Die ventilatoren maakten evenveel herrie als vliegtuigmotoren. De bewakers namen stoelen mee waarop ze konden uitrusten. Ze praatten expres heel hard met elkaar, deden kaartspelletjes of zongen liedjes. Als ik 's nachts niet werd verhoord, probeerde ik te slapen, maar van die hazenslaapjes rustte ik niet echt uit. Soms kwamen ze na een uur weer, maakten me wakker en doorzochten de kooi nog een keer.

De aan elkaar gelaste bodemplaten in de gangen waren door de hitte uitgezet en opgebold. De bewakers vonden het heerlijk om op die bulten te springen, want dat maakte ontzettend veel kabaal. Als ze een gevangene over de gang meevoerden, kon je diens ketens al van verre over de platen horen slepen. En werd er iemand opgehaald, dan smeten ze de ketens op de grond van de kooi. Met achtenveertig gevangenen in elk blok was het doorlopend een komen en gaan. De ventilatoren en dieselgeneratoren bromden. De bewakers lieten hun lange sleutels langs het rasterwerk van de kooien ratelen. Aanvankelijk hoopte ik nog dat er iets zou veranderen. Maar tijdens deze maanden werd me duidelijk dat het altijd zo zou blijven.

Ik dacht aan de vogels die ik als kind had gehad. Ze zaten in kooien. Soms vond ik ze daarom zielig. In Camp X-Ray kwamen altijd vogels in mijn kooi. Ik voerde ze broodkruimels die ik onder mijn kleren of onder de matras verstopt had, zodat de bewakers het niet in de gaten zouden krijgen. In het begin waren de vogels schuw, maar daarna gingen ze me vertrouwen. Sommige vlogen zelfs door de mazen van het gaas, vooral de kleine zunzuncito's, kortweg zunzuns, die blauwe, witte en rode veren hadden en nauwelijks groter dan een sprinkhaan waren. Die waren zo klein dat ze zelfs door het metalen rasterwerk van Camp Delta heen konden. Het was geweldig toen er weer vogels kwamen. De eerste zunzun vloog door de mazen mijn kooi in. Toen kwamen er nog meer zunzuns. Ik zei tegen de vogeltjes: wat een rare wereld! Vroeger zaten jullie in een kooi en kwam ik naar jullie toe, en nu zit ik in een kooi en brengen jullie mij een bezoek.

Die maanden mocht ik, als straf voor het een of ander, niet douchen. Eindelijk kwam ik weer in de douchecel. De kraan werd opengedraaid, ik ging onder de straal staan en zeepte me in. De soldaat draaide de kraan dicht.

154

Nu had ik er genoeg van.

'Waarom heb je mij geen twee minuten gegeven?' vroeg ik aan de bewaker.

'Je tijd is om, kleed je aan,' zei hij.

'Je hebt me geen twee minuten gegeven!' hield ik vol.

'Ik beslis hoe lang jij doucht.'

'Je moet me twee minuten geven. Er zijn regels; waarom houd jij je daar niet aan?'

'Jij hebt hier niets in te brengen.'

'Regel is regel, en jij moet je daaraan houden!'

'Terug naar je kooi. Vooruit, opschieten!'

Ik pakte het kleine stukje zeep, hield het tegen het draad en liet het ertussendoor schieten. Het kwam tegen zijn voorhoofd. Hij schrok. Toen verdween hij en kwam terug met een officier. Ik deed mijn beklag bij hem.

'Als je tijd om is, dan is die om. Je krijgt straf,' zei de officier.

'Ik ken het IRF-team al. Laat ze maar komen.'

Ze sproeiden pepperspray, ik bescherm mijn ogen, ze ketenden mij. Vervolgens kreeg ik eenzame opsluiting. Ik had er al over gehoord. Ze brachten me naar een isoleercel in Blok Oscar.

Ik kijk om me heen. Het is een echte container, waar ze een deur in gelast hebben. De muren zijn versterkt met van dat geribbelde traanplaat; de hele cel is daarmee bedekt: muren, bodem, plafond. Er is geen matras, noch een deken. Een wc zit vast aan de grond, evenals een waterdispenser. Als ik te lang naar één punt op zo'n plaat staar, word ik duizelig. De kooi is nog kleiner dan in Camp 1.

Het licht gaat uit. Het is koud. Het metaal op de grond voelt aan als ijs. Ik sta meteen op. Gelukkig heb ik mijn slippers nog, misschien zien ze die over het hoofd. Ik hoor iets brommen. Het is het gebrom van een airco die boven de celdeur is opgehangen.

Camp Delta

Container met verhoor-ruimtes
EHBO
Verhoor-ruimtes
Militaire tribunalen
Parkeerplaats voor bewakers en militaire politie

CAMP 5

Cam Echo

CAMP 4

Hospitaal

Rode Kruis

CAMP 6
(gebouwd in 2006, nog niet bezet)

CAMP 1

CAMP 2, 3

1 Blok Tango
2 Blok Romeo en Quebec
3 Blok India
4 Blok Delta

Caribische Zee

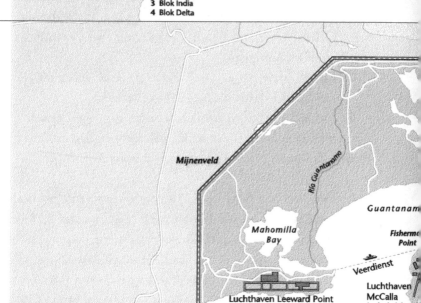

Mijnenveld

Rio Guantanamo

Guantanam

Mahomilla Bay

Fisherm Point

Veerdienst

Luchthaven Leeward Point

Luchthaven McCalla
(oude vluchthaven gesloten)

Windwa Point

200 Meter

Caribische Zee

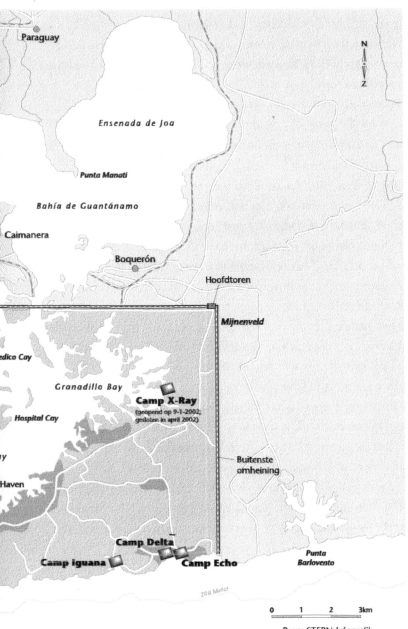

Paraguay

Ensenada de Joa

Punta Manati

Bahía de Guantánamo

Caimanera

Boquerón

Hoofdtoren

Mijnenveld

edico Cay

Granadillo Bay

Camp X-Ray
(geopend op 9-1-2002;
gesloten in april 2002)

Hospital Cay

Buitenste
omheining

Haven

Camp Delta

Camp iguana

Camp Echo

*Punta
Barlovento*

200 Meter

0   1   2   3km

Bron: STERN-Infografik

Daaruit stroomt ijskoude lucht de cel binnen. Het herinnert me aan vroeger, toen ik in de schoolvakanties bij een bakkerij werkte. Daar was een koelcel. Ik denk: dit is bijna hetzelfde. Ze hebben me in een echte koelcel gestopt!

Na een tijdje kan ik mijn handen en benen weer onderscheiden. Ik ga in een hoek op de grond zitten. Ik trek mijn broek over mijn T-shirt en stop mijn armen onder de stof, net als in Kandahar. Ik blaas warme lucht naar binnen. Zo is het een beetje uit te houden. Het tocht. De motor van de airco is zo sterk, dat ik de koude lucht duidelijk voel. Ik wist nog niet wat eenzame opsluiting betekent.

In de deur zitten twee kleppen: een op kniehoogte voor het eten en een om door te kijken. En aan het plafond hangt een rode lamp die aangaat als er een bewaker komt om eten te brengen of naar binnen te kijken. Ik vermoed omdat ze zo kunnen zien waar ik zit of sta als ze het eten uitdelen. Zodra het eten uitgedeeld is, gaat het licht weer uit. Ik eet in het donker. Als de bewakers de kijkklep openen, kan ik aan de kleur (wit of geel) van het licht dat naar binnen valt, zien of het dag of nacht is.

Eén keer slaag ik erin om in deze kooi iets stuk te maken: ik schop met mijn voet zo hard tegen de kijkklep dat die een stukje wijkt. Daardoor kan ik door een spleet in de gang kijken. Dat had ik echter beter niet kunnen doen. Want als de bewakers met het eten komen en ik hen daarbij door de spleet gadesla, zie ik dat ze op het eten spugen voordat ze de eetklep openmaken en het bord naar binnen steken. Ze spugen op élk bord! Wat een klootzakken, denk ik. Tot nu toe had ik me op het eten verheugd, hoe schamel de maaltijd ook was. Nu eet ik dagenlang bijna niets.

Ik maak elk hapje schoon voordat ik het in mijn mond steek en vaak word ik daarbij misselijk.

Soms beweeg ik een beetje om de kou te verdrijven. Niet te veel, om energie te sparen. Ik krijg slechts een snee toast en een stuk appel, drie keer per dag. Maar ik moet me bewegen. Vervolgens wordt het kouder. Ik ga weer in de hoek onder de brits zitten. Daar tocht het niet. Na een paar dagen hoor ik Turks op de gang. Iemand spreekt een bewaker in het Turks aan. Ik ken die stem en wacht tot de bewaker verdwenen is.

'Erhan?'

'Murat?'

Erhan zit weliswaar twee of drie kooien verder, maar omdat de eetklep openstaat, kunnen we over de gang met elkaar praten als er even geen bewaker te horen is.

'Wat doe jij hier?' vraag ik.

'Ik weet niet waarom ik hier ben. En jij?'

'Ik ben op vakantie in Siberië.'

Na een maand kwam ik eruit. Lange tijd kon ik niets zien. Ik kreeg zware hoofdpijn. Maar de zon en de hitte waren beter dan de ijskast. Ze brachten me naar Blok Mike in Camp 2. Het scheen dat dit blok onder de afluisterapparatuur zat. Enkele gevangenen hadden microfoontjes ontdekt, en wij vermoedden dat je expres daarheen werd verplaatst zodat ze gesprekken konden afluisteren. Mijn buurman kwam uit Saudi-Arabië en was met een Amerikaanse getrouwd. Hij heette Ebu Ammar.

Hij was ongeveer halverwege de dertig en beoefende taekwondo. Misschien kon ik iets van hem leren. 's Nachts praatten we met elkaar en hij beloofde me een paar trucs te laten zien. Hij kon vanuit stand met een krachtige sprong het plafond met zijn voet aanraken. We moesten voorzichtig zijn vanwege de bewakers. Al snel merkte ik dat ik eetproblemen kreeg: door dat stiekeme getrain kreeg ik steeds meer honger. Maar ik wilde de kans op een privétrainer niet laten glippen.

Ik werd opnieuw in verschillende ruimtes verhoord; in sommige daarvan zag ik camera's in de luchtkokers. Het waren steeds andere ondervragers; af en toe ook vrouwen. Sommigen beweerden Duits te spreken, maar ze konden er niets van. Mijn Engels was allang veel beter dan hun Duits. Tijdens ontelbare verhoren stelden ze steeds dezelfde vragen. Uren achter elkaar. En als ik van uitputting in slaap dreigde te vallen, sloegen ze op mijn hoofd of in mijn gezicht. Iets anders konden ze eenvoudigweg niet verzinnen.

Op een dag kwam ik in een verhoorruimte waar ineens drie vrouwen stonden. De bewakers ketenden me vast aan de ring in de grond en lieten me met de vrouwen alleen. Een van hen droeg een uniform; de anderen hadden bijna niets aan. Alleen krappe topjes en broekjes. Ik keek naar de grond. Ik wilde hen niet zo – halfnaakt – aankijken. Een van de twee vrouwen liep om me heen, pakte me van achteren onder mijn hemd vast en begon me te strelen. Ik mag jou wel, zei ze, ik wil dat we samen iets doen…

Toen zei ze: ik ken jou al een tijd, ik heb naar je gekeken als je douchte. Ze maakte er schunnige opmerkingen over. Daardoor wist ik dat ze loog: ze kon mij helemaal niet bloot gezien hebben, omdat ik tijdens het douchen altijd mijn korte broek droeg. Ze duwde haar lichaam steeds meer tegen het mijne aan en streelde mijn borst; ze begon te kreunen. Het was onverdraaglijk. Ze deden dat omdat ze wisten dat ik religieus was. Ze wilden me alleen maar vernederen. Ik zei: stop! Hou op! Laat dat! Maar ze ging steeds verder. Ik stootte mijn hoofd naar achteren en raakte haar neus. De deur sprong open en een IRF-team stortte zich op mij. Vervolgens moest ik naar de ijskast, waar ik een dag lang geketend bleef liggen en verschillende dagen niets te eten kreeg.

Later werd ik naar een ruimte gebracht die versierd was met wandtapijten. Daarop stonden koranverzen; er lag zelfs een gebedskleed op de grond. Verder waren er een bank, kussens, een televisietoestel en een tafel waarop schalen met vruchten, noten en zoetigheden stonden: ze hadden een luilekkerland gecreëerd. Droomde ik? Natuurlijk had ik vreselijke honger. Maar ik vertrouwde de zaak niet. Op de bank zat een man in burgerkleding. Hij stond op en schudde me de hand.

'Ik heb gehoord wat er met jou gebeurd is. Ik ben meteen uit Washington hierheen gekomen om je te helpen. Het spijt me dat ik zo laat ben, maar de militaire instanties zijn nogal traag. Ze mogen jullie niet zo behandelen! Ik heb iets te eten voor je meegebracht. Tast toe!' zei de man.

Ik bleef staan en zei niets.

'Ik zal je helpen. Maar om je te kunnen helpen, moet ik je een paar vragen stellen...'

'Ik hoef je eten niet en je gezicht staat me ook niet aan,' zei ik.

'Je mag het mee naar de cel nemen...'

'Ik wil jouw eten niet!'

'Oké, ik kan je alleen laten. Ik ga naar buiten en jij kunt eten. Bedien jezelf...'

Ik raakte niets aan.

Ze hadden me dagenlang laten verhongeren. Dachten ze nu echt dat ze me erin konden luizen? Dat ik alles meteen zou opeten en hun dan zou vertellen wat ze wilden horen?

Toen het escortteam me vervolgens naar de ijskast terugbracht, at ik vijf dagen niets uit protest. Tot mijn buurman tegen me zei: Murat, het heeft geen zin om in je eentje in hongerstaking te gaan! Het was Musa, een Bosniër. Hij had gelijk. Toen ging ik weer eten. Ik was erg verzwakt en trilde verschrikkelijk.

Ze probeerden het met alle mogelijke trucjes. Ook van andere gevangenen hoorde ik dat ze tijdens het verhoor door vrouwen vernederd waren. Maar ze waren niet allemaal zo. Een keer wilde een vrouw die me zou ondervragen mij een hand geven. Ik verontschuldigde me, keek naar de grond en legde haar uit dat mijn geloof me verbood lichamelijk contact te hebben met alle vrouwen behalve mijn echtgenote.

'Als je een vrouw een hand geeft, kun je erg dicht bij haar komen en dan begin je misschien iets voor haar te voelen. Het is de eerste stap.'

'Waarom kijk je me niet aan?' vroeg de vrouw.

'Om dezelfde reden. Wij mogen vrouwen niet lang in de ogen kijken.'

'Vind je me niet aantrekkelijk?'

'Daar heeft het niets mee te maken. Alle vrouwen hebben iets moois. Waarschijnlijk bent u erg knap.'

'Wat doe je dan als je op straat vrouwen tegenkomt? Je kunt toch niet altijd naar de grond blijven kijken…'

'Voor dingen die ik niet kan veranderen, ben ik niet verantwoordelijk. Alleen voor dingen die ik opzettelijk doe,' zei ik.

'Als dat zo is, dan is het oké,' zei ze.

Op een bepaald moment gingen ze zover, dat ze wilden weten welke kleur schoenen ik in Bremen gedragen had. Of aan welke hemden ik de voorkeur gaf. Ze hielden niet op met vragen stellen, maar op een dag besloot ik niet meer te antwoorden. Wekenlang zei ik helemaal niets meer, niet eens 'goedemorgen'. Toen vroeg een ondervrager:

'Oké, ik weet dat je geen vragen beantwoordt, maar vertel me eens waarom je opgehouden bent met praten?'

'Ik heb jullie honderden keren verteld wat ik heb gedaan en wie ik ben. Als jullie mijn verhaal nog een keer willen horen,' zei ik, terwijl ik naar de camera's in de kamer wees, 'hoeven jullie alleen maar die tapes terug te spoelen en daarnaar te luisteren.'

Uiteraard stopten ze me in de isoleercel. Ze haalden mijn deken weg, voor zover ik die al mocht gebruiken, mijn slippers en mijn T-shirt en mijn broek, tot ik in mijn onderbroek in de ijskast zat. Maar deze straffen, deze rotstreken vonden toch al aan de lopende band plaats. Het maakte niet uit. In de herfst werd ik opvallend veel ondervraagd. Toch bleef ik zwijgen. Ik sprak pas weer toen de Turken naar Guantánamo kwamen.

'Maak je klaar,' zei de soldaat van het escortteam 's morgens.
'Waar gaan we heen?'
We gingen naar een container die ik nog niet kende. Die lag een beetje afgelegen. Maar ik wist dat zich daarin verhoorruimtes voor buitenlandse bezoekers bevonden. Dat had ik van gevangenen gehoord die in deze container door politieagenten uit hun land van herkomst waren ondervraagd. Zou ik nu bezoek uit Duitsland of uit Turkije krijgen?

Ze waren met zijn drieën in de verhoorruimte. Het waren Turken, dat zag ik meteen.
'Wat is dit? Ik kan echt niet kijken naar een Turk die zo geketend is! Dat gaat niet, roep onmiddellijk de bewakers!' zei een van de drie mannen.
Niemand kan zo goed toneelspelen als Turken. Ik moest glimlachen.
'Hij is een Turks staatsburger, een broeder, nee, ik kan dit niet aanzien,' zei de donkerharige man. Hij hield een hand voor zijn ogen. 'Maak hem meteen los.'
Het ontbrak er nog aan dat hij huilde.
De bewaker kwam en deed mijn handboeien af; de voetketens liet hij echter aan de ring vastzitten. Wat een onzin. Ik moest lachen. Geweldige show, dacht ik, dit was toch afgesproken werk! De Turk kwam naar me toe en schudde me de hand, vervolgens kuste hij me op beide wangen.

'Hoe voel je je? Hoe gaat het met je? Ik geloof mijn ogen niet, wat moet ik hier toch allemaal zien?'

De man kwam weer tot bedaren en ging zitten. Hij stelde zich niet aan me voor. Hij droeg de twee andere mannen op te zwijgen, hoewel ze geen kik hadden gegeven, en zei dat hij me nu een paar vragen moest stellen. Hij wilde weten waar ik opgepakt was.

'In Pakistan. Ik werd niet meteen gearresteerd, ze vroegen me uit de bus te stappen om een paar vragen te beantwoorden, en ik ben uitgestapt.'

Plotseling veranderde de Turk van toon.

'Wat zit je nu te liegen!' Hij begon te schreeuwen. 'Wij hebben heel veel moeite moeten doen om hier te komen en je begint al meteen te liegen? Als je niet wilt dat wij je helpen, is dat jouw beslissing. Waarom heb je eigenlijk besloten een terrorist te worden?'

'Ik ben geen terrorist!'

'Jawel, wat ben je anders! Als jij geen terrorist was, had je hier niet gezeten! Jullie zijn hier toch allemaal terroristen!'

De man stond op en hief dreigend zijn vuist. Maar ik werd niet bang van hem. Integendeel. Ik werd woedend.

'Zijn jullie hiernaartoe gekomen om mij te helpen of om me gewoon een beetje dom te provoceren?' vroeg ik hem.

'Het maakt ons geen reet uit of je de rest van je leven hier in Guantánamo blijft. Wij willen onze vragen stellen en vertrekken. De rest beslist Amerika. Wij hebben daar niets over te zeggen.'

De twee anderen zeiden nog steeds geen woord.

Door de manier waarop hij dat zei, kreeg ik de indruk dat hij helemaal niet wist waar hij eigenlijk was. Ik vertelde hem over de gevangenisstraf en de martelingen in Guantánamo en Kandahar. De drie mannen hoorden me een poosje aan. Toen onderbrak de woordvoerder me op barse toon.

'Wat denk je dan? Geloof je dat het in een Turkse gevangenis beter met je zou gaan?'

Daardoor wist ik dat het hem niets uitmaakte.

Ze stelden me nog een paar onbelangrijke vragen. Ik beantwoordde die, hoewel ik dat eigenlijk overbodig vond.

De volgende morgen werd ik naar een ruimte gebracht waarin ik anders door de Amerikanen werd verhoord. Het was een van die ruimtes met een grote spiegel achter de lessenaar. Daar waren de drie Turken weer. Deze keer begroetten ze me niet en ze speelden ook geen toneel meer. Ze stelden me een paar vragen over mijn Duitse vrienden in Bremen. Vooral voor twee van mijn vrienden, die bij de politie van Bremen werkten, leken ze bijzondere belangstelling te hebben.

'Waarom heb jij vrienden die bij de politie werken?'

'Ik begrijp de vraag niet. Ze zijn mijn vrienden en werken gewoon bij de politie. De ene is Turk, de andere Duitser... Ik weet niet, dat is nu eenmaal zo gegaan...'

'Je liegt! Wij zijn ervan overtuigd dat jij een spion bent. Dat is het bewijs. Jij bent een spion van de Duitsers!'

Het was absurd. Wat voor spion was ik dan? Een spion in Guántanamo? Die hier vrijwillig in de gevangenis zat om voor de Duitsers te spioneren? Of een spion in Bremen die de Turken in Hemelingen bespioneerde? Wat had dat te betekenen? Ik werd echt kwaad.

'Oké, als jullie denken dat ik een spion ben, dan zijn we uitgepraat. Ik begrijp weliswaar niet wat jullie daarmee bedoelen, maar dan bén ik voor jullie maar een spion.'

'We hebben daar nog wel een paar vragen...'

'Ik beantwoord geen vragen meer.'

Ze probeerden het nog een tijdje, maar ik was klaar met hen. Ik wist dat ik niets had aan deze mensen, dat deze regering mij niet zou helpen. Nooit.

'Ja, dan zijn we uitgepraat. Je hebt het verdiend hier te zijn,' zei de woordvoerder.

De Turk en zijn twee ondergeschikten vertrokken.

Ik had al na de eerste dag spijt dat ik überhaupt met hen gepraat had. Ik had de hoop opgegeven dat ze me zouden geloven. Zelfs de Amerikanen hadden me ooit voor een spion gehouden. Die hebben er achter de spiegel waarschijnlijk hartelijk om moeten lachen.

Kort daarna verschenen de Duitsers. Dat was op 23 september 2002.

Merkwaardig genoeg kreeg ik de avond ervoor weer een nieuwe buurman in Blok Mike, het afluisterblok. Hij was een grote man. Ze stopten hem in de kooi tegenover me. Ik sprak hem aan. Hij heette Abid; zijn achternaam kan ik me niet meer herinneren, hoewel ik die op het bandje op zijn handboeien had zien staan.

'Waar kom je vandaan?' vroeg ik hem.

'Uit Duitsland,' zei Abid.

'Uit Duitsland?'

Ik was met stomheid geslagen. Ik dacht dat ik de enige gevangene uit Duitsland was. Abid was over de veertig. Hij kwam oorspronkelijk uit Algerije en vertelde me dat hij jarenlang in Duitsland gewoond had en in Hamburg met een Duitse vrouw getrouwd was. Dat hij daar als uitsmijter in een discotheek had gewerkt. Abid had kennelijk al vaak in de gevangenis gezeten. Hij vertelde me over de bajes in Algerije, in Frankrijk en Italië, en hij zei dat hij ook een tijdje in een gevangenis in Hamburg had gezeten vanwege een vechtpartij toen hij uitsmijter was. Hij moet zijn halve leven in gevangenissen hebben doorgebracht. Maar zoiets als Guantánamo had hij nog nooit meegemaakt, zei hij. Zijn Duits was gebrekkig en toen hij opstond zag ik dat hij strompelde.

Toen ik de volgende morgen de kamer binnenkwam waar de Turken mij ondervraagd hadden, zat er een man aan de tafel. Ze maakten mijn voetketting vast aan de ring in de grond. Toen kwamen er drie andere mannen binnen. Dat moesten Duitsers zijn, dacht ik; ze zagen er niet uit als Turken. Twee droegen er een pak, de andere een overhemd en een broek. Een van de mannen was blond en had een ringbaardje; hij was behoorlijk groot en sterk. Eén man was eerder klein en had een snor. De derde was half kaal. De vierde man bleef niet lang; hij verliet de ruimte al snel, zonder iets gezegd te hebben. Ik wist niet of hij Duits of Amerikaans was.

Een van hen zette een cassetterecorder op de tafel. Het was lekker koel; er moest ergens airco zijn. De krachtpatser, die al in de kamer gezeten had, leek jonger dan de andere twee.

'Wij komen uit Duitsland en willen je een paar vragen stellen.'

Er was geen sprake van een begroeting; de mannen hadden zich niet eens voorgesteld. Maar ik antwoordde dat ik blij was eindelijk met iemand van de Duitse regering te kunnen praten. Ze vroegen hoe het met me ging. Ik antwoordde dat ik constant honger had, dat het zeer warm was, de kooien te klein waren en we nauwelijks gelucht werden. Dat scheen hen niet te interesseren.

'Als u de vragen naar waarheid beantwoordt, kan dat alleen maar in uw voordeel werken. Begint u maar met uw levensverhaal.'

'Hebt u iets voor mij meegebracht uit Duitsland? Een brief of een bericht van mijn familie?' vroeg ik.

Ze keken elkaar aan en haalden hun schouders op.

'Wij zijn hiernaartoe gekomen om vragen te stellen en niet om brieven door te geven.'

Ik merkte dat de blonde zich op de achtergrond hield. De twee anderen schenen het woord te moeten doen.

'Begint u maar...'

Ik vertelde hun alles. Over de disco's, het bodybuilden en mijn vrienden in Hemelingen en over mijn bezoeken aan de moskee. Ze leken vooral veel belangstelling te hebben voor de reden waarom en de manier waarop ik religieus was geworden. Ze stelden me veel vragen tussendoor.

'Hoe belangrijk is dat voor u?'

'Denkt u dat u beter bent dan andere moslims?'

'Voelt u zich superieur aan andere mensen?'

'Haat u niet-religieuze moslims?'

'Haat u de Duitsers, omdat ze niet geloven?'

'Welke mensen betekenen überhaupt iets voor u?'

Ze stelden de vragen afwisselend. Na een tijdje riepen ze een bewaker, die mijn handboeien afdeed. De vierde man kwam af en toe de kamer binnen en fluisterde met de anderen.

Ik vertelde over mijn familie, over mijn vrienden en over Selcuk. Ze wilden weten welke plannen Selcuk gehad had. Of ik dacht dat hij gevaarlijk was en me kon voorstellen dat hij crimineel was. Nee, dat kon ik me niet voorstellen. Ik vertelde over de tablighs en zij noemden namen uit de Bremer groep. Ze vroegen of die namen mij bekend voorkwamen. Ze lieten me foto's zien die ik tijdens de verhoren door de Amerikanen nog niet gezien had. Van vrienden en collega's van de stage en de vakopleiding; ook van meisjes, maar die kende ik niet. Ze toonden me foto's van mannen in moskeeën en op straat, maar de meesten zeiden me niets. Toen lieten ze me foto's van Selcuk zien. Op een daarvan lachte hij.

'Waarom lacht hij daar?' vroeg ik.

'Ja, het gaat erg goed met hem,' zei de blonde. 'Beter dan met jou.'

De twee anderen verlieten de kamer. Toen ze de deur dichtdeden, viel de klok van de muur. Er stak een camera uit het gat dat door de klok verborgen was geweest. De sterke blonde raapte hem op en hing hem weer voor de camera. Nu zag ik de lens boven het cijfer 3. De twee anderen kwamen terug.

'Als u onze vragen correct beantwoordt, kan dat uw vrijlating bespoedigen.'

Die uitspraak kende ik al van de Amerikanen. Maar de Duitsers kwamen professioneler op me over. Ze wisten alles over me; plotseling lazen ze een zin voor die me verbaasde:

'Selcuk volgt een vriend naar Afghanistan om daar te vechten. Hij is in een moskee opgehitst.' Dat zou Selcuks broer door de telefoon tegen de douanebeambte van de luchthaven van Frankfurt gezegd hebben? Selcuk, zeiden de Duitsers, had een geldboete gekregen omdat zijn hond iemand gebeten had. Die boete had hij nog niet betaald. Hij was met de beambte naar diens kantoor gegaan en had van daaruit zijn broer gebeld. Zijn broer wilde de boete echter niet betalen en zei tegen de beambte dat hij ons in geen geval mocht laten vertrekken. Ik wist niet of dat waar was. Maar ik kon het me wel voorstellen.

Nu begreep ik waarom Selcuk niet naar Pakistan was gekomen en waarom de Amerikanen in Kandahar al wisten wat er met me aan de hand was. De beambte moet die informatie op de een of andere manier doorgegeven hebben. En die was bij de Amerikanen terechtgekomen. Ik zei tegen de Duitsers dat ik niets van dat telefoontje kon weten, omdat ik allang in het vliegtuig zat.

'Ik denk dat hij Selcuk niet wilde laten gaan, net als mijn moeder of mijn broer mij niet zouden hebben laten gaan. Ik weet niet waarom hij dat gezegd heeft. Ik denk dat hij het gewoon heeft verzonnen. Hij wilde voorkomen dat Selcuk en ik naar Pakistan zouden gaan. Misschien wist hij niet dat ik op dat moment al in het vliegtuig zat en dat hij mij daarmee in de problemen zou kunnen brengen. Misschien zouden mijn ouders of mijn broers net zoiets hebben verzonnen, alleen om me tegen te houden.'

De Duitsers gaven te kennen dat twee studenten van mijn vakopleiding hadden verklaard dat ik met een grote tulband op school had rondgelopen en verteld had dat ik talibanstrijder wilde worden. Ze lieten me foto's van hen zien. Het waren twee Turken.

Het waren de Turken, legde ik uit, die vroeger altijd achter mijn rug om beweerden dat ik een dealer was. Want toen ik achttien was, reed ik donderdags en vrijdags altijd met mijn vaders Mercedes naar school. In die tijd werkte ik nog in de disco's, had ik kort haar, schoor me en droeg mooie pakken. En die twee hadden altijd een lastercampagne tegen mij gevoerd: hoe komt hij dan aan die Mercedes? Die verkoopt vast drugs! Maar dat was een leugen, en nu verspreidden ze weer leugens over me. Ik heb nooit gezegd dat ik een talibanstrijder wilde worden, noch dat ik aan een of andere oorlog wilde meedoen. En ik heb ook nooit een tulband gedragen.

'U hebt soldatenlaarzen, een soldatenbroek en een verrekijker gekocht voordat u naar Pakistan bent gegaan…'

Soldatenlaarzen? Bedoelden ze mijn KangaROOS die de agent in Pakistan van me af had gepakt? Soldatenbroek? Ik had een broek met opgestikte zakken en afritsbare pijpen gekocht, die je in elke outdoorwinkel kunt krijgen.

'Wat die verrekijker betreft: ja, ik had een simpele verrekijker bij me die zo klein was dat hij in mijn borstzakje paste. Die had ik gekregen van mijn ouders. Nu is die weg.'

Ik had pijn in mijn ellebogen en masseerde de pijnlijke plekken steeds. Een van de Duitsers vroeg waarom ik dat deed. Ik vertelde over de IRF-teams en dat een soldaat mijn arm had verdraaid.

'Maar dat was nog helemaal niets,' zei ik, en toen vertelde ik hun over de martelingen in Kandahar, over de elektrische schokken en het ophangen, over de waterteil en de eenzame opsluiting in Guantánamo, zelfs over dat voorval met die vrouwen.

Dat scheen hen allemaal niets te interesseren.

'Laten we ter zake komen,' zeiden ze elke keer als ik over de martelingen begon.

's Avonds was ik terug in Blok Mike.

'Hoe was het?' vroeg Ebu Ammar.

'Ik had bezoek.'

'De Duitsers?'

'Ja.'

'De Duitsers staan erom bekend rechtvaardig te zijn. Maak je geen zorgen. Als ze al hiernaartoe zijn gekomen om je te ondervragen, dan zullen ze je snel weer naar Duitsland halen,' zei Ebu Ammar.

'Waarschijnlijk gaan de Duitsers mij ook verhoren,' zei Abid.

Logisch, dacht ik, hij kwam tenslotte ook uit Duitsland.

Die nacht piekerde ik over wat dit alles voor mij betekende. Ze waren niet echt hulpvaardig geweest. Ze hadden geprobeerd een trucje met me uit te halen. Ik had hun gevraagd of ik in Duitsland een advocaat had en of ze daar überhaupt informatie over mij hadden. Daar kunnen we geen antwoord op geven, hadden ze gezegd.

Net als de Amerikanen waren ze alleen op zoek geweest naar bewijzen om mij te kunnen beschuldigen.

Elke keer als ik over de martelingen begon, stapten ze over op een ander onderwerp. Maar het was toch de waarheid? Er werd gemarteld, daar moest ik melding van maken! Als ondervragers uit Duitsland dienden ze dat toch nauwkeurig op te schrijven om het aan mijn familie en de regering te vertellen en het in de openbaarheid te brengen? Hadden ze mij daar niet naar moeten vragen? Maar goed, de opname was er immers ook nog, dacht ik.

Ik was ervan overtuigd dat mijn familie en het Duitse publiek al wisten dat de beambten mij een bezoek brachten. Dit was ongetwijfeld een officieel bezoek.

De volgende dag vertelde ik hun over Abid uit Hamburg, mijn buurman in Blok Mike. Ze wilden weten wie dat was en ik vertelde wat ik over hem wist.

Of ik hem al uit Duitsland kende.

'Nee. De Amerikanen noemen hem *big German guy,*' zei ik.

Ze schenen verder geen belangstelling voor Abid te hebben.

Ze gingen af en toe weg en kwamen weer terug, net als gisteren. Misschien om te overleggen, misschien om te roken, dacht ik.

'We hebben verschillende vragen die je alleen met ja of nee mag beantwoorden. Dat moet je snel doen. Je hebt geen tijd om na te denken. Meteen ja of nee zeggen. Duidelijk?'

'Oké.'

'Heb je wel eens zwarte schoenen gedragen?'

'Ja.'

'Heb je wel eens kinderfilms gezien?'

'Ja.'

'Ben je van Al Qaida?'

'Nee.'

Strikvragen, dacht ik.

'Sneller,' zeiden ze, 'dat moet sneller. Drink je water?'

'Ja.'

'Heb je wel eens kiespijn gehad?'

'Ja.'

'Hou je van je moeder?'

'Ja.'

'Wil je een taliban worden?'

'Nee.'

'Hou je van je vader?'

'Ja.'

'Heeft Selcuk het ticket voor je betaald?'

'Nee.'

'Heb je wel eens een huisdier gehad?'

'Ja.'

'Heb je wel eens met springstof geëxperimenteerd?'

'Nee.'

'Vind je Osama Bin Laden goed?'

'Nee.'

'Hou je van je broer?'

'Ja.'

'Hou je van Osama?'

En zo ging het zeker een uur lang.

De sterke blonde zei daarbij niet veel. De twee anderen verlieten nu de kamer weer, alleen de blonde bleef zitten. Toen ze terugkwamen wilden ze weten wat ik na mijn vrijlating zou gaan doen. Of ik wilde werken.

'Natuurlijk wil ik werken. Hoe moet ik anders geld verdienen?'

'Wil je voor ons werken als je terug naar Duitsland kunt?'

Ik dacht na. 'Wat zou ik dan voor u moeten doen?'

'Interessante dingen ontdekken. Je komt in bepaalde kringen waar anderen niet toegelaten worden.'

'Wat voor kringen dan? Harleyrijderskringen?'

Ik moest lachen. Hij bedoelde natuurlijk moskeeën of de tablighs, dat had ik al begrepen.

'Je kunt ons erg van dienst zijn...'

Ze wilden dat ik voor hen ging spioneren. Dat zou ik nooit doen, dacht ik, ik zou nog liever verhongeren. Maar misschien hielp het als ik er in eerste instantie op inging.

'Hoe zou dat dan gaan, met u samenwerken?' vroeg ik.

'Dat zullen we je precies vertellen wanneer het zover is. Maar we zouden over een V-man kunnen beschikken die jou dagelijks of op bepaalde tijdstippen op bepaalde plekken ontmoet.'

Ik wist helemaal niet wat dat was, een V-man. Als hij X-man of

T-man had gezegd, zou ik net zo hevig geknikt hebben.

'Ja,' zei ik. 'Geweldig idee. Laten we dat doen! Heb ik dan geen contact met u?'

'Nee. Maar met de V-man kun je altijd afspreken. Hij speelt alles wat jij hebt aan ons door.'

Nu gingen ze alle drie naar buiten. Na een tijdje kwamen ze weer terug.

'Meneer Kurnaz, we gaan ervan uit dat u ons voorgelogen hebt. Er zijn nog wat dingen die we willen nagaan. Dan zullen we harde bewijzen tegen u in handen hebben. U zult het wel zien. Het ziet er slecht voor u uit.'

'Maar waarom dan? Ik heb u toch alles verteld! Dat weet u heel goed. U weet alles over mij.'

'Wij hebben onze eigen bewijzen. We zullen dienovereenkomstig handelen.'

'U weet heel goed dat ik niets met welke terroristen dan ook te maken heb!'

'Dit was het dan. Wij zijn binnenkort weer in Duitsland.'

Ze verlieten de kamer; het escortteam kwam en bracht me terug naar Blok Mike.

'Zie je wel, ze zijn alleen voor jou gekomen. Als het hen om het verhoor gegaan was, hadden ze mij toch ook onder handen genomen. Maar ze wilden alleen jou hebben. Binnenkort ben je weer thuis,' zei Abid.

Snel thuis? Ik had niet gedacht dat een regering als de Duitse, mensen van de geheime dienst naar me toe zou sturen en dat bezoek geheim zou houden. Nu was ik daar niet meer zo zeker van. Tenslotte hadden ze me voorgesteld om voor hen in Bremen te spioneren.

Nadat de Duitsers mij die twee dagen ongeveer twaalf uur lang ondervraagd hadden, werd Abid verplaatst en gingen de Amerikanen mij nog intensiever verhoren. Twee of drie keer per dag. Ze wilden met alle geweld weten wat de Duitsers aan mij gevraagd hadden en wat ik geantwoord had. Waarom heb je over de martelingen verteld? Ze trokken aan mijn haar. Daarmee haal je je alleen maar ellende op de hals! Dagenlang wilden ze alleen maar weten wat ik de Duitsers verteld had, terwijl ze alles al wisten. Waarom heb je tegen hen gelogen? De Amerikanen vroegen me ook naar de '*big German guy*'. Maar wat moest ik hun over hem vertellen?

Later ben ik erachter gekomen dat er nog twee andere gevangenen waren die uit Duitsland kwamen. De ene was Tunesiër, de andere Algerijn. De Algerijn, wiens broer nog steeds in Frankfurt woont, gaf mij het adres van die broer voor het geval ik vrijgelaten zou worden. Maar ik heb dat adres niet meer. Dat werd bij de volgende *cell search* van me afgenomen.

Eind 2002 nam generaal Geoffrey Miller het bevel in Guantánamo over. Onze omstandigheden verslechterden dramatisch. De verhoren werden ruwer en hadden vaker en langer plaats. Het eerste wat generaal Miller verordonneerde was de 'Operatie Klaas Vaak'. Dat hield in dat we elke één à twee uur naar een nieuwe cel verplaatst werden. Het doel van de operatie was dat wij helemaal niet meer konden slapen. Dat doel bereikte de generaal.

Ik werd van het ene blok naar het andere verplaatst. Dat betekende: escortteam naar binnen, vastketenen, door de gang lopen, een nieuwe kooi in, knielen, escortteam naar buiten. Een uur later dezelfde procedure. Ik werd van Camp 1, Blok Alpha, naar Camp 2, Blok Echo, verplaatst of van Camp 1, Blok Echo, naar Camp 2, Blok Bravo. Boeien aan, boeien af, opstaan, knielen. Vierentwintig uur lang. Ik was amper in de nieuwe cel op de brits gaan liggen of ze kwamen alweer.

Ook mijn buren verbaasden zich daarover. Want ze behandelden niet alle gevangenen zo. Later ontdekte ik dat ze deze operatie elke keer met ongeveer vijf gevangenen, die daarvoor geselecteerd waren, tegelijk uitvoerden. Ik behoorde tot de eersten. Misschien, dacht ik, omdat ik weigerde schuld te bekennen.

Als het escortteam de kooi dan eindelijk verlaten had, groette ik mijn buren, ging op de brits zonder matras en deken zitten of liggen en probeerde te slapen. Maar zodra de bewakers zagen dat ik op de brits lag of zittend mijn ogen sloot, kwamen ze naar me toe, schopten tegen de deur en brulden net zo lang tegen me tot ik weer opstond. Al snel groette ik mijn buren niet meer. Ik liet me alleen nog maar op de brits vallen en probeerde een beetje slaap te krijgen tot de bewakers tegen de deur schopten of me met een klap in mijn gezicht wakker maakten. Misschien dat er één keer tien of vijftien minuten zijn geweest waarin ze me niet hebben gezien.

Tussendoor werd ik verhoord. Deze periode werd ik constant door dezelfde man verhoord, maar veel langer dan gewoonlijk, tot wel vijftig uur schat ik. Halverwege verdween de man gewoon en kwam urenlang niet terug. Ik zat dan vastgeketend op de stoel of knielde op de grond, en zodra mijn oogleden dichtvielen, wekten de soldaten me met een paar klappen. Eén keer heb ik meer dan twee dagen in deze verhoorruimte doorgebracht voordat de man terugkwam.

De man zei dat ik hem Nico moest noemen. Nico vroeg me of ik mijn verhaal nu wilde veranderen.

'Als jij je verhaal verandert, kan ik je helpen,' zei Nico.

Kooideur open, knielen, ketens af. Het escortteam vertrok, het escortteam arriveerde, kooideur open, knielen, ketens aan.

'Wil je mij iets interessants vertellen? Dan kan ik een fijne slaapplaats voor je regelen. Lekker warm, met een matras en een deken!' zei Nico.

Dagen, nachten zonder slaap. Klappen, nieuwe kooien. Weer die steken in mijn hele lichaam, alsof ik door duizenden naalden gestoken werd. Ik was graag uit mijn lichaam gestegen, gesprongen, maar dat lukte niet.

'Als je met mij meewerkt, kun je in alle rust slapen, zolang je wilt,' zei Nico.

Ik wist totaal niet meer in welk blok ik nu weer kwam. Soms trilde ik, zonder reden. Dan leek het net alsof ik mijn bewegingen, mijn handen, armen en benen zag als in een droom.

'Ik ben nu gewend aan de metalen brits,' zei ik tegen Nico.

Soms hoorde ik een gerinkel dat er helemaal niet was. Soms hoorde ik een doffe toon in mijn oren die niet meer wegging.

'Hou dat bed zelf maar, Nico!'

'Oké. Als jij het zo leuk vindt, gaan we er gewoon mee door,' zei Nico.

Toen ik niet meer opstond, stuurden ze een IRF-team. Ze zeiden dat ze me net zo lang zouden slaan tot ik weer opstond en naar de volgende cel ging. Maar ik was te zwak. Ik hoorde alleen nog een gezoem in mijn hoofd, als een sirene. Ze tilden me overeind en mijn benen klapten dubbel. Tijdens de laatste dagen van de operatie werd ik alleen nog door hen gedragen. Ze droegen me van de ene kooi naar de andere, naar Nico en weer naar een andere kooi. Dat weet ik nog, omdat ik tussendoor soms wakker werd.

Ik vermoed dat ze het daarom hebben opgegeven. Omdat het te veel werk voor de bewakers was om mij constant te dragen. Het werd eigenlijk steeds meer een straf voor de bewakers. Toen ik wakker werd, rekende ik met behulp van andere gevangenen uit hoe lang de operatie in mijn geval geduurd had. Ik kwam uit op drie weken. Ik had drie weken geen slaap gehad en woog niet meer dan zestig kilo.

In de loop van de tijd werd de airco nu eens op koud gezet en dan weer op warm. Als ze mij naar een isoleercel brachten, wist ik van tevoren niet of het daar heet of koud zou zijn. Ik zou de jaren erna binnen Camp Delta tussen Camp 1 en Camp 2 heen en weer geschoven worden. In totaal heb ik naar schatting ongeveer achttien maanden in Camp 1 doorgebracht en nog veel langer in Camp 2, misschien wel twee jaar. De rest van de tijd zat ik in de isoleerblokken Oscar, November en India, alsook in Romeo en Quebec, die van plexiglas waren.

Je zou die cellen ook ovens kunnen noemen. De zon brandde van boven op het zinken dak en aan het begin en eind van de middag vanaf de zijkant rechtstreeks op het metaal van de kooi.

Ik denk dat ik in totaal meer dan een jaar in mijn eentje in het donker heb gezeten, ofwel in een ijskast, ofwel in een oven en met heel weinig eten. Eén keer drie maanden achter elkaar.

De regels van de eenzame opsluiting werden daarbij om de paar maanden veranderd. De ene keer mocht ik 's nachts een deken hebben, die ik de volgende morgen weer moest afgeven. De andere keer kreeg ik geen deken. De ene keer was er een matras, de andere keer niet. Nu eens kreeg ik te eten, dan weer helemaal niets.

Het verhaal met de deken ging zo: de bewaker verscheen 's morgens, ik had de deken al opgevouwen en stak die naar hem toe door de klep, maar de bewaker riep een IRF-team en vertelde hun dat ik mijn deken niet af wilde geven. Vervolgens stormde het IRF-team mijn cel binnen en sloeg me bont en blauw. Dat deden ze vooral graag als ik al bijna een hele maand in de oven had zitten smoren of in de ijskast was bevroren. Dan konden ze zeggen: je hebt de regels overtreden! We moeten je straffen. Zo verlengden ze mijn eenzame opsluiting met nog eens vier weken.

Ik wist nog niet wat ze daarmee wilden bereiken. Ze hadden me ook meteen een paar maanden in de isoleercel kunnen laten zitten.

Waar hadden ze die excuses voor nodig? Bovendien bepaalden de ondervragers hoe lang ze mij en de andere gevangenen in de isoleercel stopten. Als de ondervrager na het verhoor tegen de bewaker zei dat ik nog vier weken in de isoleercel moest blijven, gebeurde dat.

Ik werd weer in dat hol gestopt en dan had ik elke keer, op het moment dat ik er weer uit zou komen, mijn deken niet willen afgeven of op de grond gespuugd of een bewaker beledigd, waardoor ik nog vier weken isoleer kreeg. De enige wet die er was waren ze zelf, ongeacht wat er in die ontelbare papieren stond die ze voortdurend invulden.

Op een bepaald moment dacht ik: misschien gaat het juist om die dingen die ze opschrijven. Daarin zou staan dat hij een deken had gekregen, maar geweigerd had die terug te geven. En dus werd er een straf opgelegd, want ik had immers duidelijk de regels overtreden. Er moest een IRF-team worden geroepen om de gevangene dit aan zijn verstand te brengen. En daarom moest hij nog een maand in de isoleer blijven, zo was de wet nu eenmaal. Zo klaar als een klontje. Wat konden zij daar nu aan doen? Dan had de gevangene zijn deken maar terug moeten geven! Zo zou het gelezen worden, dacht ik in de duisternis en in de kou of de hitte, als iemand het überhaupt al las. En die iemand zou er natuurlijk niet van uitgaan dat de bewakers logen.

Daar raakte ik helemaal gestoord van. Hoe meer ik erover nadacht, des te laaiender ik werd. Want ik geloofde niet dat de bewakers dit uit eigen beweging, louter uit boosaardigheid deden. Het was de wet der wetten. De superieuren moesten wetten maken, zodat ze op een dag konden zeggen: we hadden wetten, duidelijke, eerlijke wetten. Maar over de geheime wet – de wet om alle wetten voortdurend aan de laars te lappen – zou nooit iemand iets horen. Ik zou in de verslagen altijd opgevoerd worden als degene die de wet overtreden had. Daar dacht ik heel veel over na, in het donker.

Ze hadden me mijn vrijheid ontnomen, ze hadden een deel van mijn jeugd afgenomen, waardevolle tijd, misschien wel de belangrijkste van mijn leven. Ze hadden me mijn familie afgenomen, mijn paspoort en al mijn rechten, ze ontnamen me de zon, mijn slaap en stopten me in een ijskast of in een oven. Als wij zonder eten konden overleven, zouden ze ons dat ook afnemen. Ze gaven ons net genoeg om in leven te blijven. Het enige wat ik nog had was de lucht die ik inademde. Die naar roest en diesel ruikende lucht konden ze me tenminste niet afnemen, dacht ik.

Dat was een vergissing.

Ik moest naar de Rec-Area komen om te kunnen wandelen. Een donkere en een blanke soldaat escorteerden me. Ik was net de luchtkooi ingegaan en had vier of vijf stappen gezet, toen de blanke soldaat riep:

'Kom er maar weer uit! Hup, naar buiten! Terug naar je kooi!'

'Maar waarom? Ik ben er net!'

'Je tijd is om,' zei de blanke soldaat glimlachend. 'Ik neem hier de beslissingen en ik zeg: jij gaat nu terug naar je kooi.'

'Oké,' zei ik.

Vervolgens deden ze me de boeien om. Terug in de kooi duurde het niet lang voor de blanke soldaat weer voor me stond.

'Wil je douchen?' vroeg hij.

Misschien wil hij het goedmaken, dacht ik.

'Oké, je mag douchen,' zei hij.

Ze brachten me naar de douchekooi en maakten mijn boeien los. Maar ze haalden weer dezelfde rotstreek uit. De blanke soldaat draaide de kraan open terwijl ik me nog aan het uitkleden was. Toen ik onder de straal wilde gaan staan, draaide hij de kraan alweer dicht.

'Je tijd is om,' zei hij.

Beide bewakers lachten.

'Je gaat weer naar huis.'

'Oké. Ik ga weer naar de kooi. Maar die kooi stelt niets voor. Hoe denk je dat jouw kooi in de hel eruitziet?'

'Ik geloof niet in die onzin,' zei de blanke. 'Hou je kop!'

Ze boeiden me weer en we liepen door de gang. De andere gevangenen waren al aan het bidden. De bewaker begon te fluiten en sprong met zijn laarzen op de bobbels in de metalen platen om ze hard te laten knallen. Toen ging hij heel snel lopen en trok me als een muilezel aan de ketting achter zich aan; daarbij slingerde hij me aan mijn boeien heen en weer. De donkere bewaker liep achter me. Dit was de laatste druppel: ik werd ziedend.

Ik bleef staan.

'Doorlopen!'

'Hou op met dat geslinger!'

'Lopen!'

Opnieuw trok hij me heen en weer.

Ik had er genoeg van.

Hoewel mijn handen aan mijn buik waren vastgeketend, greep ik bliksemsnel zijn hand, vervolgens zijn mouw en werkte me omhoog naar zijn schouder. Mijn polsen bloedden al, maar dat maakte me nu niets uit. Ik wilde hem laten zien dat ik hem nu kon afmaken, handboeien of geen handboeien. Ik had hem al bij zijn kraag. Hij probeerde een judogreep. Hij schoof zijn been voor mijn heup om een dubbele nelson te maken. Maar ik sprong er met mijn samengeketende voeten overheen en toen gooide ik hem over mijn heup op de grond. Hij smakte op zijn rug. Ik had hem met zijn eigen truc in de val gelokt. Ik stortte me op hem en sloeg mijn voorhoofd tegen zijn neus. Die begon meteen te bloeden; de soldaat kreunde. Toen stootte ik met mijn knie in zijn ribben.

Het was allemaal heel snel gegaan. De donkere bewaker trok aan mijn haar, maar slaagde er niet in me van de soldaat af te trekken. Hij schopte tegen mijn hoofd en in mijn rug, maar ik liet niet los. De bewaker rende weg.

Toen hij terugkwam hoorde ik de stem van de bloksergeant.

'Stop! Hou op! Laat hem los!'

'Oké,' zei ik, 'ik laat hem los. Maar hij moet zijn bek houden. Dan laat ik los.'

'Ik beloof het,' zei de sergeant.

Ik liet de soldaat los.

Nauwelijks was hij overeind of hij trok me op de grond en ging boven op me zitten. De sergeant en de andere soldaat hielden mijn voeten en handen vast en drukten mijn schouders en hoofd op de grond.

Iemand schreeuwde: 'Ze maken Murat af!'

De gevangenen brulden en trapten tegen de deuren.

'Niets aan de hand,' riep ik, 'ik ben oké.'

De gevangenen in het blok kalmeerden. De bewakers stopten me in mijn kooi. De soldaat wiens neus bloedde, deed hem op slot.

'Jij bent geen man! Jij kunt alleen maar praatjes verkopen. Ik heb je ondanks mijn handboeien en voetkettingen verslagen,' zei ik.

'Jij hebt me niet verslagen, jij kunt me helemaal niet verslaan!'

'Wat heb ik net dan gedaan?'

Ik waste mijn handen en voeten en probeerde het bloed uit mijn T-shirt en broek te spoelen. Vervolgens bereidde ik me voor op het gebed. Ik boog en begon. Ik wist wat er zou gebeuren.

Het IRF-team trok me snel uit de cel en hup, door de gang naar buiten. Daar wachtten ze op de papieren om me naar de isoleercel te brengen. Ze gooiden me op de grond en gingen om me heen staan.

'Zo doen we dat hier,' zei de soldaat wiens neus nog steeds rood was.

182

'Je bent nog steeds geen man,' antwoordde ik.

Toen voelde ik niet veel meer. Half bewusteloos sleepten ze me Blok India binnen.

Het was de eerste dag van de vastenmaand ramadan, in de winter van 2003.

Het was net zo'n isoleercel als altijd, bekleed met dat traanplaat. Ik was nog niet in India geweest. Het verbaasde me dat het niet koud was. Maar ik merkte meteen dat er iets niet klopte. Er was geen lucht hierbinnen! De airco boven de deur bromde niet. En in deze ruimte kon de lucht alleen maar door de airco binnenkomen. Dat was het: ze hadden de luchttoevoer gewoon uitgezet!

Ik schopte tegen de kijkklep om daar wat beweging in te krijgen. Ik schopte en schopte, maar er gebeurde niets. Was ik al te zwak geworden? Of was de klep gewoon steviger dan in andere kooien? Na een paar pogingen gaf ik het op. De inspanning kostte te veel zuurstof. De muren waren vochtig, het was heet.

Ik trapte tegen de celmuur om te kijken of ik een buurman had. Ik hield mijn oor tegen een plek waar de lasnaad er broos uitzag. Ik wist al dat we zo zacht mogelijk moesten praten, omdat ze anders meteen CS-gas in de cel zouden spuiten. Meer dan eens had ik helemaal geen buren in de isoleercel gehad, zodat ik niet kon praten.

'*Salam alaikum*,' zei ik.

Geen antwoord. Ik schopte nog een keer tegen de muur.

'*Salam alaikum?*'

'*Alaikum salam!* Wie ben je?'

'Ik ben het, Murat!'

'Welke Murat?'

'Murat de Turk! De Turk uit Duitsland...'

'Van jou heb ik lang niets gehoord! Hoe gaat het met je?'

Ik herkende de stem. Het was de man die ik in X-Ray gezien had. De man die geen veertig kilo meer woog en op zijn dood had zitten wachten.

'Ben jij Daoud? Abu Daoud?'

'Ja…'

Plotseling ging de kijkklep open. Er stroomde CS-gas mijn cel in.

'Stil! Je mag niet praten!'

Het gas brandde in mijn ogen, maar ik was nu nieuwsgierig geworden. Ik vond het fijn dat hij nog leefde. Ik wilde weten of hij zwaarder geworden was, maar ik kon niet meer praten, omdat ik moest hoesten en geen lucht meer kreeg. Ik kon een paar uur niets meer zeggen. Elke keer als ik het probeerde, begon ik te hoesten en hapte ik naar lucht. Ik dronk water, naar chloor stinkend water; het hielp niets. Het gas trok niet weg. De cel moet volledig geïsoleerd zijn geweest. Ik hoorde Daoud elk half uur kloppen en zeggen:

'Murat! Murat? Ben je daar nog?'

Weer ging de klep open. Er gebeurde niets. Ze wilden alleen zien wat ik aan het doen was. Zo kwam er een beetje frisse lucht naar binnen en ik voelde me daarna wat beter. Na een tijdje probeerde ik weer met Daoud te praten. Heel zacht, want een nieuwe lading CS-gas zou ik niet overleven. Dan zou ik gestikt zijn. Ik klopte tegen de muur.

'Murat? Ben je daar nog?'

Abu Daoud was zwaarder geworden. Dat deed me deugd, het ging beter met hem. Toen kon ik niet meer praten, ik moest weer hoesten. Ik had niet genoeg kracht meer om op mijn benen te staan of te praten. Ik ging liggen. Na een tijdje op de brits kreeg ik nauwelijks lucht meer. Ik ging op de grond zitten. Misschien was het daar beter. Maar zelfs het zitten werd te inspannend. Ik ging op mijn rug liggen en drukte mijn neus heel dicht tegen de kier tussen de grond en de muur, omdat ik dacht dat daar toch wat lucht doorheen moest komen. De kier was immers niet met rubber afgedicht. Ik ademde heel langzaam, maar het ademhalen werd een kwelling; het was alsof de lucht die ik inademde steeds zwaarder werd. Ik werd duizelig.

Ik weet niet of ik op een bepaald moment buiten bewustzijn ben geraakt. Ik merkte soms dat ik wakker werd als de bewakers tegen de deur schopten en de klep openmaakten.

Er kwam een beetje lucht binnen. Ik deed mijn ogen open.

'Ja, hij leeft nog.'

'Oké. Doe maar weer dicht.'

Ik bleef zo liggen tot ze terugkwamen, uren later. Ik had me voorgenomen deze keer mijn ogen niet open te doen. Dan zou er wat meer lucht door de klep in de cel komen. De klep ging open.

'India-2! Wakker worden!'

Ze trapten tegen de deur. Ik hoorde de bewakers de klep sluiten en vertrekken. Vervolgens hoorde ik de snelle voetstappen van verschillende bewakers. De klep ging weer open en ik hield mijn ogen dicht.

'Wakker worden!'

Het was als een klap in mijn gezicht. Ze bespoten me met een hogedrukspuit. Het drong mijn neus en mijn mond binnen. Ik sprong op, de lucht kon me nu niets schelen. De slang stak door de klep. Ik hoorde de bewakers lachen. Ik viel om: de straal drukte me tegen de muur; toen was het voorbij. Lachend trokken de bewakers zich terug. De grond stond blank. Ik ging op de brits liggen. Maar daar was geen lucht en ik ging weer op de natte grond liggen. Daar kon ik iets beter ademhalen. Heel langzaam trok het water weg.

Het was ramadan en ik kreeg 's avonds een sneetje toast en een paar worteltjes of een appelpartje. Eén keer een partje peer. Ik dacht aan hoe we ons tijdens de ramadan thuis elke avond volpropten. Ik kreeg steeds minder lucht. Ik viel flauw.

Ik werd wakker als er bewakers kwamen. Dan ging de klep open en begon het rode licht te branden. En kwam er wat lucht naar binnen. Soms stond ik op om te bidden, maar ik wist niet wanneer het daar tijd voor was. Er ging van alles door mijn hoofd. Ik dacht vooral aan eten. Ik herinnerde me dat ik vroeger vaak in mijn eentje een heel pak toast met worst en kaas voor het ontbijt gegeten had. Nu kreeg ik drie keer per dag een sneetje. Ik dacht aan mijn familie. Ze zouden nu ongetwijfeld ramadan vieren in Hemelingen. Maar wat zou moeder voor het ontbijt op tafel zetten?

Ik viel flauw. De klep ging open, ik opende mijn ogen en merkte dat ik de levenslucht nog meer nodig had dan eten en drinken.

Lucht, alleen lucht.

Op de derde dag van het Suikerfeest na de ramadan openden ze de deur.

Het was avond toen ik naar buiten kwam. De gevangenen in Camp 1 zongen islamitische liederen. De bewakers schopten tegen de deuren, ze moesten hun kop houden, maar ze zongen verder. In de gang kwam ik de bewaker tegen die ik in elkaar had geslagen. Hij droeg een zonnebril en deed of hij me niet zag. Onderweg naar de kooi werd ik begroet door de gevangenen.

'Waar ben je geweest?'

'Isoleer.'

'Welk blok?'

'India.'

'De hele ramadan?'

Ik had drieëndertig dagen in India gezeten.

Ze hadden het systeem van Guantánamo nog meer verfijnd. Ik begreep nu dat ik me op elk moment van mijn leven zo wanhopig mogelijk moest voelen. 'Maximum discomfort', zouden de Amerikanen zeggen. Ze namen me voortdurend de dingen af die me zouden kunnen helpen aan de omstandigheden te wennen: slaap, deken, tijd, beweging, eten, lucht.

Nauwelijks was ik gewend aan mijn nieuwe buren of ik werd in een andere kooi of in de isoleercel gestopt. Ze oefenden vierentwintig uur per dag druk op ons uit. Ze probeerden ons vooral te scheiden van wat ons kracht en vertrouwen zou kunnen geven. Daarom werden we constant verplaatst en constant verhoord. Daarom bespotten ze ons geloof en probeerden ze ons van Allah te scheiden. Zodat we alle hoop om dit hol ooit te verlaten zouden laten varen. We moesten zo klein en zwak mogelijk worden, zodat ze er tijdens de verhoren misschien toch nog iets uit zouden kunnen krijgen of ons gewoon konden breken. Ik gaf de hoop niet op. Nooit de hoop verliezen hoort bij mijn geloof. Als Allah het wilde, kon ik elk moment vrijgelaten worden.

Op een dag werd ik weer naar de container gebracht die voorbehouden was aan buitenlandse ondervragers. De blonde, sterke Duitser zat aan de tafel. De twee anderen waren niet meegekomen. Naast de Duitser zat een Amerikaan. De Duitser had zijn voeten op de tafel gelegd en keek naar het scherm van zijn laptop. Daarnaast lagen Duitse motortijdschriften. Dat vond ik leuk. Die had hij voor mij meegebracht, dacht ik, omdat ik hem de vorige keer verteld had dat ik graag motorreed. Ik werd aan de stoel vastgebonden, hij groette me niet. Hij liet de Amerikaan iets op het beeldscherm zien. Toen fluisterden ze met elkaar.

Dat duurde ongeveer twee uur. Ik zat op mijn stoel en wachtte. Ze zeiden helemaal niets tegen me en de tijdschriften lagen te ver weg om erin te kunnen bladeren. Plotseling tilde de Duitser zijn hoofd op en keek me aan.

'Ja, meneer Kurnaz, nu hebt u na zo'n lange tijd (er zijn nu bijna twee jaar voorbij) weer de gelegenheid gehad mij te bewijzen dat u onschuldig bent. Maar u hebt het verprutst. U hebt de tijd jammer genoeg niet benut.'

'Ik dacht dat u me vragen zou stellen?'

'Ja, dat hebt u juist gedacht. Vandaag is er geen gelegenheid meer. Morgen hebt u nog een laatste kans. Maar ik heb niet veel tijd. Denkt u goed na over wat u gaat zeggen.'

Toen vertrok hij.

De volgende morgen werd ik weer naar die ruimte gebracht. De blonde, sterke man zat aan een tafel en stopte zwijgend een cd-rom in zijn laptop. Hij stond op en toonde me foto's op het scherm. Foto's van Selcuk, kennelijk stiekem gemaakt. Van een biddende Selcuk in de moskee. Die foto was van onderaf gemaakt. Waarschijnlijk met een horloge of een mobiel, dacht ik. Op een andere foto zat Selcuk in zijn hemd voor zijn balkondeur en gaapte. Op een derde praatte hij met jongeren en op andere betrad of verliet hij net een moskee.

'Wilt u nog steeds met ons samenwerken?'

'Ja,' zei ik.

'Oké. We laten het u weten. Waarschijnlijk lukt het wel. Maar dan moet u wel meewerken en alles vertellen.'

Hij drukte op een toets en zette de laptop op de grond. Toen legde hij zijn voeten op tafel en legde even zijn armen achter zijn hoofd.

'Maakt u zich niet ongerust. U bent toch op een Caribisch eiland? Ontspant u zich.'

Hij klapte de laptop dicht, stond op en liep naar de deur. Toen draaide hij zich nog een keer om.

'Als u wilt, kunt u de motortijdschriften bekijken.'
Ik wierp er een blik op. Ze waren van april 2004.

Soms kwamen er iguana's in de blokken. Eentje kroop over de
tralies van mijn kooi omhoog. Ik voerde hem broodkruimels en
hij at uit mijn hand. Sindsdien sliep hij in een buis boven mijn
kooi. Ik zag hem er 's morgens uit glippen. Soms kwamen er land-
krabben. Ook zij hielden van brood. Een bewaker betrapte me bij
het voeren van de iguana. Dat betekende tien dagen eenzame opsluiting. De mildste straf.

Ik hoorde wilde kreten. Ik wist dat dat alleen maar weer iets met
een Koran te maken kon hebben. Een van de bewakers had een
Koran gepakt en op de grond gegooid en was erop gaan stampen.
Wij hoorden alleen het gejammer uit een verder gelegen blok,
maar iedereen wist wat er gebeurd was. Nog diezelfde avond
scheurde een gevangene zijn T-shirt aan repen en probeerde zich
op te hangen.

Ik hoorde de bewakers in mijn blok zenuwachtig heen en weer
lopen, ik hoorde de IRF-teams en rook het CS-gas. De gevangene
werd meteen ontdekt en weggebracht. Enkele mensen hadden
met zelfmoord gedreigd voor het geval de Koran weer geschon-
den zou worden. Zo begon een nieuwe hongerstaking. Het werd
van blok tot blok doorverteld. Iedereen wist dat we er bijna allemaal aan mee zouden doen.

Twintig dagen at ik niets. De laatste twee, drie dagen dronk ik
ook geen water meer. Het kostte gewoon te veel inspanning om
de kraan aan te zetten; je moest de knop krachtig indrukken. Ik
probeerde nog wel de twee passen die ik in mijn kooi kon zetten
te doen, maar op een bepaald moment had ik ook daar geen
kracht meer voor. Ik kreeg steeds meer moeite met de honger,

want sommige buren in het blok aten allang weer. Ik rook het eten, zelfs als het koud of lauw was. Ik voerde een interne strijd, maar ik had me voorgenomen het vol te houden. Mijn geloof schreef me dat niet voor. Maar ik wilde dat er een eind kwam aan het schenden van het Heilige Boek. Ook tijdens de hongerstaking gingen de verhoren door.

Toen ik steeds zwakker werd, kwamen ze met een brancard en brachten me naar een EHBO-post. Ik klampte me aan de brancard vast en mijn hele lichaam verkrampte. Ik was bang dat ze iets gingen amputeren. Toen verschenen twee mannen; ze droegen uniformen, maar op het naamplaatje van de een stond het woord '*doctor*'. Toen werd ik pas echt bang.

'Wil je nu eten of niet?' vroeg de arts.

'Nee.'

Ze knevelden me en schoven een slang in mijn neus. Een paar keer moesten ze stoppen, omdat er bloed in de slang kwam. Ik werd op de brancard naar het verhoor gebracht. Een IRF-team sloeg toe terwijl ik nog op de brancard lag.

Ik kwam terug in het blok. In de tussentijd had een van de emirs iets met de generaal afgesproken. Ze hadden onderhandeld: alle Korans werden uit de cellen gehaald, want enkele gevangenen waren er door de hongerstaking al zeer ernstig aan toe. Ik dacht dat zij het waarschijnlijk ook te veel werk zouden vinden om iedereen met slangen in leven te houden. De emir had onderhandeld en de voorstellen van de generaal werden in alle blokken besproken. Met uitzondering van drie gevangenen ging iedereen toen weer eten. Het tweede punt van de overeenkomst luidde dat ze tijdens onze gebedstijd niet meer het Amerikaanse volkslied zouden spelen. Een derde eis was dat we gekookt eten zouden krijgen. Na de hongerstaking gaven ze ons een menukaart waarop zeer exotische gerechten stonden: 'Thaise kip', 'lamscurry' of

'Turkse pasjarolletjes'. Maar toen we het eerste bord kregen, zagen we weer hetzelfde: aan prutje van groente en brood of half gekookte rijst met stukjes fruit. Op de menukaart had 'mediterrane kippenborst' gestaan, maar er lagen een paar harde aardappelen en twee taaie, droge reepjes kip op het bord.

Ik at weer wat ze me gaven. Twee dagen lang. Toen kon ik niets meer eten. Toen ik naar de wc ging zat er bloed in mijn urine. Mijn hele lichaam deed pijn en ik kreeg hoge koorts. Ik kon me nauwelijks meer bewegen. Zelfs praten kostte te veel inspanning. Mijn buurman zei tegen de bewakers dat het niet goed met me ging. Het was Nuri, de elektricien uit Izmir, die ik jarenlang niet meer gezien had.

'Nuri, ik wil niet naar de ziekenboeg. Zeg niet tegen hen dat ze me daarnaartoe moeten brengen.'

'Murat, je moet je laten behandelen.'

'Zodat ze iets kunnen amputeren? Nee! Zeg niets tegen hen. Ik blijf hier!'

Toen de bewakers kwamen, zei Nuri dat ik nog verzwakt was van de honger en sliep. Op de tweede of derde dag nadat ik koorts had gekregen, stond ik helemaal niet meer op. Ik probeerde iets tegen Nuri te zeggen, maar het ging niet. Ik kon zelfs mijn hoofd niet meer draaien.

Ik voelde dat ik ging sterven.

'Murat? Hoor je me nog?'

Laat in de nacht riep hij me weer.

'Murat…'

Ik had niet de kracht om veel te zeggen.

'Luister. Het heeft geen zin meer. Als je vrijgelaten wordt, zeg dan tegen mijn familie hoe ik gestorven ben.'

Nuri sloeg met zijn vuist tegen het gaas. Hij huilde.

Toen werd het stil.

Tot op de dag van vandaag weet ik niet welke ziekte ik had. Ik vermoed dat mijn lichaam zichzelf niet meer kon schoonmaken vanwege de hongerstaking. In die periode ben ik nauwelijks naar de wc geweest. Misschien was mijn lichaam gewoon vergiftigd. Misschien kon het ook geen eten meer verdragen. Ik moet nog een paar dagen in de cel hebben gelegen. Ik herinner me dat ik soms mijn ogen opendeed en naar de deken keek. Ik kon zien of het dag of nacht was. Meer herinner ik me niet.

Ik werd wakker op een brancard in de ziekenboeg.

Boven mij hing een fles met een doorzichtige vloeistof. Daarop stond: 'IV'. Er stak een naald in mijn arm. Ik was zwak en had pijn. Ik zag niemand, alleen een apparaat dat piepte. Mijn handen en voeten waren geboeid, maar ze wáren er nog. Ik was opgelucht. Op een bepaald moment deden ze mijn boeien af. Iemand stelde me vragen. Of ik als kind ziek was geweest. Welke ziekten ik had gehad.

Ik kon zitten, ik kon eten. Ik had het overleefd.

Ik hoorde zelfs muziek.

De bewakers luisterden naar rockmuziek.

In ieder geval vanaf 'Operatie Klaas Vaak', de verscherpte verhoren en de isoleerstraffen, wist iedere gevangene wie generaal Miller was en wat wij aan hem te danken hadden. Vaak liep hij met een groep officieren door de blokken; dan grijnsde hij alsof hij erg tevreden was. Hij was een oudere man, groot en niet zo slank meer. In zijn uniform met veel sterren op de schouders liep hij rond en deelde munten uit aan de bewakers en bloksergeants. Een van de sergeants was daar zo blij mee, dat hij de munten aan enkele gevangenen liet zien. Ik riep hem en vroeg of ik de munten ook mocht zien.

'Een munt van de generaal! Die heeft hij mij gegeven omdat ik goed ben,' zei hij.

'Echt? Van generaal Miller!'

'Ja,' zei hij en hij deed de klep open.

Hij stopte de munt in mijn hand. De naam van de generaal, Geoffrey Miller, stond erop. Daaronder: Guantanamo. Er stonden sterren op en een spreuk, zoiets als: 'Generaal Miller helpt de wereld te verbeteren.'

Ik pakte de munt, gooide hem in de wc en trok door.

'Wat doe je nou?' schreeuwde de sergeant.

Hij rende meteen naar buiten en kwam terug met een IRF-team. Toen ze met mij klaar waren, graaiden ze in de toiletpot en probeerden de munt er weer uit te vissen. Die was weg. Uiteraard belandde ik in de isoleercel.

Ik zat al een paar dagen op de brits toen ik merkte dat de bewakers de kijkklep open hadden laten staan, waardoor ze in het voorbijgaan naar binnen konden kijken. Ik hoorde voetstappen in de gang en loerde naar buiten. Ik zag dat alle kijkkleppen openstonden. Toen hoorde ik een van de gevangenen. Hij riep in het Arabisch: 'Let op, het is Miller! Als jullie hem wat willen geven, dan moeten jullie je snel voorbereiden en het nu doen!' Daarom waren de kleppen open: vanwege Millers bezoek.

Dat was het commando. Ik wist wat er zou gaan gebeuren. Generaal Miller kwam om Blok Oscar te inspecteren. Naast hem liepen een andere generaal of hoge officier en een paar *captains*.

Toen ze ongeveer halverwege de gang waren, bekogelde de eerste gevangene de generaal met uitwerpselen, die hij vermengd met wat water in een beker of in zijn emarieverpakking opgevangen had. Hij trof doel. De generaal slaakte een kreet, hield beschermend zijn armen voor zijn gezicht en draaide zich weg van de deur. Op dat moment kreeg hij uit de tegenovergelegen cel de volle laag. Hij rende de gang door naar het eind van het blok. Tijdens die afgang gooide iedereen zijn beker naar buiten. De anderen probeerden de generaal af te schermen en de captain, die ten slotte voor hem ging staan, bleef gespaard.

Onze straf leek relatief mild. We kregen een paar dagen geen toast meer en onze isolatie werd met een maand verlengd. Wat hadden ze anders moeten doen als ze ons niet wilden doden?

Een paar weken later zag ik Miller in een blok van Camp 1. Hij paradeerde zoals altijd door de gang.

'Waarom loop jij zo arrogant? Iedereen weet dat je stront hebt gevreten in Oscar,' zei een gevangene in onberispelijk Engels.

Miller werd rood en versnelde zijn pas.

'Heet jij Miller? Wij hebben een betere naam voor je: *Mr. Toilet!*'

De gevangenen lachten. Die dag kreeg het hele blok geen eten en ongeveer veertig dagen lang werden de porties gehalveerd.

Sindsdien heeft generaal Miller voor de gevangenen een andere naam.

In de loop der tijd kwam ik erachter dat er ook bewakers waren die ons menselijk behandelden. Een keer kwam er een bewaker naar me toe om wc-papier te brengen. Hij keek me aan en zei:

'Ik weet dat jullie God je kracht geeft.'

'Ben je moslim?' vroeg ik.

'Nee,' zei hij. 'Maar ik zie het toch. Jullie leven al zo lang in die kleine kooien, dat houdt toch geen mens vol. Daar praten we soms over. Jullie bidden en God helpt jullie. Anders zouden jullie immers doordraaien. Als ik in deze kooi moest leven, zou ik al na een paar dagen ziek zijn.'

Daar had ik me erg over verbaasd.

Er was ook een oudere bewaker die ik al een tijdje in de gaten hield. Elke keer als er iemand werd geslagen, hield hij zich op de achtergrond en deed niet mee. Zelfs als hij ingedeeld was in een

IRF-team bleef hij voor de kooi staan en weigerde de gevangene te slaan. De andere soldaten pestten hem daarmee. Maar hij schudde gewoon zijn hoofd.

Op een dag sprak ik hem aan.

'Ik wil je graag iets vragen.'

'Zeg het maar...'

'Waarom heb je niet meegedaan?'

'Ik ben een mens, net als jij. Wat hier gebeurt, is onmenselijk,' zei hij.

Dat maakte indruk op me.

De bewaker vertelde me dat hij een vriend had die in Vietnam was geweest en daar gevangen had gezeten. Na diens vrijlating had hij hem over de gevangenschap en de martelingen verteld.

'Ik weet wat mijn vriend heeft meegemaakt. Dat mag niet meer gebeuren. Dat onze regering nu hetzelfde met jullie doet als wat de Vietnamezen met de Amerikaanse gevangenen hebben gedaan, is gewoon onbegrijpelijk. Het is verschrikkelijk!'

Ik kwam hem soms weer tegen in andere blokken, maar ik heb niet meer met hem kunnen praten.

Er was een bewaker van ongeveer halverwege de dertig. Als hij het eten ronddeelde, vroeg hij me altijd of ik een extra bord wilde. Met hem heb ik ook een paar keer gepraat. Hij zei heel vaak dat het hem niet zinde wat hier in Guantánamo gebeurde. Hij had voor lange tijd getekend, maar als hij dit toen geweten had, zou hij nooit bij het leger zijn gegaan, zei hij.

'Toen ik hier aankwam, vertelden de superieuren dat jullie allemaal moordenaars en gevaarlijke terroristen waren. Ze lieten ons filmbeelden van 11 september zien en leidden ons verschillende weken op. Telkens weer drukten ze ons op het hart hoe gevaarlijk jullie waren. Aanvankelijk geloofde ik dat. Maar toen zag ik jullie bidden en in de Koran lezen. Ik heb gemerkt dat een groot deel van jullie heel aardig is. Ik kan jullie zelfs vertrouwen. Jullie gebruiken geen drugs, stelen niet en gaan niet vreemd. Dat wist ik vroeger allemaal niet. Jullie delen het eten, hoewel jullie allemaal veel honger hebben,' zei hij.

'MP', '*Military Police*', stond er op het insigne op zijn arm. Dat insigne droegen alle bewakers, maar deze bewaker was anders. Hij zei dat president Bush het imago van Amerika in de wereld kapot had gemaakt.

'Nu ken ik de waarheid. Ik heb het met eigen ogen gezien. Ik ben nog maar een paar dagen in dienst. Dan heb ik het gehad met het leger,' zei hij.

Op zijn laatste dag had hij dienst in mijn blok. Hij kwam naar me toe en zei:

'Murat, ik heb nog maar twee uur.' Hij was erg opgewonden.

Toen kwam hij weer en zei: 'Nog maar één uur.'

Toen de tijd bijna om was, dook hij weer op. Hij ging voor mijn kooi staan en keek op zijn horloge. Een eindje verderop stond een aantal andere bewakers. Hij riep hen.

'Hé, moeten jullie kijken wat ik nu doe!'

De bewakers kwamen dichterbij, hij keek op zijn horloge en begon af te tellen.

'Vijf, vier, drie, twee...'

Bij nul haalde hij de band van zijn arm. Hij bewoog die naar zijn kont en maakte tot ontsteltenis van de bewakers een gebaar alsof hij zijn billen ermee wilde afvegen. Toen gooide hij de band op de grond en stampte erop.

'Ik ben geen MP meer!'

Hij stampte erop zoals de bewakers op de Koran.

'Kijk dan! Zo!'

Ik weet niet of hij daarvoor gestraft is. 's Avonds kwam hij nog een keer naar mijn kooi. Ik zat net op de grond en hij hurkte voor mijn deur.

'Het spijt me, ik had erg gehoopt dat jij vrijgelaten zou worden. Ik wilde nog even afscheid van je nemen.'

Hij had tranen in zijn ogen.

'Ik zal proberen je te helpen als ik weer in Amerika ben.'

Hij stak zijn vinger door het gaas. We namen afscheid van elkaar. Ik bedankte hem voor zijn vriendschap en de vele extra porties die hij me had gegeven.

Ik heb hem jammer genoeg niet naar zijn naam gevraagd.

In september 2004 bracht een bewaker een brief naar mijn kooi. Daarin stond dat ik in Guantánamo voor een militair tribunaal moest verschijnen. Ik moest terechtstaan? Na al die tijd en al die verhoren? Het tribunaal had de naam Combatant Status Review Tribunal. Een tribunaal dat zou vaststellen of ik de status van een vijandelijk strijder had. Maar ik had toch niet gevochten! Misschien zou de rechtbank precies tot deze conclusie komen en mij vrijspreken? 'George W. Bush, president van de Verenigde Staten van Amerika, tegen Murat Kurnaz, aanvrager' stond er.

Twee weken later werd ik opgehaald. De zitting had plaats in een verhoorruimte. Was dat weer een truc? Nee. Dit waren geen ondervragers. Er zaten drie hoge militairen aan een lange tafel; ik zag het aan hun epauletten en aan de insignes op hun borst. Het waren twee kolonels en een luitenant, las een man voor die aan een tafel haaks op die van de rechter zat en een cassetterecorder voor zich had staan. Tegenover hem zat aan een andere tafel een man die Turks sprak.

Hij zei dat een van de drie militairen mijn advocaat was. De anderen waren de rechter en de officier van justitie.

De man in het midden, de rechter, las iets voor waarvan ik de helft niet eens verstond. Toen de tolk het herhaalde vielen me twee fouten op. Ten eerste had de rechter gezegd dat de Pakistaanse politie mij naar Selcuk had gevraagd. Dat was niet waar. En ten tweede zou ik vanuit Pakistan naar het legerkamp in Bagram zijn gebracht, terwijl ik toch in Kandahar was geweest. Hoe kon er bij een rechtbank zo'n fout insluipen?

De tolk meende dat ik pas later iets mocht vragen.

Of ik begrepen had wat de rechtbank had gezegd?

'Ja.'

De rechter las verder en zei toen iets dat ik in het Engels al verstond:

'De gevangene heeft contact gehad met een persoon die later bij een zelfmoordaanslag betrokken was. Selcuk Bilgin is degene die een zelfmoordaanslag...'

'Zelfmoord? Aanslag?'

'U kunt daar straks iets over zeggen,' zei de tolk.

'Wilt u een getuigenis afleggen?' vroeg de rechter.

Ik was geschokt. Selcuk een pleger van zelfmoordaanslagen? Ik vroeg de rechtbank wanneer en waar dat gebeurd was. Dat mochten ze me niet vertellen, antwoordde de rechter.

Ik begreep niets meer van deze wereld. Maar deze mensen logen toch niet? Het was tenslotte een rechtbank. Was Selcuk dood? En hij zou veel mensen gedood hebben?

'Ben ik hier omdat Selcuk zich heeft opgeblazen? Dat wist ik niet. Ik wist niet dat hij een terrorist was. Wij hebben samen getraind en gebeden in de moskee. We hadden allebei een hond. Daarom waren we vrienden. Hij was als een grote broer voor mij. Ik wist niet dat hij zoiets zou doen. Als hij al veranderd was, heb ik daar niets van gemerkt. Hij heeft nooit met mij over zoiets gepraat. Zulke vrienden hoef ik niet! Mijn religie is vreedzaam,' zei ik.

De rechter ging verder.

Toen vroegen ze mij wat ik in Pakistan moest.

Ik vertelde waarom ik daarnaartoe was gegaan.

Nadat ik op de luchthaven van Karachi tevergeefs op Selcuk had staan wachten, kocht ik een telefoonkaart, maar die kaart deed het niet, iemand had mij opgelicht. Pas de tweede kaart werkte. Ik belde naar Selcuks vrouw, maar zij hing op. Twee keer. Toen vloog ik naar Islamabad, waar ik had afgesproken met Hassan, die ik in het vliegtuig had leren kennen. Maar ik kon hem niet vinden, want het adres dat hij mij gegeven had klopte niet. Dus reisde ik alleen naar het Mansura-Center in Lahore. Ze vertelden me dat het hoofd van het centrum er niet was, maar dat ik daar kon overnachten en hem de volgende morgen zou kunnen spreken. 's Morgens kreeg ik een ontbijt, maar het hoofd was er nog steeds niet. Vervolgens vertelden ze me op het kantoor van het centrum dat ze me niet zouden aannemen. Ik was buitenlander, het was te gevaarlijk; ik moest weer naar huis. Wat moest ik doen?

Die morgen, het was 7 oktober 2001, was de oorlog in Afghanistan uitgebroken.

Ik was teleurgesteld en ik wilde niet meteen weer naar huis. Ik was vastbesloten te blijven. De tablighs in Bremen hadden me verteld dat hun geloofsgenoten in Pakistan ook in groepjes van moskee naar moskee reisden om daar te studeren. Dan zou ik me gewoon bij hen aansluiten. Ik wilde het in geen geval opgeven.

Ik nam een bus die naar Islamabad ging. Daar ging ik een moskee binnen en vond een groep tablighs. Ze waren in eerste instantie wantrouwend omdat ik uit Duitsland kwam. Misschien dachten ze dat ik een journalist was. Toen leerde ik Mohammad kennen. Hij was nieuwsgierig en sprak goed Engels en zelfs een beetje Turks. We sloten ons aan bij de tablighs en sliepen in verschillende moskeeën. Er sloten zich steeds nieuwe tablighs aan en anderen vertrokken weer. Soms waren we met zijn tienen, soms met zijn dertigen. Bijna de hele dag kregen we les. Tussendoor liep ik door de stad en bekeek de markten, de kungfuscholen en slangenbezweerders.

De rechtbank vroeg me of ik van de tablighs eten had gekregen. Ja, zei ik. Elke avond gingen enkele mensen naar de markt om voor iedereen inkopen te doen. Het was ongelooflijk goedkoop. En elke avond maakten we ruzie over wie er dit keer boodschappen mocht gaan doen. Dat was traditie, zei Mohammad.

De rechter wilde weten wanneer en waar ik opgepakt was en wat de Pakistaanse politie mij gevraagd had.

Dat verbaasde me. Wisten ze dat niet?

Twee weken na de zitting werd ik door een escortteam opgehaald en opnieuw voor het tribunaal gebracht. De rechter las het vonnis voor: ik was een vijandelijk strijder en werd als gevaarlijk geclassificeerd.

Als reden voerde de rechter aan dat ik lid was van Al Qaida. Als bewijs voerde hij aan dat ik een goede vriend was geweest van een pleger van een zelfmoordaanslag en tot de Jama'at al-Tabligh behoorde, omdat ik van die groepering onderdak en eten gekregen had.

'Ik wil graag weten of ik hier moet blijven of naar huis kan...' zei ik.

'Meneer de advocaat, hebt u nog vragen voor de gevangene?'

'Nee.'

Hij had sowieso zo goed als niets gezegd.

IX

Guantanamo Bay, Camp Echo

In oktober 2004 werd ik van Camp 1 naar Camp Echo verplaatst.
Ik had erover gehoord. Het was puur een isoleerkamp.

Ik wist niet waar we naartoe gingen; de bewakers blinddoekten
me en dat kon van alles betekenen, zelfs een vlucht naar Turkije of
Duitsland. Ik werd vermoedelijk in een volledig geïsoleerd busje
vervoerd: het voelde als een rijdende bunker. Alles wat ik aanraak-
te was van metaal. Hopelijk gaan we niet naar Turkije, dacht ik nog.

Na tien minuten stopte de auto en stapten we uit. Ik hoorde
geen geluiden van gevangenen, alleen het openen van een houten
deur en een paar metalen deuren. Toen deden ze de blinddoek af.
Ik bevond me in eenzelfde soort kooi als in Camp 1 en 2, alleen
was deze kleiner en steviger. Het *navy*-toilet en de wastafel waren
uit één stuk. Aan het plafond hing een camera achter plexiglas.
Op het draadgaas was nog meer gaas met piepkleine mazen gelast. Hier zou ik nog niet eens bezoek krijgen van een spin. En van
de buitenwereld was amper iets te zien. Direct voor de kooi stonden een tafel en een stoel, daaronder zat een ring in de grond.
Daarachter was een muur met een deur waardoor in de verte een
tweede kooi met een tafel en stoel ervoor te zien was. Mijn isolatie was perfect.

Later hoorde ik dat Camp Echo uit een tiental kleine houten huisjes bestond, elk huisje herbergde twee kooien.

Wat moest ik hier? Wat dit een nieuw soort bestraffing? Ik had gehoord dat enkele gevangenen al jarenlang in Camp Echo verdwenen waren en niemand van ons wist of die überhaupt nog leefden. Dat was vermoedelijk het doel van Camp Echo: de gevangenen verlieten het complex nooit. Je kon hen meteen voor hun kooi verhoren en naast de kooi was een eigen kleine douchecel. Zou ik nu de komende jaren hier moeten doorbrengen?

De bewakers kwamen nu nog drie keer per dag: om het eten te brengen. Maar meestal sloegen ze een maaltijd over en 's nachts werd ik niet meer zo vaak gewekt.

'Opstaan!'

'Waarom?'

'Je krijgt bezoek.'

'Bezoek? Wie wil mij nou bezoeken?'

Ik was nieuwsgierig. Zeker weer een ondervrager die speciaal uit Washington kwam om mij te 'helpen'. Ik was benieuwd welke truc ze nu weer zouden uitproberen.

Een dikke man in pak, midden dertig, kwam de deur door. Hij droeg een bril. De bewakers ketenden me vast aan de grond en lieten ons aan de tafel voor mijn kooi alleen. De man transpireerde hevig. Zijn hemd was doorweekt en hij haalde een zakdoek uit zijn broek tevoorschijn om daarmee de zweetdruppels van zijn voorhoofd te vegen.

'Hallo.'

De dikke man deed zijn bril af en friemelde eraan. Hij leek nerveus.

'Ik ben je advocaat,' zei hij in het Engels.

'Mijn advocaat? Wat voor advocaat?' Ik moest lachen. 'Jij bent advocaat?'

'Ik heb een brief van je moeder…'

Ik dacht dat ze nu volkomen gestoord waren geworden. Maar ik wilde weten wat ze van plan waren.

'Laat eens zien…'

Het was inderdaad een brief van mijn moeder. Ik herkende haar handschrift meteen.

'Mijn lieve zoon, ik ben het, je moeder, ik hoop dat het goed met je gaat. Deze man, Baher Azmy, kun je vertrouwen. Hij is jouw advocaat.'

Ik was totaal van de kaart. Mijn eerste brief na bijna drie jaar! Het eerste bericht van moeder! Waarschijnlijk had ze niet meer mogen schrijven, anders was de brief niet door de censuur gekomen.

'Waar heb je die vandaan?'

'Ik heb je moeder ontmoet,' zei de man.

'Waar dan?'

Hij vertelde dat ik al jaren een advocaat in Duitsland had, dat hij mijn advocaat in Amerika was en al een bezoek aan mijn familie in Duitsland had gebracht. Met mijn moeder was hij zelfs naar Turkije en Washington geweest.

In Washington?

Ik was wantrouwend. Misschien was hij toch gewoon een ondervrager die moeders brief met een bepaald doel gebruikte?

'Hoe weet ik dat jij de advocaat bent over wie ze het in de brief heeft?'

Hij haalde van alles uit zijn zakken tevoorschijn. Identiteitskaart, papieren, een gevangenispasje. De naam klopte, overal.

'Je moet me geloven,' zei hij.

'Dat zeggen ze allemaal!'

'Helaas zijn de regels hier buitengewoon streng. Ik moet alles wat je tegen me zegt opschrijven en aan hen laten zien. En ik kan niet altijd komen wanneer ik wil. Het is ontzettend moeilijk.'

'Oké. Je kunt advocaat zijn of niet. Papieren kunnen vervalst worden. Ik heb sowieso niets te verbergen, ik vertel je alles wat je wilt weten.'

'Ik kan me je scepsis voorstellen,' zei hij.

De man die zich voor mijn advocaat uitgaf, liet me een folder van een Turkse mensenrechtenorganisatie zien. Daarin waren foto's van mij afgedrukt, onder andere een pasfoto waarop ik zeventien of achttien jaar was. Ik had nog heel kort haar en geen baard. Er stond ook een foto van mijn moeder in: voor een groot wit huis. Het bijschrift luidde: 'Rabiye Kurnaz praat met de Amerikaanse media voor het gebouw van het Supreme Court in Washington.' Op een andere foto huilde ze. Daaronder stond: 'Iedereen kan in de hel van Guantánamo komen.'

Ik werd verdrietig, maar mijn nieuwsgierigheid won het.

Ik las dat er mensen waren die zich voor mij inzetten! Ik bestudeerde de brochure meteen een paar keer en leerde de tekst uit mijn hoofd. De Turkse regering zou in strijd met haar eigen wet hebben gehandeld, stond daar, omdat ze verzuimd had mij hieruit te halen. Ik moest aan het bezoek van de Turken denken en aan het toneelstukje dat ze voor me opgevoerd hadden. Maar verderop, onder aan de bladzijde, was te lezen dat ik onschuldig was. Waren er echt mensen die in mijn onschuld geloofden?

Het werd me duidelijk dat mijn moeder alles geprobeerd had om mij te redden. Ook al was dat tot nu toe vergeefs geweest, ze wist in ieder geval waar ik was en dat ik nog leefde. Dat was het belangrijkste. Nu begon ik te geloven dat ik daadwerkelijk tegenover een advocaat zat. Deze foto's hadden ze onmogelijk kunnen vervalsen. Desondanks moest ik goed nadenken voor ik iets zei, hij had me immers gewaarschuwd. Bovendien luisterden de Amerikanen zeker mee. Ik vertelde dus in eerste instantie niets over de martelingen. Hij kon me daar trouwens toch niet mee helpen, dacht ik.

'Ik verwacht alleen hulp van Allah,' zei ik tegen hem. 'Maar met Allahs hulp zul jij de *sebeb* zijn.'

'De wat?'

'De reden, de oorzaak. De voorbode van mijn vrijlating.'

Baher Azmy knikte. Hij leek opgelucht.

'Ik doe je een voorstel. Als jij iets voor mij wilt doen, dan kun je daar meteen mee beginnen,' zei ik.

'Waarmee?'

'Breng de volgende keer een kop koffie voor me mee. Ik heb jaren geen koffie meer gedronken. Als je dat lukt, praten we verder. Als je dat niet lukt, kun je me ook niet vrij krijgen.'

'Ik weet niet of ik dat kan, maar ik zal het proberen...'

'Met heel veel suiker,' zei ik.

Dat was mijn eerste privébezoek sinds mijn inhechtenisneming.

Ik pakte mijn moeders brief en verborg die in mijn hand. Terug in de kooi stopte ik hem zo onder mijn kleding dat hij buiten het bereik van de camera was. Maar nog diezelfde nacht hebben ze hem na het doorzoeken van de kooi meegenomen.

Ik dacht veel na die nacht. Kon ik de man echt vertrouwen? Kon je zo'n brochure vervalsen? Waren de foto's van mijn moeder misschien toch gemanipuleerd? Maar ik had immers niets te verbergen, dat moesten ze na al die jaren toch begrepen hebben!

De volgende morgen bracht de advocaat een beker koffie en een warm appelbroodje voor me mee. Op de verpakking stond: McDonald's. Daar keek ik van op. Hadden de bewakers daarbuiten een eigen McDonald's? De advocaat haalde verschillende zakjes suiker uit zijn broekzak. De man had zich nu al bewezen, dacht ik.

Hij had nieuws voor me. Krantenartikelen die hij op internet gevonden en geprint had. *The New York Times, The Washington*

Post, Der Spiegel en *Stern*. Het was oorlog in Irak. Saddam Hoessein was in een gat in de grond gevonden. In Azië was een overstromingsramp. En Duitsland had al lang een nieuwe munteenheid: de euro.

Ik verslond elke pagina. Sommige berichten waren al niet meer actueel, maar voor mij waren ze nieuw. In Guantánamo wisten we nergens iets van. Plotseling zag ik een bericht waarin iets over mij te lezen was, met een foto van mij. Onder de foto, dezelfde pasfoto als in de Turkse folder, stond: 'De Bremer taliban'. De Bremer taliban? Ik werd laaiend. Dachten de mensen in Duitsland echt dat ik lid van de taliban was? Ik had die Duitsers tijdens het verhoor toch mijn hele verhaal verteld? Hadden ze dan niets geverifieerd? En doorgegeven? Azmy haalde zijn schouders op. Het verbaasde hem dat ik bezoek had gekregen van Duitse beambten. Ik besloot me niet meer te ergeren aan wat wie dan ook over me schreef. Ik wilde vrijgelaten worden. Alleen dat was belangrijk.

'Waar staat dat over Selcuk?' vroeg ik hem.

'Over Selcuk?'

'Ja, mijn vriend uit Bremen die met mij mee zou gaan. Waar staat dat hij zichzelf opgeblazen heeft? Ik kan het nergens vinden...'

'Selcuk Bilgin? Opgeblazen? Waarom?'

'Hij heeft een zelfmoordaanslag gepleegd. Ik weet niet waarom en waar. De Amerikanen zeiden dat, tijdens het tribunaal.'

Baher leek opnieuw stomverbaasd. Selcuk een zelfmoordterrorist? Voor hem was dat uitgesloten. Als een Duitser of een Duitse Turk zich ergens had opgeblazen, zou hij ervan geweten hebben. Dan zouden de pers in Duitsland en in Amerika daarvan verslag hebben gedaan.

Ik was helemaal kapot. Waarom had de rechtbank dan zoiets beweerd?

Baher zei dat ze Selcuk misschien met een andere zelfmoord-terrorist hadden verwisseld. Dat het alleen maar een vergissing kon zijn.

'En daarom zit jij hier?'

'Ja, en omdat ik te eten heb gekregen van de tablighs.'

Baher schudde zijn hoofd en maakte aantekeningen.

Weer zeiden we een tijd lang helemaal niets.

'Waar is jullie luchtplaats?' vroeg Baher.

'Buiten in de kooi.'

'Die heb ik helemaal niet gezien.'

'Wat heb je dan wel buiten gezien?'

'Twee kampen, containers, o ja, er was ook een kleine kooi met een gevangene in het midden van een kamp.'

'Dat is de luchtplaats,' zei ik.

Baher stond op. Hij liep naar mijn kooi en keek voorzichtig naar binnen.

'Leef je zo?'

Ik knikte.

'Jarenlang? Ik kan niet geloven dat je mensen zoiets aandoet. Hoe houd je dat uit? Wat heb je al die jaren gedaan?'

'Ik heb gewacht.'

Baher Azmy bezocht me een aantal dagen achter elkaar en elke keer bracht hij nieuwe berichten mee, die ik gretig las. Slechts één keer kwam hij niet, omdat hij die dag nieuwe schoenen aanhad, open schoenen. De bewakers hadden tegen hem gezegd dat ze hem zo niet binnen mochten laten, omdat de gevangene op zijn voeten zou kunnen trappen en hem verwonden. Daar moesten we samen om lachen.

We konden het goed met elkaar vinden. Baher is in Egypte ge-boren en in de VS opgegroeid. Op vijfendertigjarige leeftijd was hij al professor in de rechten. Ik vertelde hem alles wat hij wilde weten; hij schreef het bijna woord voor woord op. Baher zei dat hij me zou schrijven, dat hij terug zou komen en zou proberen mij vrij te krijgen. Dat hij niets kon beloven. Maar ik vertrouwde hem nu. Hij wilde een bericht voor mijn familie meenemen. Ik dicteerde een paar regels voor mijn moeder; dat het goed met me ging. Vervolgens ondertekende ik een volmacht, zodat hij als mijn advocaat kon optreden. Ten slotte nam hij afscheid en vertrok.

Later hoorde ik dat ik tot de eerste drie gevangenen in Guantánamo behoorde die bezoek van een advocaat hadden gekregen; de twee anderen waren Engelsen. Azmy bezocht me nog drie keer. Pas na mijn vrijlating vertelde hij me dat hij nog een keer in Guantánamo was geweest, maar dat de Amerikanen toen tegen hem hadden gezegd dat ik hem niet wilde ontvangen.

Een paar dagen na het vertrek van Azmy werd ik weer verplaatst naar Camp 2.

'Hé, Murat, waar ben jij nou geweest?' vroeg Salah.

'Ik heb visite gehad. Van mijn advocaat uit Amerika.'

Een paar mannen begonnen te lachen.

'Onzin. Ze hebben je voor de gek gehouden,' zei Salah.

'Hij heeft me op de hoogte gebracht van het nieuws,' zei ik.

Dat wekte hun nieuwsgierigheid, en ik beloofde hun na het avondgebed alles te vertellen.

Belangrijk nieuws vond zijn weg van kamp naar kamp, aangezien de laatste in een blok het nieuws 's nachts, als de generatoren even stilstonden, in de richting van het raam schreeuwde. Als de laatste in Blok Alpha zo hard mogelijk brulde, kon de eerste gevangene in Blok Bravo dat verstaan. Het nieuws werd binnen het blok doorgegeven en in de daaropvolgende nacht naar het volgende blok geschreeuwd. Dat kon veel tijd in beslag nemen. Want natuurlijk kwamen er meteen bewakers en daarna een IRF-team, en natuurlijk werden de gevangenen die geschreeuwd hadden daarvoor bestraft. Maar de berichten waren doorgedrongen.

Het was duidelijk: zodra ik al het nieuws had verteld, moesten anderen die taak overnemen. Want ik wist dat ik al na een paar minuten naar de isoleercel gebracht zou worden.

Ik verdeelde de berichten in twee categorieën: die over het kamp en het wereldnieuws. En ik had iets te vertellen: er was oorlog in Irak geweest, de Amerikanen hadden gewonnen, maar er vielen elke dag doden in de burgeroorlog; en er was een nieuwe regering in Afghanistan. Nieuws uit Guantánamo: een vrouwelijke rechter in de VS had verklaard dat de militaire tribunalen onwettig waren en George Bush had geantwoord dat wij, gedetineerden, allemaal gevaarlijke moordenaars waren en niet met andere gevangenen vergeleken konden worden. In een van Bahers tijdschriftartikelen viel me een absurde foto op: een Amerikaanse politicus had zich laten fotograferen met eten: een halve kip, aardappels, een salade, soep, cola en softijs. Hij maakte een zeer voldane indruk. Dat zouden wij allemaal, zo werd in het artikel beweerd, in Guantánamo te eten krijgen. Elke dag. Onder de foto stond: 'Is kip een marteling?'

Ik kon daar alleen maar mijn hoofd over schudden. In al die jaren had ik zoiets zelfs niet in een droom gezien. Die verdomde leugens! Wij werden behandeld als Amerikaanse gevangenen, aldus het artikel, onze mensenrechten werden gerespecteerd. In andere artikelen stond echter ook dat er in Amerika mensen waren die zich voor ons inzetten en blijkbaar het vermoeden uitten dat wij in Guantánamo gemarteld werden.

Om het nieuws te verspreiden praatte ik in het Engels, zo snel ik kon; Salah nam de Arabische vertaling op zich. Binnen de kortste keren spoten de bewakers CS-gas naar me. Ik hield mijn handen voor mijn gezicht, kroop in een hoekje en praatte verder tot het IRF-team kwam.

Ik belandde in Blok India. Ze zetten de airco uit. Maximum-
straf. Ik ging meteen op de grond liggen om mijn zuurstofver-
bruik tot het minimum te beperken. Ik wist dat ik nu minstens
een maand amper adem zou kunnen halen. Ik herinner me niet
veel meer uit deze periode, maar één verhoor, waarin ik tenminste weer een beetje lucht kreeg, is in mijn hoofd blijven hangen.

'Weet jij wat je verkeerd gedaan hebt?' zei de ondervrager.

'Vertel het me maar.'

'Je hebt de anderen over de jihad verteld en hen opgehitst! Wij
wisten helemaal niet dat jij zo goed speeches kon afsteken over de
jihad.'

Wat een nonsens.

'Jullie weten precies wat ik verteld heb. Jullie hebben toch jullie
afluisterapparatuur in de blokken.'

'Welke afluisterapparatuur?' De ondervrager stond op.

'Ik heb gehoord dat je bezoek gehad hebt. Van een advocaat,
toch?'

'Wat heb jij daarmee te maken?'

'Ik wil je alleen maar waarschuwen: weet je zeker dat hij een
advocaat was? Ik hoop dat je niets ondertekend hebt.'

'Wel.'

'Jouw beslissing. Weet je wat je ondertekend hebt?'

'Wat?'

'Dat zul je nog wel zien.'

Zes weken later kwam ik terug in Camp 2. Toen waren alle berichten die ik van Baher had gehoord al over alle blokken verspreid. De
twee Engelsen hadden de rest gedaan. We waren weer deel van de
wereld! We wisten wat er daarbuiten gebeurde! Ik heb geen idee
hoeveel nieuwsschreeuwers daarvoor naar de ijskast zijn gestuurd.

X

Guantanamo Bay, Camp 4

Het was een soort privilege. Ik begreep niet waarom ik het voorrecht genoot naar Camp 4 verplaatst te worden, maar zulke dingen vroeg ik me allang niet meer af. In Camp 4, zo had ik gehoord, waren namelijk geen kooien; de gevangenen mochten bij elkaar zitten en de porties eten zouden iets groter zijn. De bewakers zeiden steeds dat daar alleen gevangenen kwamen die zich uitermate goed gedroegen. Het gold als de beste gevangenis in Guantánamo.

Intussen waren al veel gevangenen vrijgelaten, hele groepen. Alle Pakistanen bijvoorbeeld en een groot aantal Afghanen. Die waren bijna allemaal eerst naar Camp 4 verhuisd. Dat hoefde echter niet per se zo te zijn. In Camp 1 of Camp 2 had ik soms gezien dat ze een gevangene in burgerkleding naar zijn kooi brachten. Spijkerbroek, gymschoenen, T-shirt en spijkerjasje. Korte tijd later was hij weg. Er was dus een weg naar buiten. Baher Azmy had bevestigd dat de vrijgelaten gevangenen inderdaad levend in hun vaderland waren aangekomen.

Een groot deel van hen werd echter na terugkomst meteen weer gevangengezet. In die gevallen was juist dát de voorwaarde van de Amerikanen voor hun vrijlating geweest, hadden de advocaten ons verteld. Zo mocht begin 2006 een groep Saudi's vertrekken. Maar het Rode Kruis in het kamp had hun vooraf al verteld dat ze thuis weer naar de gevangenis moesten. Via de advocaten wisten wij wie werkelijk vrijgelaten was en wie niet. Wellicht zou ik ook op een dag naar een Duitse of Turkse gevangenis verhuizen, dacht ik.

Camp 4 was de achterste bajes: lege metalen containers met britsen. De kijkklep in de deur was de enige opening waardoor daglicht en frisse lucht binnen konden komen. Een kleine ruimte waarin tien gevangenen zaten. Het stonk er. Het licht aan het plafond bleef de hele nacht aan. De generatoren bromden net zo hard als in Camp 1 en Camp 2.

Je zou het ook een oven voor tien personen kunnen noemen.

De betonnen grond werd overdag zo heet, dat je er alleen met slippers over kon lopen. En dit zou de beste gevangenis zijn? Met airco was het wel te doen geweest. Maar dat was niet de bedoeling. Zonder koeling was het echter niet uit te houden. Dus hoe hadden ze dat probleem opgelost? Met een grote, aan het plafond bevestigde propellerventilator. Overdag, wanneer het het heetst was, werd die trouwens uitgezet. Pas 's avonds, als het afkoelde, schakelden ze die luidruchtige motor weer in, zodat we niet konden slapen.

Soms gingen de ventilatoren echter ook overdag aan, maar alleen als er een helikopter met een camerateam overvloog. Fotografen en journalisten mochten alleen Camp 4 zien en bezoeken.

In elk geval werden we nu vaker gelucht. Tussen de met natodraad versterkte omheining van draadgaas en de containers lag een soort gang van een meter breed en twintig meter lang. Daar mochten telkens twee ruimtes, dus twintig gevangenen, een paar keer per dag een uur naartoe. De rest van de tijd brachten we door in onze ruimte onder de onvermoeibare ogen van de bewakingscamera's.

Eén keer in de week werden we gefouilleerd. Daarvoor moesten we allereerst allemaal naar de container en dan rukten er verschillende IRF-teams uit die door een twintigtal soldaten met machinepistolen bij de omheining gedekt werden. Dan werden er telkens twee gevangenen naar de wasruimte gebracht, waar ze gefouilleerd werden. Gedurende die tijd verbleven alle andere gevangenen uit de vijf containers van Camp 4 in hun ruimtes.

Twee keer per week kwamen er groepen journalisten. Die bezochten natuurlijk niet onze containers. Nee, die werden naar een plek gebracht waar een paal stond met een basketbalkorf eraan. Daarnaast lag een volleybalveld. Vaak lagen hier allerlei verschillende mooie, nieuwe voet-, volley- en basketballen. Wij mochten daar niet komen. Alleen als er journalisten kwamen, werden een paar gevangenen uit Camp 4 hiernaartoe gebracht. Zodra de journalisten vertrokken waren, verzamelden de bewakers alle ballen weer. Ze zeiden 'orkaangevaar' en stuurden ons terug naar de containers.

Een keer stond ik dicht genoeg bij een groep om te kunnen verstaan wat de officier aan de journalisten vertelde: 'Elk blok, elke gevangene mag elke dag twee uur voet-, basket- of volleyballen.'

Er was inderdaad wat meer te eten dan in Camp 1 en Camp 2; 's morgens kregen we zelfs een beker melk. Ik kon nu vaker trainen omdat ik meer calorieën binnenkreeg. Het was hetzelfde eten – een paar harde aardappels, koude groenten, half gekookte rijst – maar dan meer. En we mochten met elkaar ruilen. Dat gebeurde vaak, want bijna alle gedetineerden hadden maagproblemen.

Vaak kwam er een kat op de omheining bij de luchtgang zitten. Ik noemde hem 007. Hij was erg schuw. Zodra hij een bewaker zag, rende hij weg. Hij kon het verschil tussen uniformen en gevangeniskleding zien. De helft van mijn melk bewaarde ik voor 007.

Ik kende ook al een paar mensen in Camp 4. Dat waren Abid, de Algerijn uit Duitsland, en Musa, een van de vijf Bosniërs in Guantánamo. Hen had ik in Camp 1 leren kennen; Musa was mijn buurman in de isoleercel geweest tijdens mijn eenpersoonshongerstaking.

Musa vertelde me hoe zij naar Guantánamo waren gedeporteerd. Drie van hen waren Arabieren die al lange tijd in Bosnië woonden. Na 11 september werden ze daar alle vijf opgepakt. Het gerechtelijk vooronderzoek duurde erg lang en daarna was het tot een rechtszitting gekomen. De rechter zei dat er geen bewijzen tegen hen waren, dat ze vrij waren om te gaan. Toen ze wilden vertrekken, lieten de politieagenten weten dat ze het gebouw door de achterdeur dienden te verlaten. Daar wachtte een gemaskerd commando hen op. Het waren Amerikanen. Ze trokken hen een auto in, brachten hen naar het vliegveld en van daaruit naar Cuba. Hun familie had voor het gerechtsgebouw op hen staan wachten.

Ik weet niet of het echt zo gegaan is. Musa heeft het me in elk geval verteld. Hij had de Amerikanen tijdens zijn verhoren elke keer weer gevraagd waarom hij hier was. Ze vertelden dat ze een bewijs tegen hem hadden, maar dat dat top secret was. Pas toen hij een advocaat had, kwam hij erachter waarom hij in hun ogen een terrorist was: hij was karatetrainer geweest.

Met Musa kon ik stiekem trainen en wedstrijdjes armpje drukken doen met de Afghanen in Camp 4. Ik won, maar zij waren echt heel goed. Ze kwamen uit de bergen en hadden van kinds af aan alles op hun rug moeten dragen. Hun lichamen waren alleen al door de grote hoogteverschillen erg sterk geworden. Met Musa trainde ik in de wasruimte karate en opdrukken met gewicht: hij ging dan op mijn schouders zitten. Er hingen daar oorspronkelijk twee camera's, maar we hadden er een kapot geschopt. Zo konden we in de dode hoek trainen. Maar één keer gleed ik tijdens een karatetrap uit en kwam binnen het bereik van de andere camera.

Ik moest een maand naar Romeo.

Daar was het erg heet, want ze hadden de cellen in Romeo inmiddels met plexiglas bekleed.

Toen ik nog een keer betrapt werd tijdens het trainen in de wasruimte moest ik opnieuw naar Romeo; daarna werd ik voor straf naar Camp 1 teruggestuurd.

Dat was mazzel. Want daar hoorde ik dat zich in Camp 4 weer een koran-incident had voorgedaan. Ze vertelden me dat tijdens het wekelijkse doorzoeken een Koran gekreukeld en op de grond gegooid was. Daarna waren in die ruimte ongeregeldheden uitgebroken tussen de gevangenen en de IRF-teams. De gevangenen in de andere containers van Camp 4 hadden dat gehoord.

Honderden soldaten rukten uit. Ze schoten met M-16's rubberkogels de ruimte met gevangenen in. Degenen die voor in de container zaten, raakten zwaargewond. Nadat alle gevangenen vastgeketend waren, openden de soldaten de volgende container, waarin een groep Afghaanse gevangenen zat. De IRF-teams spoten met CS-gas. Vervolgens vuurden de soldaten naar binnen, wachtten en bestormden de ruimte.

Dat was een fout.

Want de Afghanen waren voorbereid. Ze hadden de zware ventilator van het plafond getrokken, de rotoren eraf gesloopt en die geslepen door ze langs elkaar te halen. Het waren nu zwaarden. Veel soldaten liepen daardoor ernstige snijwonden op. Anderen werden met propellerkabels gewurgd. De Afghanen, zo werd verteld in Camp 1, hadden gevochten tot ze erbij neervielen. Er zou geen enkele soldaat zijn omgekomen, maar een gevangene vertelde dat hij heel veel bloed op de grond had gezien.

Camp 4 werd volledig ontruimd.

Korte tijd later vielen er wel doden.

Ik sliep in mijn blok in Camp 1. Opeens kwamen er veel soldaten die alle gevangenen wakker maakten. Iedereen moest zijn deken, matras en kleding afgeven. Er moest iets gebeurd zijn.

De volgende nacht hoorde ik een bericht uit Bravo. 'Blok Alpha: drie mensen gedood!' schreeuwde de gevangene.

Weer een nacht later volgden de namen. Een van de doden was
Yassir Talal al Zahrani uit Saudi-Arabië.

Eind 2003 had ik met Yassir in een blok gezeten. Hij was net zo
oud als ik. Een knappe, vriendelijke man. Yassir had een mooie
stem, hij kende de Koran uit zijn hoofd en was dus een tijdje onze
voorbidder. Hij was altijd optimistisch: hij wist zeker dat we op
een dag vrijgelaten zouden worden. Als hij wist dat ik in de buurt
was, liet hij soms berichten overbrengen: 'Yassir heeft gevraagd of
je nog steeds stiekem traint of dat je het al opgegeven hebt.'

'Zeg tegen hem dat ik het nooit zal opgeven,' antwoordde ik
dan.

Ik was erg verdrietig toen ik hoorde dat hij dood was. De twee
anderen kende ik niet. Een van hen was eveneens een Saudi, de
derde kwam uit Jemen. De bewakers zeiden dat ze zichzelf hadden omgebracht, alle drie. Opgehangen.

Een paar weken later kreeg ik buren die in de nacht dat Yassir en de
twee anderen gestorven waren in Blok Alpha hadden gezeten en
Yassir nog gesproken hadden. Die dag was het avondeten vroeger
uitgedeeld, vertelden ze. Het was hun opgevallen dat na het eten
iedereen tegelijkertijd moe was geworden en ging slapen, terwijl
het anders nooit stil was in het blok, zelfs niet als de bewakers hen
eens een keer met rust lieten. Er waren altijd mensen die niet konden slapen; andere zaten de halve nacht te bidden of werden
voortdurend wakker. Bovendien werden de metalen luiken voor

de ramen van het blok neergelaten, alsof er storm kwam, vertelde Yassirs laatste buurman.

Hij was die nacht door een harde knal gewekt. Hij had een IRF-team in Yassirs kooi gezien, daar verder niet over nagedacht en was weer ingeslapen. Even later werden alle gevangenen door de bewakers gewekt. Iedereen moest zijn matras, laken en kleding afgeven. Toen werd Yassir al door hospikken op een draagbaar naar buiten gedragen. Alle gevangenen zagen dat er een stuk laken in Yassirs mond zat en dat zijn handen en voeten met lakens aan elkaar vastgemaakt waren. Er hing ook nog een stuk om zijn nek. Dat was de strop.

De Amerikanen beweerden dat hij zichzelf geboeid had. Maar hoe was dat dan in zijn werk gegaan? Dan had hij met geboeide handen en voeten de strop aan het scherpe gaas moeten vastmaken. En dat allemaal zonder stoel. Dat was bijna onmogelijk. Er waren zelfmoordpogingen geweest, vooral na de voorvallen met de Koran. Maar tot nu toe was niemand erin geslaagd. Gezamenlijke pogingen waren meteen ontdekt. Ik had één keer met Yassir over de zelfmoordpogingen in het kamp gesproken. Hij wees dat af. Zelfmoord is in ons geloof verboden, had hij gezegd.

Het leek ons volslagen onwaarschijnlijk dat de bewakers hem niet op tijd gezien hadden. Ze verloren ons toch nooit een minuut uit het oog! Om zich op die manier vast te binden en op te hangen, moest Yassir enkele minuten nodig gehad hebben, en voor de dood intrad zouden eveneens nog een paar minuten verstreken zijn. En toch beweerden ze dat hij al enige tijd dood was toen ze hem lossneden?

De bewakers wezen erop dat Yassir de wanden van zijn kooi had bedekt, zodat ze hem niet konden zien. Maar waarmee? Met het laken soms, terwijl hij dat toch voor het vastbinden en de strop nodig had? En er was toch een wet die het ophangen van iets überhaupt verbood?

Diezelfde nacht zouden ook de twee andere gevangenen zich op hetzelfde tijdstip in hetzelfde blok en op dezelfde manier hebben opgehangen, terwijl alle andere bewoners van Alpha uitgerekend die nacht als marmotten sliepen?

Als de bewakers ergens in de gangen stonden, duurde het niet lang voor er andere bewakers kwamen om te controleren. Ze waren altijd in beweging, ze werden immers zelf in de gaten gehouden. Waar waren ze die nacht geweest? Wat was er met de mensen op de torens gebeurd die alles in de gaten hielden? Hadden die ook geslapen?

De tweede Saudi die zich opgehangen zou hebben, had een paar dagen daarvoor te horen gekregen dat hij vrijgelaten zou worden. Hij had het aan iedereen verteld en was dolblij geweest. Kort na de zogenaamde zelfmoorden werd inderdaad een groep Saudi's naar huis gestuurd. En die man zou zichzelf van het leven hebben beroofd?

Nee, hij was vermoord, daar waren alle gevangenen het over eens. Misschien hadden ze hem doodgeslagen en daarna opgehangen, misschien hadden ze hem eerst gewurgd. Maar waarom?

Ik had mijn eigen theorie. Het zou kunnen dat de soldaten of de officieren op Cuba bang waren naar de oorlog in Irak gestuurd te worden. Sommigen hadden het er openlijk over dat ze daar in geen geval naartoe wilden. Misschien dachten enkele bewakers en officieren dat als er gevangenen in Guantánamo stierven, de regering Bush in de problemen zou raken, waardoor zij niet meer aan de oorlog hoefden mee te doen.

Veel gevangenen in Guantánamo dachten er zo over. Want de generaals letten er donders goed op dat in Guantánamo geen gedetineerden omkwamen. Ze mochten ons kwellen, ze mochten ons in ijskasten stoppen, ons van lucht beroven en vingers afsnijden, zolang ze ons maar niet doodden. In dit opzicht waren Kandahar en Guantánamo twee totaal verschillende werelden, daar waren we al tijdens de eerste hongerstaking in Camp X-Ray achter gekomen. Ze wilden niet dat wij doodgingen.

Misschien was onze dood een wapen tegen president Bush? Want merkwaardig genoeg waren een paar weken eerder drie gevangenen vergiftigd. Ik heb achteraf met twee van hen gesproken. Op een avond hadden de bewakers ons ineens een dessert geserveerd: baklava. Ze vertelden ons dat er de komende tijd veel gevangenen vrijgelaten zouden worden en dat we dat moesten vieren. Bijna iedereen in mijn blok at de baklava op. Ik niet. Ik vertrouwde het niet. In mijn blok is vervolgens één gevangene de volgende morgen niet meer opgestaan.

Ik had gezien dat hij na het eten was gaan slapen. Tijdens het ochtendgebed lag hij echter in zijn kooi en bewoog zich niet. Het viel ons op dat er wit schuim rond zijn mond zat. We zagen dat hij door hospikken werd afgevoerd. En we hoorden dat ze ook twee andere gevangenen hadden opgehaald.

Een paar dagen later ging het gerucht dat de drie vergiftigd waren. Toen de gevangenen ten slotte terugkwamen, wilden ze ons wijsmaken dat ze pillen hadden geslikt om een eind aan hun leven te maken. We geloofden het niet. Want welke pillen moesten ze dan genomen hebben? Hoe hadden ze daaraan moeten komen? Niemand bezat welke tabletten dan ook; we werden in Camp 1 immers drie keer per dag gefouilleerd, tot onder onze tong aan toe? En wie ziek was en van de Amerikanen pillen kreeg, werd extra goed gefouilleerd. Nee, we waren ervan overtuigd dat de Amerikanen hen er tijdens de verhoren toe gedwongen hadden dit sprookje te verspreiden.

Maar wie was het dan geweest? De bewakers maakten het eten zelf klaar en ze hadden ons de baklava ook gegeven. En wel om dezelfde reden als waarom ze weken later die drie gevangenen doodden. Ze hadden het al met gif geprobeerd, alleen was dat mislukt. De gevangenen hadden het overleefd. De tweede keer wilden ze op zeker spelen. Dat is mijn theorie. Andere gevangenen hadden hun eigen theorie. Ik weet alleen dat we het over één ding allemaal eens waren: het waren geen zelfmoorden.

Camp 1 werd vanwege de sterfgevallen geëvacueerd en verzegeld. Kort daarna werd Camp 4 weer geopend, en ik behoorde tot de eersten die daarnaartoe werden verplaatst. Na de schietpartij bezetten ze echter nog maar twee ruimtes met elk zes of zeven gevangenen. In mijn container trof ik de kreupele oude man, die ik in Camp X-Ray gezien had, en zijn zoon. De oude Afghaan heette Hadji Zad, hij was inmiddels zesennegentig en voor het eerst sinds vier jaar weer samen met zijn zoon. Onze cel werd dagelijks doorzocht en de maaltijdporties waren weer kleiner. Ik kon de oude man nauwelijks aankijken. Ik had medelijden met hem.

In 2005 en 2006 waren over mijn zaak nog twee hoorzittingen voor een onderzoekscommissie, de zogenoemde Administrative Review Board. Maar ik weigerde eraan deel te nemen. Wat zouden ze kunnen doen? Mij net zo lang slaan of met CS-gas bespuiten tot ik niets meer kon zeggen? De tribunalen hadden zonder mij plaats. Telkens een maand later sleepte een escortteam me naar de tribunaalruimte en werd het vonnis voorgelezen.

'De aangeklaagde is in Tora Bora in Afghanistan als aanvoerder van een groep taliban-guerillastrijders gearresteerd. Hij wordt als gevaarlijke, vijandelijke strijder geclassificeerd en verblijft in Guantánamo,' zei de voorzitter.

Dat was de derde en laatste instantie.

Ik protesteerde. 'Jullie weten al vijf jaar heel goed dat ik in Pakistan ben gearresteerd. Wat is dit nu weer?'

'Dit is het resultaat van de bewijzen,' zei de voorzitter.

Het was zinloos.

Kort daarna werd ik naar een verhoorruimte gebracht en aan de grond vastgeketend, maar er kwam geen ondervrager. Uren later verschenen twee soldaten die een telefoon op de tafel neerzetten.

'U wordt zo gebeld.'

Ik was nieuwsgierig. Zou ik nu worden opgebeld door een ondervrager? Of door mijn advocaat? Of de rechter?

Opnieuw moest ik een paar uur wachten. Wat had dit te betekenen?

Plotseling rinkelde de telefoon. Maar er kwam niemand.

Ik kon zelf niet opnemen: mijn handen en voeten waren immers vastgeketend. De telefoon rinkelde onverstoorbaar door.

Ik gooide mezelf op de grond. Met mijn voeten probeerde ik de tafel naar me toe te trekken. Vervolgens schudde ik met mijn voeten de tafelpoot net zo lang heen en weer tot de hoorn van de haak op de grond viel. Ik kroop met mijn hoofd zo dicht mogelijk naar de hoorn. Ik hoorde een zachte stem.

'Hallo? Hallo?'

'Ja...'

'Ik ben het, Baher! Je wordt nu vrijgelaten!'

'Dat weet ik. Hoe gaat het met jou?'

'Murat, je wordt nu vrijgelaten, begrijp je me?'

'Ik weet het. Ze hebben je voor de gek gehouden. Hoe gaat het met je dochter?' zei ik.

'Maar je wordt echt vrijgelaten...'

'Ja, ja. Het is best. Weet je nog dat ze jou een jaar geleden gebeld hebben en tegen je zeiden dat ik al op weg naar Turkije was, en dat jij en mijn hele familie daar speciaal naartoe zijn gevlogen? Wat hebben ze dit keer tegen je gezegd? Hebben ze je een datum genoemd?'

'Dat mag ik niet zeggen… houd gewoon vol!'

We namen afscheid.

Baher hing op en ik hoorde een kiestoon.

Ik had het allemaal al meegemaakt: gevangenen werden naar een vliegtuig gebracht, ze stapten in, er werd hun verteld dat ze naar huis gingen en vervolgens werden ze weer terug naar hun kooi gebracht. Om hen kapot te maken.

Ongeveer een week na het telefoontje werd ik door een escort-team in Camp 4 opgeroepen; ik was net de enige in de luchtgang. Ze gooiden een kledingpakket over de omheining. Het landde op de kiezelstenen.

'Aantrekken!'

Ik maakte het pakket open en bekeek de inhoud. Een soort spijkerbroek, gymschoenen, een wit T-shirt en een spijkerjasje. Ik trok alles aan. Zou ik dan uiteindelijk toch vrijkomen?

Ik ging de container in en nam afscheid van de Afghanen. Ik zei dat als Allah het wilde ik nu vrijgelaten zou worden. Toen nam ik afscheid van de oude man en zijn zoon.

Ik had gehoopt dat hij eerder vrijgelaten zou worden dan ik.

Waar ik naartoe ging wist ik niet. Of naar Duitsland of naar Turkije, of terug naar Camp 1; het meest waarschijnlijk was een Duitse of Turkse gevangenis.

Het afscheid van de gevangenen viel me zwaar. Ze bleven allemaal daar, waar ze gemarteld werden.

Toen ik vrij zou worden gelaten, hielden ze een papier en een pen onder mijn neus. '*Sign this piece of paper,*' zei de officier. '*Saying that you were detained in Guantanamo Bay because you are linked to Al Qaida and the taliban. Or you are never going home.*'

Ik moest ondertekenen dat ik vijf jaar was vastgehouden, omdat ik bij Al Qaida en de taliban hoorde? Anders mocht ik niet naar huis? Moest ik dat ondertekenen na al die jaren, die verhoren, de pijn en de doden? Ik moest nu alsnog schuld bekennen en hen vrijpleiten? Was dit weer een truc?

Ik heb het niet ondertekend.

Ze ketenden me, zetten me de goggles, de oorbeschermers en het masker op en vervoerden me in de kleine tank. We reden op een schip en toen weer aan land. De deur ging open en ze deden mijn goggles en masker even af om mijn baard en mijn haar te doorzoeken. Het was donker. De vliegtuigmotoren waren al aan. De soldaten vormden een halve cirkel om me heen. Ze voerden me de laadklep op en maakten me vast aan een stoel in het midden van het laadruim. Ik telde vijftien bewakers aan boord. Toen kreeg ik de goggles en het masker weer op.

Ik was de enige passagier.

XI

Ramstein, Duitsland

Ze voeren me over een laadklep. Dan doen de Amerikanen eindelijk alles af: goggles, oorbeschermers en masker. Een fel licht ver-
blindt me.

Op de landingsbaan staat een grote, zwarte auto. Maar ik word
niet verblind door de koplampen daarvan, die zijn niet eens aan.
Ik zie drie mannen, ze dragen donkere pakken. Ze zien eruit als
Duitsers.

Het felle licht komt van een toren, hoewel het dag is. Een van
de mannen stopt een briefje in mijn hand. Ze kijken elkaar aan, ze
maken een onzekere indruk. 'Meneer Kurnaz, wij zijn gekomen
om u op te halen. U kunt ons vertrouwen, we hebben een brief
van uw moeder.'

Ik knijp mijn ogen tot spleetjes en probeer het briefje te lezen.
Het is moeders handschrift: 'Lieve zoon Murat, dit zijn Duitse beambten, zij zullen je naar ons toe brengen. Je vader en ik, Ali, Alper, je Duitse en je Amerikaanse advocaat wachten buiten op je.
Liefs, moeder.'

Bovenaan staat een datum: 24-8-2006.

Is het augustus?

We stappen in een Japanse auto. Een van de beambten gaat naast me zitten. We bevinden ons nog op een Amerikaanse basis. Ik zie legervoertuigen en hangars. De man naast me haalt een klein doosje tevoorschijn, klapt dat open en typt iets. Dan klapt hij het dicht en belt ermee.

'Wat is dat?'

'Een mobiel, het is een soort kleine computer met schrijffunctie,' zegt hij.

Mijn polsen en enkels doen pijn; de boeien hadden veel te strak gezeten.

De bijrijder bedient een mobilofoon. Hij kraakt.

'Verdachte auto voor, rijrichting veranderen. Rijdt u…'

De chauffeur remt en keert. Ik kijk naar de man naast me. 'De media. We proberen de media te ontwijken. Er is weliswaar al een andere auto vooruitgereden om hen af te leiden, maar we willen op zeker spelen,' zegt hij.

Ik weet dat ik in Duitsland ben en misschien ben ik zelfs wel vrij; ze hebben me in ieder geval geen handboeien omgedaan. Ik wil graag slapen. Zo snel mogelijk. Maar ik wil ook mijn familie zien en ik weet helemaal niet wat ik tegen de beambte moet zeggen. Ik zeg niets.

Telkens weer kraakt de mobilofoon en slaat de chauffeur een andere richting in.

We komen in een stad. Ik zie onbekende auto's langs de kant van de weg, kijk naar al die mensen en kleuren. Ik heb dat jarenlang niet meer gezien en het overweldigt me. Waar zijn we?

'We brengen u naar het Rode Kruis.'

De auto stopt op een parkeerplaats voor een groot gebouw. Het ziet eruit als een hotel. Mijn eerste stap op Duitse bodem, denk ik. Het gebouw is een bejaardentehuis. Dat staat erop. Een conciërge doet de deur open.

'Hartelijk welkom, meneer Kurnaz,' zegt een vrouw. Ze glimlacht naar me. 'Ik ben van het Rode Kruis.'

Dat waren de eerste aardige woorden die ik in vijf jaar gehoord had.

In de entreehal: naambordjes. EETZAAL, DANSZAAL, TOILETTEN. De conciërge, de vrouw van het Rode Kruis en de beambten leiden me naar een lift.

Als de liftdeur weer opengaat, staat mijn familie voor me. Ik herken moeder. Ze is erg afgevallen. Mijn broer Ali staat daar, en mijn oom. Alper zie ik niet. En waar is vader?

Moeder omhelst me en laat me niet meer los. Ze huilt. Ik ben gelukkig, maar ik voel me niet goed, omdat moeder huilt. Dan omhelzen de anderen me.

In de kamer ernaast wacht een hele tafel vol eten. Het is raar, maar ik heb helemaal geen honger. Ik moet het proberen, denk ik, waarschijnlijk heeft die aardige mevrouw van het Rode Kruis het speciaal voor mij gedaan. Alles is zo nieuw, deze mensen in burgerkleding, de mobieltjes; ze laten me daarop foto's zien van mijn tantes en nichten en neven, we fotograferen onszelf met de mobieltjes en kunnen de foto's meteen bekijken, dat is allemaal zo onwerkelijk.

Maar waarom zegt mijn oom niets?

Zachtjes vraag ik aan moeder: is dat vader?

Nu begrijp ik het.

Ik heb mijn vader niet herkend omdat hij indertijd 110 kilo woog en sterk was, en hij nu net zo dun en grijs is als zijn oudere broer. Alper heb ik voor Ali gehouden; hij was pas vijf toen ik uit Duitsland vertrok. Ali is inmiddels een grote, sterke man van achttien. Het is bijna of ik hem helemaal niet ken.

Alper gaat op mijn schoot zitten. Ze staan allemaal om me heen: Baher, mijn Duitse advocaat Bernhard Docke, de vrouw van het Rode Kruis, de beambten en de dokter; moeder heeft hem nu meer nodig dan ik, hij geeft haar kalmeringspillen.

De advocaten willen weten hoe ik naar Duitsland gekomen ben, of ik aan boord nog geboeid was, of ze me iets te eten en te drinken hebben gegeven; de politieagenten praten met de advocaten. Moeder huilt nog steeds een beetje. Ik sla een arm om haar heen en druk haar stevig tegen me aan, en dan zie ik de armband om mijn pols, de groene plastic armband met mijn foto, mijn nummer, 061, en die naam: 'KUNN, MURAT'.

Voor de ogen van mijn familie scheur ik hem open, met twee vingers. Vijf jaar lang hebben ze me bijna dagelijks verhoord, gekweld en gemarteld. Maar mijn naam hebben ze tot op het laatste moment niet goed kunnen spellen. Toen ik hen er een keer op wees, hadden ze me geslagen en gevraagd hoe ik het in mijn hoofd had gehaald een valse naam op te geven. Jarenlang vroegen ze telkens weer naar mijn naam, en ik heb die elke keer weer gespeld.

Ik gooi de armband op de grond.

Ali raapt hem op en stopt hem in zijn zak.

's Avonds rijden we weg. We zitten in vaders Mercedes; het is zeshonderd kilometer naar Bremen. We doorkruisen deze vreemde stad; Baher en de Duitse advocaat rijden in een andere auto voor ons uit. Ik heb het gevoel dat ik uit het verleden kom.

Vijf jaar mag dan een niet zo heel lange tijd zijn, maar als je vijf jaar zit opgesloten in een kooi, geen televisie hebt, geen nieuws ontvangt, geen krant leest, geen radio hoort, alleen kooien en mensen in uniformen ziet, dan is het alsof je terugkeert uit de steentijd.

Moeder, Ali en Alper zitten achterin. Ik denk aan mijn vrouw en aan oom Ekram, die voor mij als een vriend en broeder is. Oom Ekram had vanwege een steekpartij een paar jaar in de gevangenis gezeten, daar had hij me over verteld, en ik heb in de gevangenis vaak aan zijn woorden gedacht. Hij is de enige die het zich kan voorstellen: Guantánamo. De enige met wie ik erover kan praten. De auto voor ons rijdt de oprit van een snelweg op. Als ik thuis ben, neem ik me voor, zal ik als eerste oom Ekram bellen.

Ik vraag aan vader hoe het met oma gaat.

Ze is gestorven, zegt vader. 'En er is nog iemand gestorven van wie je veel hebt gehouden.'

Ik weet meteen over wie hij het heeft. 'Is het oom Ekram?'

'Ja.'

Mijn blijdschap is weg.

Ik kan niet eens meer vragen hoe hij gestorven is. Het leven dat ik in Duitsland achter heb gelaten, zal nooit meer zo zijn als ik het me had voorgesteld. Oom Ekram zou nu halverwege de dertig zijn geweest.

We rijden een poosje, Alper is in slaap gevallen. Het is donker geworden. Niemand zegt iets.

Vader rookt.

'Ik zal Fatima zo snel mogelijk naar Duitsland halen.'

Vader kijkt me aan. 'Ze zal niet komen,' zegt hij.

Ik ben verbaasd. We hebben elkaar vijf jaar niet gezien. Ze is mijn vrouw. Natuurlijk komt ze!

'Nee, ze komt niet.'

'Waarom niet? Ik bel haar op. Ze zal toch wel weten dat ik vrij ben, of niet?'

'Ze heeft zich van je laten scheiden.'

Ik stel geen vragen meer. Vader rijdt.

Allah zal ons geven wat goed voor ons is.

Dat zeg ik.

Wat moest ik anders doen? Fatima heeft jarenlang niet geweten of ik nog leefde. Geen telefoontje, geen enkel levensteken. Ze had absoluut het recht om zich te laten scheiden. Ze is nog jong. Ze wist niet of ik ooit nog terug zou komen. Ze was een goede vrouw, zei vader later. Ze heeft drie lange jaren op je gewacht. Zonder een woord van jou. Als ze had geweten dat je over tien jaar vrij zou komen, dan had ze op je gewacht.

Nu ben ik blij voor Fatima. Hopelijk is ze met een andere man getrouwd en is ze gelukkig. Ik hoop dat ze gelukkig is. Ik heb geen contact met haar. Ik wil haar niet aan vroeger herinneren.

De auto voor ons knippert met zijn lichten, de advocaten rijden een parkeerplaats langs de snelweg op. We stoppen en ik stap uit.

'Ik heb koffie in de kofferbak,' zegt moeder. 'Wil je koffie?'

Natuurlijk wil ik koffie.

Moeder schenkt een mok voor me in en ik kijk naar de sterren; voor het eerst in al die jaren zie ik de sterren! Zo mooi zijn de sterren nog nooit geweest. Nu is me duidelijk wat ze me hebben afgenomen, al die jaren.

Het is donker, ik zie de sterren, als een vrij man.

De koffie ben ik totaal vergeten.

Als we in Bremen aankomen, staat er een tiental auto's in onze straat. Schijnwerpers, bestelwagens, bussen met satellietschotels op het dak. Fotografen en cameramensen verdringen zich voor ons huis. Ik kijk er niet naar. Ik wil niet met hen praten en ik wil niet dat ze me fotograferen.

De advocaten stoppen. Baher stapt uit. Ik zie hoe de journalisten hem omringen. Er wordt geflitst, het lijkt wel een onweersbui. Baher en Bernhard lopen een eind voorbij ons huis, de meute volgt hen. Moeder en ik stappen uit, snel, moeder gooit een deken over mijn hoofd, we zijn in de gang.

Bahers foto werd in veel kranten geplaatst. Soms stond daaronder: 'De Bremer taliban komt thuis, met korte baard en bril.' Dus ook Baher is nu een keer lid van de taliban geweest. Hij is tenslotte in Egypte geboren.

XII

Bremen, Hemelingen

Ik ging meteen naar de kelder. Ik deed het licht aan, ik wilde mijn kamer weer zien. Het was alsof ik niet weg was geweest. Er was niets veranderd. Zelfs het briefje dat ik een paar dagen voor mijn vertrek had geschreven, lag nog op de tafel: 'batterijen kopen'. Ze hadden niets aangeraakt. Zelfs Alper of Ali hadden er niet in kunnen spelen. Dat was een apart gevoel. De zwarte leren bank, de blauwe slaapbank, de glazen stellingkast, het kleine galjoen. Alles was nog precies zoals ik het als dertienjarige had ingericht.

Onder de kast lag een koffer. Ik trok hem naar voren en deed hem open. Daarin zat een oude diaprojector die ik van oom Ekram gekregen had. Ik haalde hem eruit en bekeek hem. Toen ging ik naar de woonkamer.

Iedereen zat nog rond de tafel, alleen Alper sliep al. De televisie stond zachtjes aan, ik staarde een hele tijd naar het scherm. Ali haalde een portemonnee tevoorschijn. Hij liet me munten en bankbiljetten zien, het waren euro's. Voor mij zag het eruit als speelgoedgeld. In de hoek zoemde de ventilator. Moeder en Ali klaagden over de hitte. Ik vond het lekker koel.

'Jongen, je moet toch honger hebben,' zei moeder.

Op het fornuis stonden talloze pannen. Ze had alles opgediend: köfte, lam, kebab, rijst, bonen, patat, aardappels, verschillende soorten soep. Ze moet dagenlang in de keuken hebben gestaan. Ik deed de koelkast open: het leek wel luilekkerland. Ik zat op de tegels ervoor en pakte alle levensmiddelen eruit, tot en met het laatste mosterdpotje. Toen stapelde ik alles voor me op elkaar. Ik dacht heel goed na over wat ik als eerste zou eten en welke volgorde ik daarna aan zou houden: pittige paprikarijstsoep, kaas, köfte, olijven, kebab, bonen, baklava, zure augurken...

Nee. Eerst een reepje KitKat.

Allemaal.

Ik at wat ik kon.

Ik wist niet hoe laat het was. Maar dat maakte ook helemaal niets uit, ik kon mijn kamer immers verduisteren. Vader sliep al en moeder had inmiddels mijn slaapbank uitgeklapt. Voor het eerst sinds mijn vertrek had ze iets veranderd in mijn kamer. Ik klapte de slaapbank weer dicht, schoof de tafel aan de kant en spreidde het laken uit op de vloerbedekking. Het was donker. In het donker slapen, dacht ik, is heel wat anders. Ik legde mijn hoofd op het zachte kussen en rook aan het dekbedovertrek. Moeder had de was zoals altijd buiten laten drogen.

Het was doodstil.

Er kwam nu niemand om me te fouilleren en te slaan.

Ik sliep erg goed. De eerste keer in bijna vijf jaar.

De volgende dag kwamen Baher en Bernhard; Baher nam afscheid.

Toen begon het. Vader had de deurbel uitgezet – vanwege de journalisten die ons belaagden – en de telefoon eruit getrokken. Ik heb die er af en toe weer ingestoken en mee naar mijn kamer genomen. Ik belde zo'n beetje iedereen op. Ik vond het zalig. Er kwam voortdurend bezoek: de familieleden wilden me zien.

Iedereen bracht iets te eten mee. Natuurlijk proefde ik alles. Toen kwamen mijn vrienden. Sommigen bleven tot diep in de nacht, maar de volgende morgen ging het gewoon door: het weerzien duurde verschillende weken. Tussendoor bad ik.

Ik praatte met mijn ouders niet over Guantánamo en wat me daar aangedaan was. Ik luisterde veel naar mijn familieleden en vrienden. Ze stelden me geen vragen. Ik zou die beantwoord hebben.

Niemand wilde het weten. Alleen Bernhard stelde me vaak vragen.

Ongeveer tien dagen stonden de fotografen en cameramensen voor ons huis. Daarna bliezen de meesten de aftocht. Ik ging de eerste drie weken de deur niet uit, pas daarna sloop ik voorzichtig naar buiten. Twee vrienden uit Hemelingen waren naar me toe gekomen en we namen vaders Mercedes. Ik kon eindelijk weer autorijden. We reden naar de plek waar ik als kind altijd gespeeld en gevist had. Naar de Weser, waar de scheepswerf was en de grote schroothoop. Het was al donker en we liepen een eindje in het gele schijnsel van de fabriekslantaarns. Ik ging op een bolder zitten en keek naar het water.

Pas op dat moment ben ik echt thuisgekomen.

Ik ga ook nu nog graag naar die plek; alleen. Vroeger fietste ik ernaartoe, nu ga ik op de motor. Je kunt geweldig motorrijden op de nieuwe wegen. Op de plek waar vroeger aardappel- en maisvelden langs de Weser lagen, is nu een industrieterrein. Aan het Hegemannmeer ruikt het nog altijd naar koffie. Hier zit ik 's avonds vaak en vind ik een soort innerlijke rust.

Sinds ik terug ben ga ik nauwelijks de straat meer op; ik neem liever vaders auto of de motor. Lopend kom ik niet ver; ik heb het een paar keer geprobeerd. Ik word door zo veel mensen aangesproken; enkelen willen een foto, sommigen zelfs een handtekening. De meesten zijn erg aardig, ze stellen me vragen, Maar die kan ik niet allemaal beantwoorden en ik wil geen arrogante indruk wekken door nee te zeggen.

Ik weet dat ik met mijn baard en lange haar opval. Maar ik ben gesteld op mijn baard. Ik vind hem mooi. Die baard laten groeien, was de enige vrijheid die ik in Guantánamo had.

Onlangs werd ik in Hemelingen op straat aangesproken door een jongen. Hij was het kleine broertje van een vriend uit mijn jeugd; hij was inmiddels tweeëntwintig. Hij vertelde me dat hij ook drie jaar in de gevangenis had gezeten, in Bremen. Hij had in die tijd alles verzameld wat over mij gepubliceerd werd. Het bleek dat ik een soort voorbeeld voor hem was geweest. Mensen die al eens in de gevangenis hebben gezeten, tonen blijkbaar een bijzondere belangstelling voor mijn verhaal.

Op een dag kwam de burgemeester van Bremen bij ons. Hij overhandigde een bos bloemen en verklaarde dat hij niets te maken had met het oude bestuur van Bremen en dat hij me wilde verwelkomen. Hij was de enige die zich op deze manier uitte. Afgezien van mijn advocaat heeft niemand me ooit gevraagd of ik medische of psychische of andere hulp nodig had.

Ik had tot voor kort geen ziektekostenverzekering, omdat ze tegen me zeiden dat ik een baan of een uitkering nodig had om daar aanspraak op te kunnen maken. Ik heb geprobeerd Hartz IV [op 1 januari 2005 zijn in Duitsland ter hervorming van het sociale stelsel de Hartz IV-wetten ingevoerd; Vert.] aan te vragen, maar niemand heeft me daarbij geholpen. Er ontbraken altijd wel bepaalde papieren. Op een bepaald moment heb ik het opgegeven. En nu heb ik eindelijk een nieuwe baan gevonden.

Een andere keer was er brand in de buurt. Ik was net met de motor aangekomen en had mijn helm en daaronder mijn bivakmuts nog op. In onze gang rook het naar rook. Ik rende naar boven; daar stonk het nog erger. Ik deed alle ramen dicht en ging naar buiten om te kijken waar rook vandaan kwam.

Het garagebedrijf aan het eind van onze straat stond in brand. De roetzwarte rook van de brandende autobanden trok over onze huizen. De brandweer was er al en veel mensen uit onze buurt stonden naar de bluswerkzaamheden te kijken. Ik droeg mijn motorjack nog en hield vanwege de giftige walmen ook mijn bivakmuts op. Toen de politie arriveerde, vroeg ik aan een van de agenten of ze vanwege de rook niet beter de huizen in de omgeving konden evacueren.

'Alles onder controle,' zei de agent.

Ik keek nog eens naar het vuur. Er arriveerden cameraploegen.

Even later kwam er een politieagent naar me toe. Hij zei dat hij graag mijn gezicht wilde zien. Ik deed de bivakmuts af.

'Nu weet ik wie je bent,' zei de agent.

Hij liep naar de auto en gaf iets door over de mobilofoon. Toen kwam hij terug. 'Waarom heb je dat masker op?'

'Omdat er brand is. Ik heb net een stuk op mijn motor gereden en toen heb ik hem vanwege de brand opgehouden.'

Hij wilde mijn identiteitsbewijs zien, maar ik had alleen mijn rijbewijs bij me. 'Waar staat je motor?'

'Hier voor de deur. Wilt u hem zien?'

'Nee. We nemen je nu mee en gaan kijken of je iets met die brandstichting te maken hebt.'

Onderweg belde moeder mij op mijn mobiel.

'Duits praten, niet Turks,' siste de politieagent.

Ik legde moeder in het Duits uit waarom ik onderweg was naar het politiebureau in Bremen. Ik wilde van de beambte weten of ze me ook weer terug zouden brengen of dat mijn moeder mij moest komen ophalen. De agent antwoordde niet. Op het politiebureau zeiden de beambten dat ik me helemaal moest uitkleden. Ze wilden zien of ik brandversnellers bij me had. Ik zei tegen hen dat mijn geloof het me verbood me in hun aanwezigheid helemaal uit te kleden. De beambte zei: 'Dan halen we onze collega's en dwingen je ertoe, dat zul je absoluut niet leuk vinden!' Ik stelde voor dat ze de ramen dicht zouden doen en dat ik mijn schaamstreek met mijn jack zou bedekken. Dan konden ze mijn kleding doorzoeken.

Dat vonden ze goed.

Ik had niet eens een aansteker bij me, aangezien ik niet rook.

Ik heb nare herinneringen aan dit voorval. Moeder is onnodig schrik aangejaagd en ik vraag me af: waarom was ik van al die honderden mensen op straat de enige die mee naar het politiebureau moest? Was ik in de ogen van de agent nog steeds een terrorist? Een lid van de taliban die een garagebedrijf tweehonderd meter van zijn huis in brand steekt?

Kort na Kerstmis 2006 werd ik door de recherche van Bremen gedagvaard. Ik moest nog één keer mijn standpunt uitspreken over de twee Duitse soldaten die mij in Kandahar geslagen hadden. Het ging om de vraag of ik hen op foto's zou kunnen identificeren. Ik reed met Bernhard naar het hoofdbureau van politie. Daar wilden ze ons fouilleren op wapens. Bernhard protesteerde. Hij zei dat ik als getuige was opgeroepen en niet als verdachte.

Waren ze bang voor mij?

Ik heb lang in het ongewisse verkeerd over het feit of ik geobserveerd of afgeluisterd werd. Nu eens hoorde ik een kleine echo als ik iemand opbelde. Dan weer stond er dagenlang een bestelauto in onze straat die ik verdacht vond. Een andere keer kwam een stuk tekst dat met dit boek te maken had niet bij de geadresseerde aan. Misschien was het allemaal toevallig.

Mijn uitspraken in de media hebben ertoe geleid dat er in de Bondsdag een onderzoek werd ingesteld. Ik heb verklaringen afgelegd voor de CIA-onderzoekscommissie in Brussel en voor de BND-onderzoekscommissie in Berlijn. In de pauze tijdens de zitting wendde een van de beambten die mij in Ramstein had opgevangen en me naar mijn familie had gebracht, zich tot mij en zei: 'Ik wist daar allemaal niets van.'

Wat ík niet wist: de Amerikanen zouden mij al in 2002 onschuldig hebben bevonden en vrij hebben willen laten. Ik heb me daar zeer over verbaasd. Waarom hebben ze me dan niet laten gaan?

Ik hoorde dat de Duitse regering mij kennelijk het land niet binnen wilde laten en mijn verblijfsvergunning niet wilde verlengen op grond van het feit dat ik het aanvraagformulier niet op tijd had ingeleverd. Maar dat kon ik immers niet doen omdat ik in Guantánamo zat. En dan nog: als ik dit geopperd had, zouden de Amerikanen me vierkant uitgelachen hebben.

Mijn advocaat vertelde me dat Duitse instanties zelfs geprobeerd hebben mijn paspoort bij de Amerikanen los te peuteren, zodat ze de verblijfsvergunning daarin ongeldig konden maken. Ik weet niet of het klopt. Als het allemaal waar is, als ze toelieten dat ik gemarteld werd, terwijl ze dat hadden kunnen voorkomen, dan heb ik daar geen woorden voor.

Ik heb nu een verblijfsvergunning voor onbepaalde tijd en zou het Duitse staatsburgerschap kunnen aanvragen. Ik weet niet of ik dat zou krijgen. Ik wil graag in Duitsland blijven. Ik wil graag in Hemelingen wonen en werken. Ik ben hier geboren, opgegroeid en naar school gegaan, net als alle anderen. Natuurlijk praten wij thuis Turks, maar ik woon in Duitsland en ik voel me Duitser. Ik wil graag speciaal bondskanselier Angela Merkel bedanken voor het feit dat ze zich voor mijn vrijlating heeft ingezet.

Het land waarvan ik staatsburger ben, heeft me niet geholpen. In plaats daarvan moet ik nu mijn dienstplicht in Turkije gaan vervullen. De Turkse instanties hebben deze keer geen tijd verloren laten gaan: één dag nadat ik in Hemelingen was aangekomen, kwam de mededeling uit Turkije.

Wat mijn vriend Selcuk, de zogenaamde zelfmoordterrorist, betreft: hij woont in Bremen. Ik heb gehoord dat hij vader is geworden. Ik weet niet wat Selcuk indertijd werkelijk geloofd of gedaan heeft. Ik heb hem nooit meer gezien. Ik verwijt het hem niet dat hij niet naar Karachi is gekomen. Maar ik wil liever geen contact meer met hem. Ik wil een nieuw leven, nieuwe vrienden.

Misschien was alles anders gelopen als Selcuks broer indertijd niet tegen de douanebeambte in Frankfurt had gezegd dat we naar Afghanistan wilden om te vechten. Het is nu eenmaal gebeurd. Je kunt het niet terugdraaien. Ik heb in een krant gelezen dat Selcuks broer op zijn uitspraak is teruggekomen.

Langzamerhand begin ik te begrijpen hoe ik indertijd in die enorme internationale politieke molen terecht ben gekomen, hoewel ik veel verbanden nog steeds niet helemaal kan leggen. Ik begrijp echter ook dat ik sinds mijn verklaring voor de Berlijnse onderzoekscommissie weer in de politieke molen terechtgekomen ben, zonder dat ik dat van plan was.

Ik heb daar geschetst wat me overkomen is. Ik was blij dat ze naar me luisterden. Maar sinds die tijd heb ik het gevoel dat ik opnieuw word aangeklaagd, er weer van verdacht word een terrorist te zijn, hoewel de Amerikanen en de Duitsers die mij in Guantánamo verhoord hebben, en ook het Openbaar Ministerie in Bremen dat mijn zaak heeft onderzocht, tot de eensluidende conclusie gekomen zijn dat ik onschuldig ben.

Ik hoop dat er op een dag niet meer aan mijn onschuld getwijfeld wordt. Maar iets anders vind ik nog belangrijker.

De presentator van een Turkse nieuwsuitzending vroeg me of ik de film *Road to Guantanamo* had gezien; hij wilde weten hoe geloofwaardig die was. Ik antwoordde dat het een goede film was, maar dat hij maar een fragment van de waarheid liet zien.

Je moet het vertellen. Je moet iets inbrengen tegen de eindeloze berichten die ze in Guantánamo schrijven: ja, ik wilde mijn deken afgeven en desondanks werd ik nog vier weken in de isoleercel gestopt. Je moet vertellen hoe Abdul zijn benen en de Marokkaanse kapitein zijn vingers zijn kwijtgeraakt, hoe de gevangenen in Kandahar gestorven zijn. Je moet vertellen dat de artsen alleen maar kwamen om te kijken of je al dood was of dat ze nog wel een tijdje door konden gaan met martelen.

Ben ik door Guantánamo veranderd? Ik geloof het niet. Ik ben nog steeds dezelfde. Ik heb dezelfde naam en ik woon nog in hetzelfde huis. Aan het eind van het interview vroeg de Turkse presentator wat ik ging doen als het boek klaar was. Ik antwoordde dat ik, met Gods wil, wilde trouwen en een gezin stichten.

Maar misschien heeft Guantánamo me toch veranderd. Ik weet nu wat mensen andere mensen aan kunnen doen. Wat politici zeggen en hoe ze handelen. Veel dingen kan ik opnieuw waarderen. Wat het betekent om te mogen slapen en eten. Vrij te zijn.

Misschien is het zo te begrijpen: ik zit nu in mijn kamer en heb hier alles: internet, televisie, telefoon, genoeg te eten. Ik heb halters, ik kan sporten. Ik heb boeken, ik kan lezen. Maar als iemand die deur op slot zou doen en ik gevangenzit, wat dan? Hoe lang zou je het in deze kamer kunnen uithouden? Een etmaal zou geen probleem zijn. Een week misschien ook niet. Maar maanden? Misschien kun je je op die manier voorstellen hoe moeilijk het is voor de gevangenen die nog in Guantánamo zijn.

Zij moeten lijden, terwijl ik hier mijn chocoladereep eet en mijn mandarijntje pel. Zij worden geslagen en moeten verhongeren. Ik denk minder aan mijn gevangenschap dan aan de mensen van wie sommigen daar al op veertienjarige leeftijd aankwamen en hun jeugd onder martelingen hebben doorgebracht. Ik eet, drink en slaap zoals vijf jaar geleden, maar ik weet dat er op Cuba mensen gemarteld worden. Als ik aan hen denk, heb ik verdriet.

Ik bid dat ze vrij zullen komen en dat de gevangenis gesloten wordt.

Ik heb met moeder en vader nog niet over Guantánamo gepraat. Ze hebben me er niet naar gevraagd.

Misschien heeft dat tijd nodig.

Toen ik een keer naar buiten keek, sneeuwde het. Toen kwam moeder binnen en vroeg: hoe was dat op Cuba, sneeuwde het daar ook?

Nee, moeder. Natuurlijk niet.

Het sneeuwt niet op Cuba.

Chronologie

3 oktober 2001
Een paar weken na de aanslagen van 11 september vliegt de ne-
gentienjarige Murat Kurnaz van Frankfurt naar Karachi in Pakistan. Getuigen melden dat Kurnaz waarschijnlijk naar Afghanistan wil om tegen de Amerikanen te vechten. Hij verblijft de
weken erna in Pakistan.

7 oktober 2001
Begin van de oorlog in Afghanistan. Amerikaanse strijdkrachten
bombarderen stellingen van de taliban en opleidingskampen van
Al Qaida.

11 oktober 2001
Het Openbaar Ministerie in Bremen stelt een gerechtelijk vooronderzoek in naar Kurnaz en drie andere personen 'op verdenking van het vormen van een criminele organisatie'. In haar ver-
twijfeling legt vooral zijn moeder belastende verklaringen af over
haar zoon: hij is veranderd, heeft zijn baard laten staan en is vermoedelijk beïnvloed door de voorbidder van een moskee. Die
laatste wordt afgeluisterd, maar contacten met Kurnaz worden

niet geconstateerd. Een leerkracht citeert anonieme medeleerlingen van Kurnaz tegen wie hij gezegd zou hebben dat hij naar Afghanistan toe wilde.

1 december 2001
Kurnaz wordt in de buurt van Peshawar bij een controlepost op de weg gearresteerd en na een dagenlang oponthoud in verschillende Pakistaanse gevangenissen aan de Amerikaanse strijdkrachten overgedragen. Die deporteren hem naar Afghanistan, waar ze hem in een geheime Amerikaanse gevangenis in Kandahar opsluiten en martelen. Toen hij in Pakistan gearresteerd werd, was Kurnaz op weg naar het vliegveld. Hij wilde terug naar Duitsland.

15 december 2001
Een verkenningsgroep van de Duitse elite-eenheid KSK arriveert in Afghanistan. Tot het takenpakket van de KSK-soldaten behoort het bewaken van de geheime Amerikaanse gevangenis in Kandahar, waar Kurnaz gemarteld wordt.

9 januari 2002
De Duitse geheime inlichtingendienst BND brengt de bondskanselarij [vgl. ministerie van Algemene Zaken; Vert.] op de hoogte van het feit dat Kurnaz een Turks paspoort heeft en in het Zuid-Afghaanse Kandahar wordt vastgehouden. Ook de Duitse KSK-soldaten weten dat op de Amerikaanse basis een van terrorisme verdachte uit Duitsland geïnterneerd is.

11 januari 2002
Het eerste gevangenentransport van Afghanistan naar Guantánamo. Volgens de Amerikaanse vicepresident Dick Cheney moeten daar in de toekomst 'de ergsten van de ergsten' geïnterneerd worden.

18 januari 2002

De Duitse federale recherche BKA draagt informatie over Kurnaz over aan de Amerikaanse FBI. Het gaat om inzichten van de LKA (Landeskriminalamt) in Bremen, afkomstig uit het gerechtelijk vooronderzoek naar het vormen van een criminele organisatie.

20 januari 2002

De Amerikaanse regering maakt foto's uit Guantánamo openbaar. Daarop staan vernederde geketende gevangenen met oorkleppen en zwarte brillen. Het kamp ligt in een Amerikaanse militaire basis op Cuba; volgens het Pentagon heeft de Amerikaanse justitie hier niets te vertellen. De VS weigert de gevangenen de status van krijgsgevangene, bestempelt hen als 'onrechtmatige strijders' en lokt daardoor internationaal protest uit.

23 januari 2002

Volgens een BND-bericht bevindt Kurnaz zich nog in Afghanistan; zijn 'overplaatsing naar Guantánamo' wordt echter 'voorbereid'. Voorts meldt het telegram van de geheime dienst: er is een 'aanbod' van de VS om 'M.K. te spreken en te ondervragen'.

28 januari 2002

Verschillende media berichten dat Kurnaz zich in Afghanistan in Amerikaanse gevangenschap bevindt. Het stigma 'Bremer taliban' is geboren.

29 januari 2002

In het departement van de bondskanselier vergadert de zogenaamde 'Präsidentenrunde' onder voorzitterschap van Frank-Walter Steinmeier. De leden van dit exclusieve gezelschap zijn, naast Steinmeier en diens coördinator van de geheime dienst, in de regel de hoofden van de BKA, de BND en de BfV [vgl. Binnenlandse Veiligheidsdienst; Vert.], evenals de staatssecretarissen van Buitenlandse Zaken, Binnenlandse Zaken en Justitie. Het gezelschap besluit op het aanbod van de VS in te gaan en Kurnaz in Guantánamo door Duitse ambtenaren te laten ondervragen.

30 januari 2002
Volgens een interne notitie bespreken het hoofd van de BND, August Hanning, en de staatssecretaris van Joschka Fischer, Günter Pleuger, of een vertegenwoordiger van Buitenlandse Zaken naar Guantánamo zal reizen om Kurnaz te verhoren. Een 'beslissing van BM Fischer hierover' laat nog op zich wachten, staat in een e-mail.

31 januari 2002
Bondskanselier Gerhard Schröder vliegt naar Washington. Tijdens het staatsbezoek aan het Witte Huis brengt hij de kwestie Murat Kurnaz niet ter sprake. Tijdens de voorbereidingen is overwogen om George Bush hier rechtstreeks over te benaderen, maar men wil de betrekkingen met de VS niet belasten.

1 februari 2002
Rabiye Kurnaz schrijft naar Buitenlandse Zaken. De moeder van Murat Kurnaz vraagt om inlichtingen over haar zoon. De politie informeert haar over de ophanden zijnde overplaatsing van haar zoon naar Guantánamo. Hevig verontrust zoekt ze hulp bij Amnesty International en de protestantse kerk.

2 februari 2002
Amerikaanse militairen brengen Kurnaz per vliegtuig naar Guantánamo.

8 februari 2002

Minister van Buitenlandse Zaken Joschka Fischer beantwoordt persoonlijk een brief van de bezorgde ouders van Kurnaz, en wijst Duitse diplomaten aan die zich moeten inzetten voor een consulaire vertegenwoordiging van Kurnaz. De Duitse ambassade in Washington vraagt de Amerikaanse instanties om inlichtingen omtrent Kurnaz.

15 februari 2002

De procureur-generaal bij het hoogste federale gerechtshof in Duitsland weigert het gerechtelijk vooronderzoek van Bremen tegen Kurnaz over te nemen. Reden: er is geen 'bewijsmateriaal' gevonden dat een vervolging wegens het vormen van 'een terroristische organisatie' rechtvaardigt.

20 februari 2002

De president van de LfV uit Bremen [vgl. veiligheidsdienst van de deelstaat; Vert.], Walter Wilhelm, schrijft een notitie waarin staat dat Kurnaz contacten heeft in het terroristische milieu. De notitie wordt overgedragen aan de BfV. Ondertussen verhoort de politie van Bremen nog meer vrienden en bekenden van Kurnaz, en ook studiegenoten die hem niet mogen. De meesten sluiten uit dat hij naar Afghanistan wilde om te vechten. Volgens een notitie van de LKA zijn er in de omgeving van Kurnaz 'geen directe verklaringen' te vinden 'die erop duiden dat deze in Afghanistan tegen de Amerikanen wilde strijden'.

14 maart 2002

In een plenaire vergadering levert minister van Buitenlandse Zaken Fischer kritiek op de VS wegens het gevangenkamp in Guantánamo.

28 april 2002

Met ongeveer driehonderd andere gevangenen wordt Murat Kurnaz van Camp X-Ray naar het onlangs gebouwde Camp Delta verplaatst.

27 mei 2002

Advocaat Bernhard Docke uit Bremen neemt de volmacht voor Murat Kurnaz over en informeert vanaf nu de media regelmatig over de ontwikkelingen.

9 juli 2002

Nadat tot dan toe verschillende aanbiedingen van de VS om Kurnaz in Guantánamo te ondervragen op de lange baan zijn geschoven, stemt de Präsidentenrunde in het departement van de bondskanselier alleen in met een verhoor door Duitse ambtenaren van de geheime dienst. Opsporingsambtenaren van de Duitse federale recherche BKA mogen niet mee naar het gebied dat niet onder Amerikaanse jurisprudentie valt. Duitse en Amerikaanse instanties wisselen al maanden gegevens over Kurnaz uit.

17 juli 2002

Advocaat Bernhard Docke schrijft aan minister van Buitenlandse Zaken Fischer: 'De situatie is zorgwekkend: advocaten krijgen tot nu toe geen toegang; eventuele strafrechtelijke aanklachten zijn tot op heden niet verduidelijkt. Voor zover ik weet worden van Amerikaanse zijde tot dusverre totaal geen gegevens verstrekt over het tijdelijke perspectief van de inhechtenisneming, noch wordt opheldering gegeven over de status van de gevangenen of de bindende toepassing van de minimale normen van het humanitaire volkerenrecht volgens het Verdrag van Genève.' In het schriftelijke antwoord van het ministerie staat wat al maanden bekend is: 'Na opnieuw navraag te hebben gedaan bij de Amerikaanse instanties is ons nu pas voor het eerst bevestigd dat de heer Kurnaz inderdaad in Guantánamo wordt vastgehouden.' Het ministerie verwijst naar de problematiek rond de nationaliteit van Murat Kurnaz.

9 september 2002
Na een bezoek aan Guantánamo toont het Internationale Rode Kruis zich openlijk bezorgd over de psychische gezondheid van de gevangenen.

22 september 2002
Verkiezingen in Duitsland: de coalitie van de rood-groene regering wint met een nipte meerderheid. Doorslaggevend was het demonstratieve 'nee' van kanselier Schröder tegen de oorlogsplannen van de Amerikaanse president Bush in Irak, wat tot ernstige ontstemdheid tussen Washington en Berlijn leidt. Schröder blijft kanselier, Steinmeier chef van het departement van de bondskanselier, Fischer minister van Buitenlandse Zaken en Schily van Binnenlandse Zaken.

23 en 24 september 2002
Twee leden van de BND en één iemand van de Duitse binnenlandse veiligheidsdienst ondervragen Kurnaz in totaal twaalf uur onder toezicht van de CIA. Na het verhoor heeft de man van de binnenlandse veiligheidsdienst een gesprek met een stafofficier van de CIA. Hij noteert dat 'voor zover de Amerikaanse partnerorganisatie het kan inschatten een niet onbelangrijk deel van de aldaar geïnterneerden een terroristisch milieu niet toe te rekenen valt'. Er zouden rechtstreeks uit het Pentagon signalen zijn dat Murat Kurnaz 'reeds in de nabije toekomst' zou kunnen vrijko-

men. In de aantekeningen van de meegereisde man van de binnenlandse veiligheidsdienst staat echter ook: 'Tegen de achtergrond van een mogelijkerwijs snel ophanden zijnde vrijlating van Kurnaz moet helderheid verschaft worden over het feit of Duitsland de terugkeer van de Turkse staatsburger überhaupt wenst. Indien nodig zou Duitsland, gezien de te verwachten media-aandacht, in ieder geval aan moeten kunnen tonen dat alles in het werk is gesteld om zijn terugkeer te verhinderen.'

26 september 2002
De BND seint naar Berlijn: 'VS beschouwt de onschuld van Murat Kurnaz bewezen. Hij moet over zes tot acht weken vrijgelaten worden. De Duitse instanties worden vooraf op de hoogte gebracht, zodat de vrijlating kan worden getoond als iets dat van Duitse zijde bewerkstelligd is.' Er wordt overwogen om Murat Kurnaz na zijn terugkeer als V-man [informant; Vert.] in het islamistische milieu in te zetten.

8 oktober 2002
In het departement van de bondskanselier komt een bericht van de BND binnen over de verhoren in Guantánamo. Daaropvolgend is er volgens de informatie van een werknemer van de CIA een 'goede kans' dat Kurnaz samen met andere gevangenen reeds in november zal vrijkomen. Tijdens de Präsidentenrunde zijn de hoofden van de veiligheidsdiensten het erover eens dat ze Kurnaz niet als V-man in willen zetten.

13 oktober 2002
Het Openbaar Ministerie in Bremen beëindigt voorlopig het gerechtelijk vooronderzoek tegen Kurnaz.

27 oktober 2002
In Guantánamo worden de eerste gevangenen vrijgelaten en terug naar hun vaderland gebracht. Het gaat om drie Afghanen en een Pakistaan. In de internationale media maken zij melding van isoleercellen en mishandeling.

29 oktober 2002
Tijdens de Präsidentenrunde in het departement van de bondskanselier wordt onder leiding van Steinmeier overlegd over een 'navraag van de VS' of Kurnaz naar Duitsland of Turkije uitgewezen dient te worden. President van de BND Hanning pleit voor een uitwijzing naar Turkije en een inreisverbod voor Duitsland. Coördinator van de geheime dienst Ernst Uhrlau, staatssecretaris van Binnenlandse Zaken Claus-Henning Schaper en de andere leden van het gezelschap zijn het daarmee eens.

30 oktober 2002
Op het ministerie van Binnenlandse Zaken wordt op aanwijzing van staatssecretaris Schaper een strategie op papier gezet om te verhinderen dat Kurnaz het land binnen kan komen indien de VS hem toch naar Duitsland uitwijst. 'Gelieve van Amerikaanse zijde het paspoort ter beschikking te stellen,' zo staat er, 'om zo de verblijfsvergunning ongeldig te kunnen maken.'

8 november 2002
De binnenlandse veiligheidsdienst informeert de CIA: in het geval dat Kurnaz wordt vrijgelaten geldt de 'uitdrukkelijke wens' dat hij niet naar Duitsland terugkeert.

9 november 2002
Bij de CIA stuit het besluit van de bondsregering om Kurnaz niet

in Duitsland toe te laten op onbegrip, zoals uit een interne BND-notitie blijkt. De 'vrijlating zou gepland zijn wegens zijn niet vast te stellen schuld én als bewijs van de goede samenwerking met de Duitse instanties'. Aan Amerikaanse zijde wordt vermoed dat de bondsregering wil aantonen fel gekant te zijn tegen het terrorisme. Een andere beslissing zou evenwel 'in het belang van de VS' zijn geweest.

december 2002
De leiding van de Duitse federale recherche BKA is niet tevreden met de resultaten van het verhoor van Murat Kurnaz door de BND en de binnenlandse veiligheidsdienst. Binnen de BKA overweegt men eigen beambten naar Guantánamo te sturen om Kurnaz nog een keer te ondervragen. Daarom vraagt de BKA schriftelijk aan de Amerikaanse instanties of ze Murat inderdaad zullen vrijlaten.

24 februari 2003
Mededeling van de CIA aan de Duitse instanties: momenteel kan een verplaatsing van Kurnaz niet worden gegarandeerd. Later stelt de Amerikaanse krijgsmacht twee vooronderzoeken naar Kurnaz in en doet vergeefse pogingen om inzage in het dossier van het Openbaar Ministerie in Bremen te krijgen.

oktober 2003
Minister van Justitie Brigitte Zypries bezoekt haar Amerikaanse collega John Ashcroft. Hoewel daarbij gesproken wordt over Guantánamo en de internationale kritiek, komt de zaak van Murat Kurnaz niet aan de orde.

12 november 2003
Advocaat Docke schrijft aan minister van Buitenlandse Zaken Fi-

scher: 'De familie van mijn cliënt is uiterst bezorgd over zijn lot. Sinds mei van dit jaar hebben ze geen post meer van hem ontvangen.' Na verschillende herhaalde verzoeken krijgt Docke twee maanden later antwoord. 'Op grond van de nationaliteit van de heer Kurnaz hebben Turkse regeringsvertegenwoordigers hem een bezoek kunnen brengen. Uit deze contacten en op basis van andere aanwijzingen hebben wij de indruk gekregen dat hij naar omstandigheden in goede gezondheid verkeert.'

19 november 2003
Minister van Buitenlandse Zaken Fischer kaart de zaak van Kurnaz zonder succes aan bij zijn Amerikaanse collega Colin Powell. Dagen later onthult *Der Spiegel* details over een tot dan toe onbekend verhoor van Kurnaz door leden van de Duitse geheime dienst in de herfst van 2002.

Begin april 2004
Murat Kurnaz wordt opnieuw verhoord. Hij denkt in zijn ondervragers een van de drie Duitsers te herkennen die hem al in september 2002 hebben verhoord. De drie Duitse ambtenaren ontkennen later in een 'officiële verklaring' aan de kanselarij nog een keer in Guantánamo te zijn geweest.

12 mei 2004
De stad Bremen stelt officieel vast dat Kurnaz' verblijfsvergunning sinds mei 2002 verlopen is. Met een gerechtelijk vonnis verklaart de administratieve rechtbank van Bremen deze uitspraak later onrechtmatig.

28 juni 2004
Het Supreme Court, de Hoge Raad van de VS, kent alle gevange-

nen in Guantánamo het recht toe klachten over hun inhechtenisneming in te dienen bij de Amerikaanse rechtbank. Het gevangenenkamp op Cuba valt onder de jurisdictie van het Amerikaanse federale gerechtshof.

2 juli 2004
Rabiye Kurnaz verzoekt uit naam van haar zoon om een onderzoek naar de verlenging van diens voorlopige hechtenis. Ze maakt kenbaar dat Murat Kurnaz' inhechtenisneming een overtreding van het Amerikaanse constitutionele recht, het Verdrag van Genève en het volkenrecht is. Drieënzestig andere gedetineerden dienen vergelijkbare aanklachten in.

augustus 2004
Waarschijnlijk op aandringen van het ministerie van Binnenlandse Zaken verklaren de autoriteiten in Bremen dat de verblijfsvergunning voor onbepaalde tijd van Murat Kurnaz verlopen is.

30 september 2004
Murat Kurnaz verschijnt in Guantánamo voor een Combatant Status Review Tribunal (CSRT). Dergelijke militaire tribunalen worden sinds enige weken gehouden om de gevangenen te classificeren, tijdens schertsprocessen die wereldwijd door juristen bekritiseerd worden. Alle gedetineerden die een verzoek tot onderzoek naar de verlenging van hun voorlopige hechtenis hebben ingediend, worden door de CSRT als 'vijandelijke strijders' geclassificeerd.

8 oktober 2004
Na het besluit van de Amerikaanse Hoge Raad in de zomer om de ingezetenen van Guantánamo toe te staan een klacht in te dienen

bij de Amerikaanse rechtbank, brengt de Amerikaanse advocaat Baher Azmy voor het eerst een bezoek aan Kurnaz op Cuba. Het is het eerste van verschillende bezoeken van de professor in de rechten uit New Jersey.

1 december 2004

Naar aanleiding van vragen over de toelating dan wel afwijzing van klachten van gevangenen construeert de Amerikaanse federale rechter Joyce Hens Green tijdens een mondelinge hoorzitting hypothetische gevallen. Op die manier moet duidelijk worden wanneer iemand als 'vijandelijke strijder' geclassificeerd dient te worden. Als eerste: 'Een oud dametje in Zwitserland dat cheques uitschrijft voor een organisatie waarvan ze veronderstelt dat die zich inzet voor weeskinderen in Afghanistan, maar die in feite een mantelorganisatie voor de financiering van de activiteiten van Al Qaida is.' Ten tweede: 'Iemand die een zoon van een lid van Al Qaida Engelse les geeft.' En ten derde: 'Een journalist die de verblijfplaats van Osama Bin Laden kent, maar weigert die prijs te geven om zijn bron in bescherming te nemen.' Volgens de uitspraak van de Amerikaanse regering zouden de betreffende personen in alle drie de gevallen als 'vijandelijke strijders' te classificeren zijn, waardoor een inhechtenisneming in Guantánamo gerechtvaardigd was.

31 januari 2005

De Amerikaanse federale rechter Joyce Hens Green oordeelt dat de inhechtenisneming in Guantánamo in strijd is met de Amerikaanse grondwet. In de motivering van het vonnis wordt de zaak van Kurnaz aangehaald aangezien er tegen hem, ook volgens het oordeel van de Duitse regering, geen bruikbare bewijzen zijn.

9 maart 2005

Nadat de Amerikaanse advocaat van Kurnaz zijn cliënt opnieuw in Guantánamo gesproken heeft, maakt Baher Azmy tijdens een persconferentie in Duitsland melding van 'fysieke, geestelijke en seksuele' martelingen die Kurnaz in Amerikaanse hechtenis heeft ondergaan. Een paar dagen later reizen Azmy, advocaat Bernhard Docke en de familie van Kurnaz naar Turkije. De politie daar heeft de komst van Murat Kurnaz uit Guantánamo aangekondigd; de gegevens blijken echter vals te zijn.

14 oktober 2005

Terwijl een lid van het ministerie van Buitenlandse Zaken begin oktober op het Amerikaanse ministerie van Justitie met een vertegenwoordiger van de Nationale Veiligheidsraad over de kwestie Murat Kurnaz praat, noteert een ambtenaar van het departement van de bondskanselier: 'Als de ambassade blijk geeft van belangstelling voor MK, moet aan Amerikaanse zijde toch de indruk gewekt worden dat wij hem terug willen. Het lijkt mij wat ongecoördineerd te verlopen.'

26 oktober 2005

In een akte van het ministerie van Buitenlandse Zaken staat: 'De vraag over het toestaan van de terugkeer van Kurnaz was volgens het ministerie van Binnenlandse Zaken en de chef van het departement van de bondskanselier al verschillende malen onderwerp van gesprek binnen de inlichtingendienst. Daar zou ook met het ministerie van Buitenlandse Zaken afgesproken worden een terugreis van K. niet toe te staan.' De veiligheidsdienst hoopte 'van Amerikaanse zijde meer informatie tegen Kurnaz te krijgen die de verdenking van het steunen van internationaal terrorisme hard zou kunnen maken'. Chef van het departement van de bondskanselier Steinmeier zou, aldus de notitie, tegen de terugkeer van Murat Kurnaz zijn.

22 november 2005
Angela Merkel wordt door de Duitse Bondsdag tot bondskanselier verkozen. Frank-Walter Steinmeier wordt minister van Buitenlandse Zaken, August Hanning staatssecretaris van Binnenlandse Zaken. Ernst Uhrlau, voormalig coördinator van de geheime dienst op het departement van de bondskanselier, volgt Hanning op als het hoofd van de BND. De nieuwe minister van Binnenlandse Zaken Wolfgang Schäuble bevestigt openlijk de activiteiten van de Duitse geheime dienst in Guantánamo.

30 november 2005
Uitspraak van de arrondissementsrechtbank in Bremen: Murat Kurnaz is zijn verblijfsvergunning voor Duitsland niet kwijt. De Duitse ambassade in Washington ontvangt vervolgens een e-mail van het ministerie van Buitenlandse Zaken: 'Het ministerie van Binnenlandse Zaken hecht – intern en vertrouwelijk – waarde aan de constatering dat dit niet betekent dat men Kurnaz hier dus per se graag terug wil hebben.'

16 december 2005
De autoriteiten in Bremen willen na overeenstemming met het ministerie van Binnenlandse Zaken een mogelijke terugreis van Kurnaz tegenhouden. Daarvoor moet belastend materiaal verzameld worden. De president van de LfV uit Bremen, Wilhelm, schrijft een nieuwe notitie met oude, deels weerlegde beschuldigingen dat Kurnaz 'na zijn komst in Pakistan actief de strijd van de taliban/Al Qaida in Afghanistan' gesteund zou hebben.

19 december 2005

Bernhard Docke schrijft naar Angela Merkel en herinnert de bondskanselier aan het feit dat 'de heer Kurnaz nu al meer dan vier jaar onder mensonterende omstandigheden in Guantánamo vastgehouden' wordt. 'Ik heb het ministerie van Buitenlandse Zaken in het verleden verschillende keren verzocht om bij de VS op een eerlijk proces resp. vrijlating aan te dringen in het geval er geen aanklachten worden ingediend,' schrijft Docke. 'Andere Europese landen hebben zich ingezet voor hun staatsburgers in Guantánamo en die vrij gekregen.'

13 januari 2006

De nieuwe bondskanselier Angela Merkel zet zich bij haar kennismakingsbezoek in het Witte Huis bij de Amerikaanse president George Bush in voor de vrijlating van Kurnaz. Een paar dagen eerder heeft ze in een interview openlijk kritiek geleverd op Guantánamo: 'Er dienen middelen en manieren gevonden te worden om op een andere manier met de gevangenen om te gaan.'

17 januari 2006

De Präsidentenrunde in het departement van de bondskanselier besluit dat een mogelijke terugkeer van Kurnaz zal worden geaccepteerd.

29 juni 2006

Uitspraak van het Supreme Court: de militaire tribunalen in Guantánamo zijn illegaal.

13 juli 2006

Bondskanselier Merkel en VS-president Bush praten in de Duitse stad Stralsund opnieuw over de kwestie Kurnaz. Op de achtergrond zijn tussen Amerikaanse en Duitse afgevaardigden al maanden ingewikkelde onderhandelingen gaande over zijn vrijlating.

24 augustus 2006
Kurnaz wordt vrijgelaten en geboeid naar de Amerikaanse luchtmachtbasis in Ramstein gevlogen. Vanaf dat moment wordt hij nog tot december 2006 door de veiligheidsdienst in de gaten gehouden. Tekenen die erop wijzen dat hij door de jaren in het gevangenenkamp in het gezelschap van terreurverdachten geradicaliseerd is, zijn er volgens de verklaringen van de veiligheidsdienst niet.

5 oktober 2006
Stern publiceert het eerste interview met Kurnaz na zijn vrijlating. Daarin schetst hij zijn meer dan vier jaar durende hechtenis in Guantánamo. Hij brengt daarnaast de mishandelingen door Duitse KSK-soldaten in Afghanistan en een tweede verhoor door een Duitse beambte in Guantánamo ter sprake. Onderzoek van *Stern* onderbouwt de getuigenissen van Kurnaz.
Enige tijd later beëindigt het Openbaar Ministerie in Bremen het gerechtelijk vooronderzoek dat na zijn terugkeer weer was geopend, aangezien er onvoldoende grond is voor verdenking.

18 oktober 2006
De bondsregering geeft toe dat Duitse soldaten van de elite-eenheid KSK in Afghanistan contact met de ontvoerde Murat Kurnaz hebben gehad. Zij hebben de Duitse Turk echter niet geslagen. De defensiecommissie van de Bondsdag heeft vanwege de beschuldigingen besloten te fungeren als onderzoekscommissie.

19 oktober 2006
De bondsregering stemt er op aandringen van de oppositie in toe dat de BND-commissie zijn onderzoeksopdracht verbreedt en ook de rol van de rood-groene regering in de kwestie Kurnaz onder de loep neemt.

22 november 2006
Murat Kurnaz legt een verklaring af voor de CIA-onderzoekscommissie van het Europees Parlement. Hij herhaalt zijn beschuldiging aan het adres van twee KSK-soldaten van het Duitse leger die hem aan het begin van zijn gevangenschap in een kamp in het Afghaanse Kandahar hebben geslagen.

14 december 2006
In een artikel in *Stern* wordt onthuld hoe de rood-groene regering een vroegtijdige terugkeer van Kurnaz uit Guantánamo verhinderd heeft. Zo wordt voor het eerst duidelijk welke rol minister van Buitenlandse Zaken Steinmeier (in zijn vroegere functie als chef van het departement van de bondskanselier), BND-president Uhrlau (ex-coördinator geheime dienst) en staatssecretaris van Binnenlandse Zaken Hanning (ex-BND-chef) gespeeld hebben.

8 januari 2007
Het Openbaar Ministerie van Tübingen stelt een gerechtelijk onderzoek in naar twee KSK-elitesoldaten wegens toebrengen van ernstig lichamelijk letsel.

17 en 18 januari 2007
Murat Kurnaz legt een verklaring af voor de commissie in de Duitse Bondsdag. In de defensiecommissie moet opgehelderd

worden of de KSK-soldaten hem mishandeld hebben. De onderzoekscommissie van de BND gaat onder andere na 'welke pogingen in de zaak M.K. door de bondsregering zijn ondernomen om M.K. hulp te bieden en zijn vrijlating tot stand te brengen. In het bijzonder moet duidelijk worden of en, zo ja, welke aanbiedingen voor zijn vrijlating er door de Amerikaanse instanties gedaan zijn, of die door Duitse zijde zijn afgewezen dan wel onbenut zijn gebleven en, zo ja, op welke gronden. In samenhang daarmee moet opgehelderd worden welke Duitse rijksinstanties bij een dergelijke beslissing betrokken waren en wie de verantwoordelijkheid daarvoor draagt.' Talloze volksvertegenwoordigers zijn zichtbaar geschokt door de beschrijvingen van het gevangenenkamp in Guantánamo.

18 januari 2007
Het tijdschrift van de ARD *Monitor* onthult dat de bondsregering in oktober 2005 nog de mogelijke terugkeer van Murat Kurnaz heeft willen verhinderen. De *Süddeutsche Zeitung* en *Stern* komen in de weken daarna met meer details die de minister van Buitenlandse Zaken in het nauw brengen.

23 januari 2007
De CIA-onderzoekscommissie van het Europees Parlement presenteert haar eindrapport. Daarin wordt vastgehouden aan de martelingen van Murat Kurnaz alsmede aan het feit dat hij in 2002 en 2004 verhoord is door Duitsers. Het rapport stelt vast dat 'de geheime diensten van de Verenigde Staten en Duitsland al in 2002 tot de conclusie waren gekomen dat Murat Kurnaz geen contacten met Al Qaida of de taliban onderhield en dat hij geen terroristische bedreiging vormde'. Sensationeel is de uitspraak: 'Op grond van vertrouwelijke institutionele informatie heeft de

Duitse regering het aanbod van de Verenigde Staten in 2002 om Murat Kurnaz vrij te laten uit Guantánamo geweigerd.'

24 januari 2007
Minister van Buitenlandse Zaken Steinmeier bepaalt zijn standpunt in de zaak Murat Kurnaz: 'Er is reden om aan te nemen dat Kurnaz naar Pakistan is gegaan om van daaruit aan de zijde van de taliban in Afghanistan tegen de VS te strijden.' Het is het begin van een lastercampagne van de SPD waarin ook ex-kanselier Gerhard Schröder en voormalig minister van Binnenlandse Zaken Otto Schily het woord vragen om Murat Kurnaz in interviews door middel van allang achterhaalde beweringen ernstig te beschuldigen. Daardoor wordt Murat Kurnaz in het openbaar opnieuw als 'gevaarlijk' bestempeld. Kennelijk moet op die manier de beslissing om in de herfst van 2002 niet op het aanbod van de VS in te gaan en daarmee het lot van Murat Kurnaz bezegeld te hebben, gerechtvaardigd worden.

Nawoord

Slachtoffers van marteling hebben het zwaar in tijden waarin de strijd tegen het terrorisme ontaardt in een strijd tegen de principes van de rechtsstaat. Slachtoffers van marteling hebben het vooral zwaar als ze moslim zijn, een Turks paspoort hebben en, ten teken van hun geloof en doorzettingsvermogen, een lange baard dragen. En wanneer dat wat ze zeggen politieke leiders, hoofden van de geheime dienst en generaals kan ontmaskeren.

Dan kan het gebeuren dat slachtoffers van marteling, ook als ze jarenlang gekweld en vernederd zijn, nog een keer een pak slaag krijgen door middel van een doelbewust gerichte campagne die zich bedient van leugens, halve waarheden en vooroordelen. Heinrich Böll zei in 1974, bij de publicatie van zijn roman *Die verlorene Ehre der Katharina Blum* (*De verloren eer van Katharina Blum*): 'Het geweld van woorden kan soms erger zijn dan dat van oorvijgen en pistolen.'

Op 24 augustus 2006 keerde Murat Kurnaz uit het Amerikaanse gevangenenkamp Guantanamo Bay terug in Duitsland. Zes weken later vertelde hij in *Stern* voor het eerst in het openbaar over wat hem in de afgelopen vijf jaar overkomen was. Eenzame opsluiting, elektrische schokken, het beletten te slapen: excessen in George Bush' *'War against Terror'*. Dat kwam hard aan: het Systeem Guantánamo, het berekende breken van volledig rechteloze mensen. En wat betreft de binnenlandse politiek was het explosief: Duitse elitesoldaten, zo gaf Kurnaz te kennen, hadden hem in Afghanistan mishandeld, Duitse medewerkers van de geheime dienst hadden hem in Guantánamo cynisch uitgebuit, deels wetende hoe hij daar behandeld werd.

Kun je Murat Kurnaz geloven? Velen konden dat niet.

Het uitvoerige en indringende relaas van de vierentwintigjarige man uit Bremen komt echter tot in de details overeen met wat er in de inmiddels zeer omvangrijke verzameling documenten en rapporten over Guantánamo beschikbaar is. Britse ex-gedetineerden en voormalige Amerikaanse militairen hebben melding gemaakt van knokploegen van de militaire politie in Camp Delta, waarvan het bestaan lange tijd door het Pentagon ontkend is. Ex-legerpredikanten en voormalige ondervragingsdeskundigen hebben beschrijvingen gegeven van systematische schendingen van de Koran, evenals seksuele vernedering door Amerikaanse vrouwelijke militairen. FBI-beambten schetsten in interne notities hoe met ontlasting besmeurde gevangenen urenlang vastgeketend in verhoorcontainers zaten te kermen of hoe het hoofd van een bebaarde man met plakband omwikkeld werd. Mensen- en burgerrechtenorganisaties zorgden er vooral via justitiële manieren voor dat nog meer details onthuld werden.

Wie zich slechts enkele taferelen die Murat Kurnaz in dit boek beschrijft levendig kan voorstellen, en vervolgens een keuze uit de gruweldaden maakt, zal de Abu-Ghraibgevangenis herkennen. Wij kennen geen beschrijving die Guantánamo zo gedetailleerd en volledig vanuit het perspectief van de gevangenen weergeeft zoals dat hier gebeurt.

Je kunt Murat Kurnaz geloven. Velen willen dat evenwel niet.

Twee keer heeft het slachtoffer van martelingen zich ten overstaan van openbare parlementaire onderzoekscommissies in Brussel en Berlijn uitgesproken, en de politici daar bleken onder de indruk. Korte tijd later werd Kurnaz echter opnieuw in verband met de taliban en terroristen gebracht. De krantenkoppen luidden: 'KURNAZ, DE VERMOEDELIJKE TERRORIST, NEEMT NU DE ROL VAN SLACHTOFFER AAN', 'HOE DE TURK KURNAZ EEN RADICALE MOSLIM WERD' EN 'BREMER TALIBAN – HOE GEVAARLIJK WAS HIJ WERKELIJK?'

Het ging daarbij niet om de beschuldigingen van marteling tegen de Amerikanen; vooral de uitspraken die de bondsregering en het Duitse leger belastten werden in twijfel getrokken. Zou het kunnen dat Kurnaz inderdaad door leden van de Kommandos Spezialkräfte (KSK) in een geheim kamp op de Amerikaanse militaire basis in Kandahar mishandeld was? De KSK was toen überhaupt niet in Afghanistan gestationeerd, brachten anonieme militairen in de media naar voren.

Ons onderzoek en geheime documenten toonden vervolgens echter aan dat er wel degelijk op het door Kurnaz genoemde tijdstip KSK-soldaten in Kandahar geweest zijn. Het ministerie van Defensie stelde een onderzoek in, de defensiecommissie constitueerde zichzelf tot onderzoekscommissie en in Berlijn geeft men intussen zelfs toe dat KSK-soldaten in het geheime gevangenkamp in Kandahar wachtliepen. Op de tientallen foto's die een officier van justitie uit Tübingen hem liet voorleggen, herkende Murat Kurnaz één soldaat: uitgerekend deze man en zijn begeleider hadden eerder tegenover een officier van justitie toegegeven de man uit Bremen in het kamp aangetroffen te hebben. Ze ontkenden echter de mishandelingen. In dit boek beschrijft Murat Kurnaz dat een van deze KSK-soldaten zijn wapen op de gevangenen in het kamp richtte om zijn Amerikaanse kameraden zijn lasergestuurde vizier te tonen; wederom een dienstvergrijp.

Niet slechts een paar sergeant-majoors, en daarmee hun meerderen, zijn in het geval Murat Kurnaz over de schreef gegaan. Ook degenen die besloten hebben de jongeman uit Bremen-Hemelingen in Guantánamo in onzekerheid te laten toen het Pentagon en de CIA in september 2002 aankondigden dat de ongevaarlijke gevangene uit Duitsland snel vrij zou kunnen komen, hebben het nodige uit te leggen. Die beslissing werd genomen in de exclusieve zogenoemde Präsidentenrunde, op de zevende verdieping van de bondskanselarij: een wekelijks geheim overleg tussen de hoofden van de Duitse veiligheidsdiensten. Onder leiding van de toenmalige chef van het departement van de bondskanselier Frank-Walter Steinmeier viel op 29 oktober 2002 het doek voor Kurnaz, in de vorm van een inreisverbod voor het geval hij mocht vrijkomen. Indien nodig moest hij vanuit Guantánamo naar Turkije uitgewezen worden. Hij zou zijn ouders, zijn broers, ooms, tantes en vrienden in Bremen nooit meer kunnen bezoeken. De Amerikanen waren verbaasd en verontwaardigd. De Turkse regering beschouwde Kurnaz als een Duits probleem. Kurnaz bleef in zijn kooi. Nog jarenlang.

Sinds januari 2007 staat deze zaak op de agenda van de onderzoekscommissie van de BND. Deze moet opheldering verschaffen over de collaboratie van de rood-groene bondsregering met de grove uitwassen van de 'War against terror' van de Amerikaanse regering, met de toegestane CIA-ontvoeringen en de verdoezelde inzet van BND-agenten in de oorlog met Irak. Uit nieuwe bewijsstukken bleek dat de toenmalige bondsregering en haar bureaucratische apparaat nog in de herfst van 2005 op doortrapte wijze alles in het werk hadden gesteld om de mogelijke terugkeer naar de Bondsrepubliek Duitsland van de gemartelde Kurnaz tegen te houden. De minister van Buitenlandse Zaken kwam onder druk te staan.

vijgen en pistolen. De volledig geïntegreerde jonge Turk, geboren in Bremen, opgegroeid in Bremen, helemaal thuis in Bremen, toekomst vermoedelijk ook in Bremen, wordt in de ogen van sceptische buitenstaanders – en zonder zijn toedoen – dus tot een held van een milieu waarvoor de Duitse veiligheidsdiensten terecht waarschuwen.

Het slachtoffer van martelingen Murat Kurnaz antwoordt met dit boek. Het schetst een leven dat heel anders was dan wij het tot dusver kenden. Het toont ons het leven van een geïntegreerde Turkse familie in Duitsland en het streven van een jonge man naar iets anders. Vooral beschrijft Murat Kurnaz vanuit zijn eigen perspectief het Systeem Guantánamo dat erop gericht is verdachten van terrorisme te breken; informatie uit hen te krijgen waarover veel gedetineerden totaal niet konden beschikken. Hij beschrijft de samenwerking tussen artsen en ondervragers, die methodes mochten hanteren die tot gruwelijke taferelen leidden. Hij schetst hoe de gevangenen reageerden toen in juni 2006 drie gedetineerden stierven in hun cel. En hij beschrijft hoe zij het verzet tegen de Amerikaanse folteraars organiseerden.

Wie voelt niet de wonden, de pijn?

Het boek is zijn verhaal. Een verhaal tegen de folteraars en iedereen die daaraan mee heeft gewerkt.

Uli Rauss en Oliver Schröm*
maart 2007

* De auteurs zijn journalisten van het tijdschrift *Stern*.

De predikant is indertijd door de politie afgeluisterd. In de afluisterverslagen is geen aantekening gemaakt van een telefoontje van Murat Kurnaz uit Pakistan.

Een bron hoort dat iemand drie maanden geleden iets gehoord zou hebben; op grond van die informatie schrijft de chef van de binnenlandse veiligheidsdienst bijna vier jaar later, op 25 december 2005, als het erom gaat de potentiële terugreis van Kurnaz te bemoeilijken: 'Na zijn aankomst in Pakistan ondersteunde Murat Kurnaz actief de strijd van de taliban/Al Qaida in Afghanistan.' Voordat Amerikaanse militairen hem van Pakistan naar Afghanistan deporteerden, had Murat Kurnaz nog nooit een stap op Afghaanse bodem gezet.

Desondanks verklaren de verantwoordelijken hem tot een reëel gevaar. Minister van Buitenlandse Zaken Steinmeier zegt over de kwestie Kurnaz: 'Wij moeten ook bij ons rekening houden met bloedige daden en er alles aan doen om die te verhinderen.' Ex-bondskanselier Gerhard Schröder, die naar eigen zeggen gedurende zijn ambtstermijn nooit met de kwestie is belast, beweert: blijkbaar 'zocht de heer Kurnaz contact met islamisten in Pakistan'. Ex-minister van Binnenlandse Zaken Otto Schily kenschetst de jongeman uit Bremen openlijk als 'ongeloofwaardig': 'temeer omdat geloofwaardige getuigen vertelden dat hij op weg zou zijn naar Afghanistan. Stelt u zich eens voor dat wij hem naar Duitsland hadden laten komen en dat hij een aanslag voorbereid had.' Schily maakt bekend dat Kurnaz geen retourticket naar Duitsland had toen hij op 3 oktober 2001 uit Duitsland naar Pakistan vloog; feitelijk had Kurnaz wel degelijk een retourticket, dat negentig dagen geldig was. En hij had een tas vol cadeaus voor zijn familie bij zich toen Pakistaanse politieagenten hem op 1 december 2001 arresteerden.

Het geweld van woorden kan soms erger zijn dan dat van oorhet niet.' Kurnaz beschrijft in dit boek dat hij in Pakistan zijn kennis over de Koran wilde verbreden en wat hij daar meemaakte.

Slachtoffers van martelingen hebben het zwaar in deze tijd. Om de harteloze beslissing van de verantwoordelijken achteraf te rechtvaardigen, loopt sinds eind januari een harteloze campagne. Koel en uiterst berekenend plakken politici en hun handlangers de jongeman uit Bremen, die Amerikaanse instanties na jarenlange verhoren en onderzoeken niets ten laste konden leggen, opnieuw een etiket op: van een dader, een terreurverdachte, een gevaar. Parlementsleden maken tijdens pauzes in de bondsdag grapjes met journalisten over die lange baard en over het feit dat 'die haardos' bij zo veel mensen bevreemding opwekt. Politici kiezen uit de duizenden documenten en notities doelbewust alleen die passages die Kurnaz op de een of andere manier kunnen belasten. Ze verzwijgen elke ontlastende indicatie. Ze citeren uitspraken van getuigen die door die getuigen allang zijn gerelativeerd. Ze postuleren praatjes en geruchten. Zo werd de outdoorbroek, die Murat Kurnaz voor zijn reis naar Pakistan kocht, een soldatenbroek, en de verrekijker een nachtkijker. Stevige laarzen had hij gekocht: ja, wat moet je anders voor zo'n onbegaanbaar land als Pakistan?

Wat had hij daar überhaupt te zoeken, zo kort na de aanslagen van 11 september? De Koran beter leren kennen: een gek die het gelooft! Dan meldt op 25 januari 2002 een nieuwe bron van de binnenlandse veiligheidsdienst in Bremen: Kurnaz zou in een telefoongesprek hebben gezegd dat hij binnenkort aan de zijde van de taliban in Afghanistan ingezet werd. De bron had een gesprek over een dergelijk telefoontje na het vrijdaggebed in de moskee opgevangen. Het telefoontje zelf zou drie maanden eerder gepleegd zijn: tussen Kurnaz in Pakistan en de hulppredikant van de moskee.

algemeen bekend. Wie dat niet wilde weten, keek een andere kant op.

Als zij hun verbale aanvallen op Bush serieus gemeend hadden, dan zouden Steinmeier & Co gedaan hebben wat de Fransen, Denen, Zweden, Belgen, Britten, Afghanen, Pakistanen en Saudi's deden: onderhandelen met de Amerikanen om de gevangenen Guantánamo uit te krijgen. 'Er dienen middelen en manieren gevonden te worden om op een andere manier met de gevangenen om te gaan,' zei Angela Merkel, zonder wier persoonlijke inzet Murat Kurnaz nu nog in Guantánamo had kunnen zitten. 'Als hij iets uitgehaald heeft, moet hij veroordeeld worden, oké,' benadrukte de Bremer officier van justitie Uwe Picard, die de zaak Kurnaz jarenlang behandeld heeft, tegenover de afgevaardigden van de BND-commissie. 'Maar zonder rechten, zonder verdediger in een gevangenenkamp: dat accepteer ik niet. Dat heeft niets te maken met een rechtsstaat.' Tot de ingezetenen van het kamp die lang voor Kurnaz vrijkwamen, behoorden islamistische hardliners en strijders die in Bosnië en Tsjetsjenië waren geweest, in Al-Qaidakampen waren opgeleid of in Afghanistan tegen de Amerikanen hadden gevochten. Enkele van hen zaten na processen weliswaar in hun vaderland in de gevangenis, maar hadden daar wel kans op de omstandigheden van een rechtsstaat.

Hoewel hij volgens zijn biografie een Bremer is, heeft men Murat Kurnaz in Guantánamo laten zitten. Onlangs verdedigde Heinz Fromm, chef van de Duitse binnenlandse veiligheidsdienst, het inreisverbod voor de BND-onderzoekscommissie. De woorden die hij koos zijn veelzeggend: het ging erom 'de gedachten te laten gaan over het feit of zich een gevaarlijke toestand in de zin van het toepassen van geweld zou kunnen voordoen. Het was niet volledig uit te sluiten dat hij zijn reis met een ander dan het door hem genoemde doel gemaakt kon hebben. Maar wij wisten